1

Lúnasa 1977

Chas Aindí an carr isteach ar an tuathród ar thaobh na láimhe clé. Ceithre mhíle slí go Cnoc na Coille, de réir an chomhartha bóthair. Thiomáin sé ar aghaidh trí thír leamh, gan ann ach mar a bheadh brat fairsing féir agus é coinnithe síos ag mogalra de chlaíocha. Ba é seo Machaire Méith na Mumhan.

Thart ar mhíle amháin a bhí curtha de nuair a tháinig sé suas le veain a bhí ina stad ar thaobh an bhóthair. Bhí sé claonta isteach i dtreo an chlaí, mar bhí sé ardaithe ar sheac, agus bhí fear óg ina sheasamh taobh leis is ceann de na rotha ina láimh aige. Bhí sé ag stánadh ar charr Aindí, agus d'ardaigh sé a lámh. Stop Aindí.

'Poll sa roth tosaigh,' arsa an fear. 'Níl aon roth breise agam, agus caithfidh mé dul isteach chomh fada leis an sráidbhaile.'

'Caith an roth isteach sa bhút,' arsa Aindí, 'agus tabharfaidh mé isteach tú.'

'Níl ach cúpla míle le dul,' arsa an fear nuair a shuigh sé isteach.

Bhíodar ag caint agus iad ag dul ar aghaidh. Tomás Ó Faoláir ab ainm don bhfear óg, mac feirmeora a chónaigh ar an taobh eile de Chnoc na Coille. D'inis Aindí dó go raibh sé ag teacht chun an tsráidbhaile chun post múinteoireachta a thógaint sa scoil.

'Cad as a bhfuil tú ag teacht?' d'fhiafraigh Tomás.

'Cathair Luimnigh.'

3

'Nach raibh post agat ansiúd?'

'Bhí. Bhíos ag múineadh i Scoil Chaitríona.'

Níor thuig Tomás cén fáth go n-aistreodh duine ó chathair mhór Luimnigh go háit iargúlta mar Chnoc na Coille.

'Nuair a chuireas isteach ar an bpost anseo,' arsa Aindí, 'bhíos chun cailín sa chathair a phósadh, agus ba mhór againn an teach saor in aisce a bhí ag dul leis an bpost anseo.'

'Comhghairdeas libh araon,' arsa Tomás.

'Níl an comhghairdeas oiriúnach anois: ní bheimid ag pósadh in aon chor. Thángamar anuas timpeall mí ó shin chun an áit a fheiscint, agus ní bheadh an bhean sásta teacht go háit a bhí chomh fada óna muintir agus óna cairde, agus chomh hiargúlta.'

'Raghaidh tú thar n-ais, mar sin?' arsa Tomás.

'Ní féidir liom. Tá an post a bhí agam sa chathair tugtha do dhuine eile cheana féin. Caithfidh mé dul go dtí an sagart paróiste anois chun a chur in iúl dó go bhfuilim tagtha agus go mbead ag tosú sa scoil anseo ar an Luan.'

'Thuas ar bharr an bhaile atá cónaí air siúd,' arsa Tomás. 'Tigh mór amuigh leis féin. Ballaí cloiche agus doras mór téice i lár baill.'

B'fhurasta an tigh a aithint nuair a shroich Aindí barr an bhaile. Bhí sé deighilte amach ó na tithe ag ceann na sráide. Claí téagartha mórthimpeall air agus toir thaibhseacha ar a bharr, iad leagtha amach sa chaoi go raibh a gcrutha agus a ndathanna ag teacht le chéile, in oiriúint dá chéile. Plásóg féir timpeall an tí, ceapacha bláthanna ar feadh na n-imeall agus ceann mór cruinn ina lár. Cheana féin, bhí tuairim aige cén sórt é an duine istigh: fear blasta eipiciúrach, ní foláir. Bhrúigh sé an cnaipe ar ursain an dorais agus chuala an clog ag clingeadh istigh.

Bean, gairid do bheith sean, a d'oscail an doras. Aghaidh phlucach dhearg uirthi. Ach ba iad na súile ba mhó a chuaigh i gcion air. Súile gorma seasmhacha agus iad á thomhas, agus mheas sé nárbh í an fhiosracht amháin ba bhun leis an stánadh a dhein sí air, ach iarracht bheag de ghealtachas chomh maith. Níorbh aon iontas go ndéanfadh sí gnó an doirseora, mar ba é a dualgas é. Ach bhí rud éigin eile taobh thiar den tslí a raibh sí ag glinniúint air féin. Rith sé isteach ina cheann go mb'fhéidir gurb é doicheall an tsagairt a bhí glactha chuici féin aici. 'Cad tá uait?' d'fhiafraigh sí de go grod.

'Ba mhaith liom labhairt leis an gCanónach,' a dúirt sé. 'Is dóigh liom go bhfuil coinne aige liom. Scríobh sé chugam tamall ó shin.'

'Ó, tusa an máistir nua scoile, mar sin?'

'Is mé.'

'Tar isteach,' agus threoraigh sí isteach é go seomra suite a raibh an chuma air go raibh sé ann riamh agus é feistithe go baileach le troscán ársa tromchúiseach. Bhí pictiúr de bhean os cionn an mhatail, seanghrianghraf dubh is bán a méadaíodh agus ar cuireadh fráma d'adhmad dorcha snasta air. Seachas an ceann sin, bhí pictiúir d'ealaín nua-aimseartha ar na ballaí eile, iad gealdathannach, ach ar chuma éigin iad ag luí isteach go beacht leis an seantroscán agus anam an tseomra. 'Fan ansin nóiméad,' arsa an bhean. 'Déarfaidh mé leis go bhfuil tú ann.'

D'imigh cúig nóiméad thart sular tháinig an sagart isteach go dtí an seomra. Shín sé lámh amach agus d'fhág go tláith i láimh Aindí í ar feadh leathshoicind. Ar éigean a fhéadfaí a rá gur chraith sé lámh leis. Fear mór a bhí sa chanónach, agus an chasóg dhubh dhea-dhéanta ag luí go beacht ar a chabhail, ag folú an raimhre a bhí ann. Aghaidh shean, gan aon rian d'anamúlacht inti, agus súile go raibh imill dhearga orthu agus réama ag glioscarnach iontu. 'Sea, a Mhic Uí Mhaonaigh,' ar seisean, agus labhair go mórchúiseach. 'Tá céad míle fáilte romhat go Cnoc oirirc na Coille.' Dhein sé gáire beag scigiúil, faoi mar a bheadh ráiteas an-ghreannmhar déanta aige, agus lean air ag tarrac is ag séideadh le dua, mar bhí deacracht aige le hanálú de réir dealraimh. Bhí sé ina thost ansin, agus thosaigh ag feadaíl trína fhiacla.

Bhí Aindí ag feitheamh leis chun rud éigin eile a rá, ach níor labhair sé. Lean air ag feadaíl agus ní raibh dul as ag Aindí ach rud éigin a rá chun nach dtítfeadh an comhrá as a chéile ar fad. 'Bead ag tosú sa scoil Dé Luain,' ar seisean.

'An ea?' arsa an sagart. 'Tá sin go hiontach, go hiontach ar fad.' Chas sé arís ar an bhfeadaíl.

Ba dheacair d'Aindí a dhéanamh amach ar chladhaire é nó seanóir a bhí ag druidim le simplíocht. Bhí an tost agus an ciúnas mínádúrtha ag cur as go mór dó. Ní fhéadfadh sé é a sheasamh, agus scaoil sé rilleadh cainte uaidh ag tagairt do gach aon ní a raibh eolas uaidh ina thaobh. 'Thángas go luath,' ar seisean, 'chun aithne a chur ar an áit agus ar an scoil, agus chun bualadh le cúpla duine a chuirfeadh ar an eolas mé faoi mhionchúrsaí an tsaoil anseo timpeall. Chonac an scoil ag bun an chnoic nuair a bhíos ag dul thairsti, agus tá dealramh maith uirthi. Táim ag dúil le dul isteach ann ar an Luan agus aithne a chur ar pháistí scoile an cheantair. Idir an dá linn, raghaidh mé go dtí an tigh sin atá in áirithe agaibh dom agus tosóidh mé á chur in oiriúint dom féin.'

An fad a bhí an méid sin á rá aige, bhí an sagart ina thost, ag stánadh roimhe ar spota éigin ar an mballa os a chomhair. Ní bheadh a fhios ag duine an raibh sé ag éisteacht nó ar chodladh na súl oscailte aige é. Ach chomh luath agus a luaigh Aindí an tigh a bhí in áirithe dó féin, bhíog an fear eile. 'An tigh sin,' ar seisean. 'Sea. An tigh sin. Á, sea. An tigh sin…'

'Cá bhfuil sé?' d'fhiafraigh Aindí.

'Tá stair ag baint leis an tigh sin,' arsa an sagart. Agus ar an tslí ar ardaigh sé a ghuaillí agus ar dhírigh sé a shúile ar Aindí, bhí sé soiléir go raibh sé ar a shuaimhneas i ndeireadh báire. Thosaigh sé ag insint scéal an tí. 'Thíos ag bun an bhaile, ar an mbóthar amach go dtí an príomhbhóthar, timpeall céad slat ón scoil, b'fhéidir go bhfaca tú geata mor iarainn i mballa fada cloiche. Geata é sin isteach in eastát mór ar leis an Tiarna Springfort é fadó. Is le Donncha Mac Cárthaigh, an Teachta Dála, anois é. Tá tigh beag díreach taobh istigh den gheata, tigh a tógadh i lár na naoú haoise déag. Tigh deas tirim cluthar é, tigín geata an eastáit. Cheannaigh an Eaglais é nuair a theastaigh ón Easpag sagart cúnta a chur amach anseo chugam-sa, ach tharla nach raibh aon sagart ar fáil an uair sin. Cúig nó sé de bhlianta ó shin, thugamar ar cíos do Mhaidhc Ó Tuathail é.'

Chuir Aindí isteach air ansin. 'Táir chun a rá liom go bhfuil sé siúd fós ann agus nach bhfuil sé sásta é d'fhágaint. Agus bhí an méid sin ar eolas agaibh sular thairg sibh dom é, nuair a bhí ag teip oraibh aon duine a mhealladh chun na háite seo i bhfolach istigh i lár an mhachaire.'

'Bhí sé féin agus a bhean agus beirt óg ina gcónaí i bprochóigín suarach ar thaobh an bhóthair ar an tslí go hÁth Leacach thall ansin,' arsa an sagart. 'Gaoth an gheimhridh ag séideadh trí scoilteanna sna doirse agus braon anuas i ngach seomra. Gníomh carthanachta a bhí ann iad a ligean isteach sa tigín sin.'

'Tuigim sin, ach cad faoin tairiscint a deineadh liomsa?'

'Gabh mo leithscéal nóiméad, a Mhic Uí Mhaonaigh,' arsa an canónach, agus chas sé chun dul go dtí an doras. Chas sé thar n-ais arís agus dúirt, 'No: Caoimhín. Ar mhaith leat go dtabharfainn Caoimhín ort?'

'Níor mhaith liom, chun a bheith macánta leat,' arsa Aindí, 'mar Aindí is ainm dom.'

'Ó, sea. Gabh mo leithscéal.' Bhí an doras sroichte aige ansin, agus d'oscail sé é. Lig sé béic as a chuir alltacht ar Aindí, bhí sí chomh tréan sin ag seanfhear a raibh cuma lag easláinteach air. 'Neilí! Neilí!'

Tháinig Neilí agus fuadar fúithi. 'Sea, a Chanónaigh?'

'Tae, le do thoil, a Neilí. Tae do Mhac Uí Mhaonaigh.'

Nuair a d'imigh sí chun na cistine, rug an sagart ar leathuillinn ar Aindí. 'Seo leat, a Mhic Uí Mhaonaigh,' ar seisean. 'Raghaimid amach go dtí an gairdín, chun seans a thabhairt do Neilí. Níl sí chomh haclaí agus a bhíodh.'

Go cúl an tí a chuaigh siad. Bhí plásóg féir ansin a bhí níos fairsinge ná an ceann os comhair an tí. D'inis an canónach dó gur leagadh síos í le fóid a tógadh as réileán mór amais sa mhachaire gailf nuair a bhí athnuachan á dhéanamh air. Ansin thug sé Aindí isteach sa teach gloine, agus thaispeáin sé an fhiniúin dó. Níor labhair Aindí ná níor chuir sé ceist ar bith ar an bhfear eile.

Amuigh arís agus iad ag breathnú ar na bláthanna, stad an canónach go tobann agus d'fhéach suas ar an spéir ghorm ghlé. 'Tá báisteach air,' ar seisean. 'Bailigh leat chomh tapa agus is féidir leat.' D'imigh sé féin chomh mear agus a bhí ina chosa. Chuir sé ionadh ar Aindí go bhféadfadh duine chomh ramhar agus chomh hainnis leis siúd an tslí a chur de chomh tapa sin síos an cosán go dtí an cúldoras. Thosaigh Aindí ag gáirí, mar ní raibh oidhre ar an bhfear eile ach srónbheannach a bheadh ar meisce. Bhí Neilí ag teacht amach díreach ag an nóiméad sin chun a rá go raibh an tae ullamh aici, ach bhrúigh an canónach i leataobh í agus phlab an doras ina dhiaidh.

Fágadh an bhean bhocht taobh amuigh den doras, agus d'fhéach sí ar Aindí. D'ardaigh sí a guaillí faoi mar a bheadh sí ag rá, 'Níl aon leigheas agamsa air.' D'imigh sí féin isteach. Chas sí timpeall agus d'fhéach arís ar Aindí. Dhún sí an doras ina diaidh, agus fágadh an máistir nua ina staic sa ghairdín ag stánadh ar an gcúldoras dúnta sin. Ní raibh dul as aige ach an áit a fhágaint agus machnamh a dhéanamh ar an dáil ina raibh sé.

Ní raibh aithne aige ar dhuine ar bith san áit. Chonaic sé oifig an phoist i lár na sráide, agus chuaigh isteach chun ceist a chur orthu faoi cá bhfaigheadh sé lóistín.

'Cé tú féin?' d'fhiafraigh bean na hoifige.

'Mise an múinteoir nua scoile i gCnoc na Coille, agus táim tar éis a bheith ag caint leis an sagart paróiste.'

'Chuir sé an ruaig ort, mar sin?'

'Dhein. Cárbh fhios duit sin?'

'Mar tá aithne mhaith againn go léir air. Chuiris i bponc ar shlí éigin é, ní foláir? Faoin tigh a bhí le bheith agat de réir an fhógra sin don phost sa pháipéar?'

D'fhéach Aindí go géar uirthi.

'Mar a deirim leat, tá seanaithne againn go léir air,' arsa bean an tsiopa. 'Ach gheobhaidh tú amach go bhfuil buntáistí ag dul leis an bpost sin agat chomh maith. Ní chuirfidh sé siúd isteach ná amach ort go deo. Scaoilfidh sé leat chun an jab a dhéanamh pé slí is maith leat féin.'

'An chéad rud a chaithfidh mé a dhéanamh, is dócha, ná díon a chur os mo chionn,' arsa Aindí, agus ba cheist níos mó ná ráiteas é sin.

'Cén fáth nach dtéann tú go dtí an mháistreás scoile?' arsa bean an tsiopa. 'Tá fios a gnótha aici sin, agus d'fhéadfadh sí tú a chur ar bhóthar do leasa.'

Ghabh Aindí buíochas léi, agus lean sé na treoracha a thug sí dó chun tigh na máistreása d'aimsiú. Tigh nua-aimseartha a bhí aici, fuinneoga plaisteacha ann agus balcóin os cionn an dorais. Í féin a tháinig chun an dorais chuige. Bean ard sheang a raibh bláth na hóige ag moilliú go fóill ar a haghaidh dhathúil, agus bhí gruaig dhubh uirthi a raibh ribí liatha ag spréacharnach ann thall is abhus.

'Dia dhuit,' arsa Aindí léi. 'Mise Aindí Ó Maonaigh. Táim ag teacht chun na scoile—'

'Tá a fhios agam cé tú féin,' arsa an bhean, 'agus tá céad fáilte romhat. Mise Eibhlín Uí Chléirigh, an mháistreás agat. Ach tá an t-eolas sin agat cheana féin, nó ní bheifeá anseo. Buail isteach.'

2

Chuir Eibhlín a fear céile, Maitiú, agus Aindí in aithne dá
chéile. Bhí an fear céile i bhfad níos sine ná í. Cheap Aindí
nach raibh siad oiriúnach in aon chor dá chéile: ise anamúil, ag
gluaiseacht go spéiriúil timpeall an tí, eisean ina sheanfhear
cromtha spreasánta. Ach bhí sé fáilteach gealgháireach roimh
Aindí.

'An mbeidh cupán caife nó tae agat?' d'fhiafraigh Eibhlín
de.

'Beidh cupán tae agam, le do thoil,' arsa Aindí. 'Chuas an-
ghairid do cheann a bheith agam tamaillín ó shin, agus bheadh
sé agam murach go raibh bagairt báistí ar an tráthnóna.'

Scairt an bheirt amach ag gáirí. 'An Canónach?'
d'fhiafraigh Eibhlín.

'Sea.'

'Ná tóg aon cheann dó sin,' arsa Eibhlín. 'Fear an-chneasta
atá ann, dáiríre, agus garach do dhaoine, go háirithe daoine a
bhíonn i dtrioblóid. Ní foláir nó chuiris i bponc é. Teitheann sé
i gcónaí nuair a bhíonn brú air.'

'Is mór an faoiseamh dom an méid sin a chlos,' arsa Aindí.
'Mheasas go raibh gealt agam mar bhainisteoir ar an scoil.'

'Ní haon ghealt é,' arsa Maitiú, 'ach fear stuama
géarchúiseach.'

'Mar gheall ar an teach nach mbeidh fáil agat air, is dócha,'
arsa Eibhlín, agus chuir sé ionadh ar Aindí an t-eolas agus an
tuiscint a bhí ag daoine san áit ar chúrsaí a cheapfadh duine a

bheadh príobháideach, rudaí nár bhain leo in aon chor. Difríocht mhór idir muintir na tuaithe agus muintir na cathrach, de réir dealraimh. Áit bheag í Cnoc na Coille, agus níorbh aon ionadh go mbeadh suim ag na daoine i ngach mioneachtra agus i dtréithe pearsanta daoine ar a n-aithne.

'Gheobhadsa an tae,' arsa Maitiú. 'Ní mór daoibhse a bheith ag caint faoi chúrsaí scoile agus mar sin.'

'Ardfhear!' arsa Eibhlín agus shuigh sí síos ar aghaidh Aindí amach. 'Níl an scoil ag déanamh tinnis duit ag an nóiméad seo, is dócha,' ar sise leis. 'Ní gá duit a bheith buartha fúithi, ar aon nós. Scoil dheas chiúin atá ann, agus na páistí neamhurchóideach. Roinnt de na buachaillí spleodrach agus anamúil b'fhéidir, ach bheadh coinne agat lena leithéid acu sin.'

'B'fhearr liom mar sin é,' arsa Aindí.

'Áit chónaithe duit féin an fhadhb is mó atá le réiteach agat anois, is dócha?'

'Is é, cinnte.'

'Ní fheadar cén sórt cóiríochta ab fhearr leat. Caithfidh tú glacadh leis gur cóiríocht fhadthréimhseach a bheidh uait, mar níl aon seans go mbogfaidh Maidhc Ó Tuathail ón áit ina bhfuil sé.'

'Ceapaim gur mar sin a bheidh,' arsa Aindí. 'Níl aon tuairim agam cén sórt tithíochta atá ar fáil ar cíos anseo timpeall. Nó le ceannach b'fhéidir, ach é sin amach anseo. Ní fhéadfainn tabhairt faoi go fóill.'

'Ar mhaith leat dul ar loistín in áit éigin? Tá cúpla áit ann a thógfadh ar lóistín tú, cúpla áit leapa is bricfeasta ann chomh maith.'

'Níor mhaith liom socrú den sórt sin in aon chor. Ní bheadh príobháideacht cheart ag duine sna háiteanna sin.'

'Cad faoi árasán agat féin?'

'B'in an rud ab fhearr, dá mbeadh a leithéid ar fáil.'

Bhí Maitiú tagtha leis an tae um an dtaca sin, agus chuala sé cad é a bhí faoi chaibidil acu. 'Nach bhféadfadh sé fanúint anseo againne go dtí go bhfaigheadh sé áit dó féin?' ar seisean. 'Tá seomra codlata díomhaoin againne thuas ansin. Agus d'fhéadfadh sé a bheith ag féachaint timpeall dó féin go dtí go bhfaigheadh sé áit a bheadh sásuil.'

'Ó, níor mhaith liom a bheith ag cur isteach oraibh,' arsa Aindí. 'Go raibh míle maith agaibh as é a thairiscint dom, ach ní fhéadfainn an t-ualach sin a chur oraibh.'

'Níorbh aon ualach é. Bhíos féin díreach chun an rud céanna a rá leat sular labhair Maitiú,' arsa Eibhlín. 'Ní bheadh sé ag cur isteach orainn in aon chor. Agus ba bhreá linn an comhluadar.'

'Is mór agam é,' arsa Aindí, 'ach má ghlacaim leis, ní bheadh i gceist ach ar feadh cúpla lá go dtí go n-éireodh liom socrú buan a dhéanamh dom féin.'

Ar ball, threoraigh Maitiú suas go dtí a sheomra codlata é. Thaispeáin sé dó go raibh seomra folctha *en suite* ag gabháil leis. Cuireadh ann é, dúirt sé, nuair a bhí an tigh á thógaint acu, mar bhí sé ar intinn acu leaba is bricfeasta a chur ar fáil do thurasóirí. Níor dheineadar riamh é, áfach, mar nuair a ceapadh Maitiú mar fhear an phoist, ní bheadh aon duine den bheirt acu saor chun a bheith ag freastal ar chuairteoirí. Thug Maitiú bord is cathaoir isteach ó áit éigin agus chuir síos taobh istigh den bhfuinneog iad. 'I dtreo go mbeidh áit agat féin,' ar seisean, 'chun do chuid oibre don scoil a dhéanamh nó aon scríbhneoir-eacht eile, nó a bheith ag léamh duit féin.'

'Níor cheart duit an dua sin a chur ort féin,' arsa Aindí, 'go háirithe nuair nach mbeidh mé anseo ach tamall gearr.'

D'imigh Maitiú síos an staighre uaidh ansin agus d'fhág ann é chun ligint dó a chuid éadaigh a chrochadh sa vardrús agus dul i dtaithí ar an timpeallacht. Shuigh Aindí ar an gcathaoir taobh thiar den bhord agus d'fhéach amach an fhuinneog. Bhí radharc ón bhfuinneog ar an gclós agus ar an ngairdín ag cúl an tí. Glasraí a bhí sa ghairdín. Taobh thiar den bhalla íseal a bhí mar sconsa ag cúl an ghairdín bhí Machaire Méith na Mumhan ag síneadh fad gach aon fhaid i gcéin: páirceanna, claíocha, sceacha, crainn anseo agus ansiúd, agus glaise an fhéir leata thairis ar fad mar chlúid. Tírdhreach leamh, an dath agus na mionsonraí á tréigint de réir mar a bhí sí ag druidim uaidh amach go dtí ceo na céine, áit éigin thall ansin i dtreo Contae Thiobraid Árann. Bhí an áit agus an seomra lán de chiúnas agus de shíocháin. Shuigh Aindí siar sa chathaoir agus bhain taitneamh as.

Chuaigh Aindí in éineacht leis an mbeirt go dtí an t-aifreann ar an Domhnach. Ag an séipéal chuaigh an triúr acu isteach sa dara suíochán síos ón altóir. Fágadh an chéad cheann díomhaoin. D'inis Eibhlín i gcogar d'Aindí gurb é an máistir scoile agus a chlann a bhíodh sa chéad suíochán i gcónaí.

'Ná bris nós, a dúrthas riamh,' arsa Aindí léi, 'ach táimse chun an ceann sin a bhriseadh agus as seo amach fanfaidh mé thíos i lár baill.'

'Más é sin is rogha leat,' ar sise.

An Canónach Ó Baoill a léigh an t-aifreann. Thug sé seanmóir ghairid leanbaí, nach raibh ann ach insint shimplí ar an soiscéal a léadh amach dóibh díreach roimhe sin. I ndiaidh na seanmóra, léigh sé amach fógraí faoi imeachtaí an pharóiste sa tseachtain a bhí le teacht. 'Osclófar an scoil amárach i ndiaidh laethanta saoire an tsamhraidh. Tá áthas orm fáilte a chur, thar bhur gceann, roimh an máistir nua, an tUasal Aindrias Ó Maonaigh. Tá súil agam go mbeidh sé inár measc ar feadh tréimhse fada torthúla, agus go mbeidh rath ar a chuid oibre do na páistí agus don pharóiste trí chéile.'

Bhí taithí ag Aindí ar shaol neamhphearsanta príobháideach i gcathair Luimnigh, agus níor thuig sé go rómhaith cad a bhí i gceist le 'obair don pharóiste trí chéile'. Chuir sé ceist ar Eibhlín nuair a bhíodar ag dul amach i ndiaidh an aifrinn.

'Mar a dheineadh an fear a bhí sa phost romhat, is dócha,' ar sise. 'Bhíodh sé ag postaireacht timpeall an tséipéil ag na haifrinn, ag bailiú an airgid, ag dul suas chun na haltóra ag freastal ar an sagart nuair nach mbíodh garsún i láthair. Mhúineadh sé do na buachaillí conas freastal ag aifrinn, agus mhúineadh sé ceol an tséipéil don chór, agus sheinneadh sé an armóin ag na searmanais.'

'Fear ildánach! Is dócha go gceapann an Canónach go ndéanfadsa na rudaí céanna dó?'

Miongháire ar a béal ag Eibhlín, ag féachaint idir an dá shuil ar Aindí. 'Níl an fonn sin ort, de réir dealraimh,' ar sise.

'Níl, agus rachaidh mé siar go dtí an sacraistí chuige anois díreach chun an méid sin a chur in iúl dó.'

Bhíodar tagtha chomh fada leis an doras um an dtaca sin, agus bhí Maitiú imithe uathu is é ag caint le fir eile a bhí ina seasamh cúl le balla ag an taobh eile den bhóthar.

'Mholfainn duit gan é sin a dhéanamh,' arsa Eibhlín. 'Ní thuigeann tú chomh glic agus atá an fear sin, na ciútaí lena gcaitheann sé le daoine. Bhí Micheál bocht, a bhí sa phost romhat, sean agus seanfhaiseanta, agus ghlac sé leis go mba shórt cléireach don bhaile agus don Eaglais é, go raibh na cúraimí sin ag gabháil leis an bpost a bhí aige sa scoil.'

'Agus ceapann sé siúd anois gur duine mise den déantús céanna?'

'Tá tástáil á déanamh aige ort. Sin é an fáth gur chaith sé isteach ansin é go neafaiseach. Níor theastaigh uaidh é a rá leat aghaidh ar aghaidh, mar tá tuairim mhaith aige go ndiúltófá dó.'

'Tá sé chomh maith agam, mar sin, dul siar chuige agus a dhearbhú dó nach bhfuilimse chun faic a dhéanamh ach na dualgaisí a bhaineann leis an scoil a chomhlíonadh chomh maith agus is féidir liom.'

'Ná dein. Lig dó teacht chugat agus rud éigin a iarraidh ort. Ní gá duit freagra a thabhairt dó, fiú amháin. Ní gá ach gan a bheith ann nuair a bheadh súil aige leat. Ba leor sin chun é a chur ar an eolas.'

'Tá sé seo ait. An deachtóir é?' arsa Aindí. 'Nach bhfuil coiste bainistíochta ann anois chun cúrsaí na scoile a riaradh?'

'Tá coiste ann, ceart go leor. Eisean a roghnaigh iad. Ní thagann siad le chéile riamh, áfach. Ligeann siad dó féin déileáil le cúrsaí scoile. Téann rudaí ar aghaidh gan trioblóid, go héasca, agus ní chuireann sé as d'éinne.'

Bhíodar taobh amuigh de dhoras an tséipéil ansin, agus bhí daoine ag teacht is ag cur fáilte roimh Aindí. Mná is mó a tháinig chuige, agus corrfhear i dteannta le cúpla duine acu. Dúirt triúr nó ceathrar ban leis go raibh súil acu go dtíocfadh sé ar cuairt chun an tí chucu uair éigin chun go gcuirfeadh sé aithne ar na 'bundúchasaigh'—agus scige bheag gháire leis an bhfocal 'bundúchasaigh', mar dhea nár oir sé dóibh féin in aon chor. Bhíodar ag caint agus ag caidreamh le chéile i lár an chlóis gan aon cheann á thógaint acu dóibh sin thall agus a dtóineanna le balla ag gliúcaíl trasna orthu. Má bhí an deighilt idir lucht rachmais agus lucht oibre le braistint in aon láthair chruinnithe sa cheantar, bhí sé ina steillbheatha ansin i gclós an teampaill.

D'fhág Eibhlín agus Aindí clós an tséipéil, agus bhíodar ag siúl síos an bóthar go dtí carr Aindí. Tharla go raibh triúr fear óg ina seasamh i lár an bhóthair ag comhrá le chéile. 'Déarfainn go dteastaíonn uathu sin labhairt leat,' arsa Eibhlín. 'Ní bhíonn siad ansin riamh.'

Bhí Aindí ag cur aithne uirthi agus ar an gciall ab fhéidir léi a bhaint as iompar daoine, ag brath ar cá mbeidís agus an tráth sa lá a bheadh ann. Níor bhuail duine riamh leis a bhí chomh géarchúiseach léi chun na fothuiscintí agus na hardmhianta rúnda a bheadh taobh thiar dá ndéarfadh daoine d'aithint. Bhí an ceart aici, gan amhras. Theastaigh ó na leaideanna sin labhairt leis.

Chuireadar iad féin in aithne dó, ag insint dó go rabhadar ag imirt leis an bhfoireann áitiúil iománaíochta, agus gur iarr an cumann orthu dul chun cainte leis.

'Tá áthas orm bualadh libh,' arsa Aindí leo.

'Chonac ag imirt tú d'Éire Óg i Luimneach,' arsa duine acu, Diní Caomhánach. 'Bhís ar fheabhas, cheapas.'

'Go raibh maith agat,' arsa Aindí.

'Mise Marcus Ó Maolmhuaidh,' arsa duine acu. 'Captaen na foirne i mbliana.'

Bhíodar gan faic a rá ar feadh tamaillín.

'Bhíomar ag súil leis go n-aistreofá chugainne,' arsa Marcus ar ball. 'Ós rud é go mbeidh tú lonnaithe anseo anois agus ag múineadh na ngarsún anseo timpeall.'

'Ní raibh aon choinne agam go mbeadh sibh ag iarraidh orm teacht chugaibh,' arsa Aindí.

'Ba mhór againn é dá dtíocfá,' arsa fear eile acu, Neid Puirséal.

'Caithfidh mé labhairt leis na daoine in Éire Óg i dtosach,' arsa Aindí. 'Bheadh an méid sin ag dul dóibh, fiú mar chuirtéis. Déarfainn nach mbeadh aon bhac orm aistriú, os rud é gur anseo a bheidh cónaí orm as seo amach.'

'Bhí na leaideanna ag caint leat,' arsa Maitiú nuair a tháinig sé abhaile. 'Marcus Ó Maolmhuaidh agus iad sin. Tá Marcus ina chaptaen ar an bhfoireann iomána, tá's agat.'

'Sea,' arsa Aindí, ag glacadh leis go raibh eolas iomlán ag Maitiú ar an rud a bhí faoi chaibidil aige féin agus na hiománaithe sin. 'Dúras leo go gcaithfinn labhairt le muintir Éire Óg i dtosach, ach ní dóigh liom go mbeidh aon fhadhb leis.'

'An-mhaith,' arsa Maitiú. 'Beidh seans iontach agat socrú síos anseo nuair a bheidh aithne agat ar na daoine óga.' Bhí páipéar an Domhnaigh tugtha abhaile ag Maitiú, agus thosaigh sé á léamh.

Chuaigh Aindí amach go dtí an chistin, áit a raibh Eibhlín ag ullmhú lóin dóibh. 'Bhfuil cúnamh uait?' ar seisean.

'Níl,' ar sise, 'ach suigh ansin, más mian leat. Ní bhfaighir focal uaidh siúd istigh an fad a bheidh sé ag léamh an pháipéir sin.'

Shuigh Aindí ar chathaoir in aice na fuinneoige agus bhí sé ag féachaint amach ar an ngairdín. Chas sé isteach aon uair a raibh rud le rá aige le Eibhlín nó a ndéarfadh sise rud éigin leis. Ag caint faoin scoil a bhíodar don chuid is mó. 'Is dócha go bhfuil caighdeán an-ard agaibh,' arsa Aindí.

'Cad a chuir sin i do cheann?'

'Ní fheadar. Aibíocht na ndaoine anseo timpeall, b'fhéidir. Ní hea ar fad. Tusa a bheith ag múineadh ann an phríomhchúis agam leis, is dócha.'

Bhí Eibhlín ina seasamh ag an sorn cócaireachta, corcán ina láimh aici. Stad sí tamall agus d'fhéach sí thar a gualainn air, ceist ina súile, ach níor labhair sí. Pé ciall a bhain sí as a ndúirt sé, níor dhein sí aon tagairt dó. 'Is dócha go gcaithfidh tú do léamh féin a dhéanamh air sin,' ar sise. 'Beidh do shlat tomhais féin agatsa, ní foláir. Níorbh aon díobháil trialacha a bheith ullamh agat dóibh amárach chun é sin a dhéanamh amach duit féin.'

'Ní fheadar. Díreach tar éis na laethanta saoire, agus múinteoir nua acu? Beidh mé ag caint leo agus ag obair leo ar feadh tamall de laethanta, agus beidh aithne cheart agam orthu ansin. Is fearr sin ná aon cheann de na trialacha réamhdhéanta sin atá curtha amach ag an Roinn Oideachais.'

3

Meán Fómhair 1977

I gcarr Aindí a chuir sé féin agus Eibhlín an míle slí díobh idir an teach agus an scoil maidin Dé Luain. Bhí líne fada de charranna ar thaobh an bhóthair taobh amuigh den scoil agus daoine iontu. Mná is mo a bhí ann i dteannta na bpáistí. Bhí roinnt mhaith daoine ag seasamh i gcoinne an bhalla os comhair na scoile chomh maith, daoine nach raibh carranna acu nó go raibh carr an teaghlaigh imithe ag fear nó bean an tí a bhí ag obair in áit éigin eile. Sin mar a cheap Aindí go háirithe. Bhí gach péire súl, pé acu sna carranna dóibh nó in aice bhalla na scoile, dírithe ar Aindí. Ní raibh coinne aige leis sin, ach nuair a smaoinigh sé air, níorbh ionadh leis é. Ba mhaith leo, gan amhras, radharc a fháil ar an múinteoir a bheadh ag a bpáistí go ceann i bhfad—go deireadh a ré sa bhunscoil, b'fhéidir.

'Aird ag na mná go léir ort,' arsa Eibhlín leis os íseal. 'Bain sásamh as, mar i gceann cúpla lá ní bheidh ionat ach mar atá an sceach sin thall ar an gclaí: rud sa tírdhreach.'

Chuaigh Aindí agus Eibhlín isteach taobh le taobh. Bhí Aindí ag féachaint roimhe agus é ar a dhícheall gan súl a chaitheamh clé nó deas, a fhios aige go raibh sé faoi mhion-scrúdú ag na tuismitheoirí agus nach raibh de leigheas aige ar an scéal sin ach glacadh leis. Bhí Eibhlín ag féachaint timpeall uirthi, í ag bagairt a cinn agus aoibh lách á díriú aici ar bhean anseo is ansiúd.

Bhí an t-airíoch rompu ag an doras, fear meánaosta, é íseal tanaí, gruaig dhubh agus súile donna. Shín sé lámh amach

chuig Aindí agus chraitheadar lámh. 'Fáilte romhat, a
Mháistir,' ar seisean. 'Tá súil agam go bhfaighidh tú gach aon
ní in ord agus in eagar.'

'Táim cinnte go bhfaighidh,' arsa Aindí.

Dhún an t-airíoch an doras agus d'fhág páistí is
tuismitheoirí amuigh. De réir dealraimh, bhí sé de nós acu an
doras a oscailt do na daltaí ar bhuille a naoi a chlog, ag cloí le
forálacha an chlár trátha oifigiúil. Chuaigh Eibhlín go dtí a
seomra féin, ach chuaigh Aindí timpeall leis an airíoch chun
eolas a chur ar leagan amach an fhoirgnimh. Ansin chuaigh an
máistir nua isteach ina sheomra ranga féin.

Thit an lug ar an lag aige nuair a sheas sé ag bord an
mhúinteora agus d'fhéach ar bhinsí na bpáistí, suite i línte
dochta díreacha ó bhun an tseomra chomh fada suas lena bhinse
féin. Bhraith sé go raibh sé daortha chun an phríosúin sin de
sheomra ranga ar feadh a shaoil, ag gabháil do *Naoi faoi cúig,
sin daichead a cúig* nó *An aimsir chaite nó an tuiseal ginideach*
nó *Tháinig long ó Valparaiso*. Ní foláir nó bhí rud éigin eile a
fhéadfadh sé a dhéanamh a mbeadh tábhacht leis i saol an chine
dhaonna…

Ag an nóiméad sin osclaíodh an príomhdhoras, agus rop
anfa cainte is béicíle na bpáistí isteach i gciúnas an tseomra.
'Caithfidh mé glacadh leis anois,' ar seisean leis féin. 'Go fóill,
ar aon nós.' Lean an chaint agus an béiceadh amuigh sa
phasáiste ar thaobh na seomraí ranga. Ní raibh aon duine ag
teacht isteach sa seomra chuige, agus ag deireadh chuaigh sé
amach féachaint cad é a bhí ag cur moille orthu. Bhíodar ina
seasamh i líne ag feitheamh le hordú uaidh chun siúl isteach.
Bhí ranganna na máistreása ag siúl isteach ina seomra siúd
cheana féin. Bhí scata ban ag dul isteach in éineacht leo sin.
Bhí Aindí ag stánadh ar an dream sin ban a bhí ag dul isteach i
seomra na máistreása. 'Sin iad máithreacha na ndaoine nua,'
arsa cailín mór leis. Laoiseach éigin ab ainm di, mar a fuair sé
amach ar ball. 'Tá na naíonáin shóisearacha ag tosú inniu.'

Bhí ceithre rang faoina chúram féin, ó rang a trí go rang a sé. Agus nuair a thángadar isteach sa seomra, chuaigh siad uile go dtí a n-áiteacha féin. Bhí na daoine óga sa tsraith in aice na bhfuinneog mór, agus na daoine i rang a sé ar an taobh eile den seomra, taobh le balla inmheánach a raibh fuinneoga beaga ar a bharr go hard os a gcionn. Shuíodar ann ina dtost, súile mora ag stánadh ar Aindí, á mheas. D'fhan sé ag féachaint orthu ar feadh tamaill gan faic a rá leo. Thuig sé go mba air féin a bheadh sé rud éigin a rá chun béascna an tseomra a bhunú agus gnáthchaidreamh a chur sa siúl.

'Dia is Muire dhaoibh,' ar seisean leo.

'Dia is Muire dhuit is Pádraig, a Mháistir,' ar siad d'aon ghuth. Ní raibh a fhios ag Aindí cérbh é, nó í, an ceannaire a bhí orthu, mar ba dhóigh leis gur labhair siad uile le chéile gan éinne faoi leith chun tosaigh ar an gcuid eile.

'Tá a fhios agaibh, dar ndóigh,' lean sé air, 'gur mise an múinteoir nua a bheidh agaibh as seo amach. Níl bhur n-ainmneacha agam go fóill, ach beidh sul i bhfad. Dá bhrí sin, ba mhaith liom, nuair a bheidh sibh ag labhairt, go nglaofadh sibh amach bhur n-ainmneacha dom. Sin don lá inniu amháin. Ba chóir go mbeadh an t-eolas agam ina dhiaidh sin. Bhfuil gach éinne ar scoil inniu? Bhfuil aon duine as láthair?'

'Tá Risteárd as láthair,' arsa cúpla duine i dteannta a chéile.

'Cén Risteárd?'

'Risteaád Mac Muilinn,' arsa garsún beag i rang a ceathair.

'Cé tusa?'

'Mise Seán Ó Laoi. Tá cónaí orm in aice le Risteárd.'

'Bhfuil a fhios agat cén fáth go bhfuil Risteárd as láthair?'

'Níor thangadar abhaile go fóill. Táid ar saoire san Iodáil.'

Lean Aindí air ag caint leo agus á gceistiú go ceann i bhfad, ag iarraidh an chúthaileacht a bhí orthu a dhíbirt. I gceann fiche nóiméad nó mar sin bhíodar ar a socracht, ag caint leis agus ag insint dó rudaí faoin gcomharsanacht agus faoin saol a bhíodh acu faoin seanmháistir. Dúirt duine acu gur chuaigh seisean isteach go cathair Luimnigh nuair a d'éirigh sé as an múinteoireacht. Um an dtaca sin, bhí cuid acu ina seasamh ag spalpadh leo le fonn, agus cheana féin bhí bá ag Aindí leo, lena simplíocht agus lena macántacht. Ba dhóigh leis gur thaispeáin an éascaíocht sin sa chaidreamh eatarthu go raibh muinín acu as. D'imigh an ghruaim de, an ghruaim a bhí air nuair a sheas sé sa seomra folamh don chéad uair.

'Bhfuil tuairim ag éinne cá bhfuil an leabhar rolla?' arsa Aindí.

'Sa tarraiceán faoi bhinse an mhúinteora,' arsa Labhrás.

Thóg Aindí amach é, agus chonaic go raibh ainmneacha na bpáistí don bhliain reatha scríofa isteach ag an bhfear a bhí ann roimhe. 'Táim chun an rolla a ghlaoch anois,' ar seisean, 'agus nuair a ghlaoim amach d'ainm, seas suas, mar teastaíonn uaim aithne a chur ar an duine go bhfuil an t-ainm sin air nó uirthi.'

Ag a deich chun a haon déag scaoileadh na páistí amach, agus bhí Aindí is Eibhlín amuigh ina bhfeighil. Shiúladar soir siar ar feadh an chlóis, a lámha ina phócaí ag Aindí agus lámha fillte trasna ar a hucht ag Eibhlín. 'Thógais na daoine nua isteach ar maidin,' arsa Aindí.

'Seachtar.'

'Tá sin go maith, is dócha. Cé mhéid duine a d'imigh ó rang a sé ag deireadh na bliana anuraidh?'

'Cúigear.'

'Tá breis againn ar an mbliain a d'imigh tharainn, mar sin.'

'Tá.'

'Níl a fhios agam féin conas a dhéantar é. Sa scoil ina rabhas anuraidh, théidís go dtí an príomhoide chun cláraithe sula scaoilfí isteach iad.'

'Ba chóir go ndéanfaidís sin anseo chomh maith, ach d'fhágadh an fear a bhí anseo romhat fúmsa é a dhéanamh. Más fearr leat féin é a dhéanamh—'

'Ó, ní dhéanfad. Tusa a bheidh ag plé leo, agus is fearr go ndéanfása é. Tógfaidh sé tamall orm teacht isteach ar an gcur chuige atá againn anseo. Ach leanaimis ar aghaidh ag déanamh rudaí mar a deineadh go nuige seo. Táim cinnte go bhfuil gach aon rud ar fheabhas mar atá sé.'

I ndiaidh an bhriste d'iarr Aindí orthu na leabhair a bhí acu an bhliain roimhe sin a thógaint amach. Thosaíodar á léamh dó, agus bhí sé á gceistiú faoin ábhar a bhí iontu. Sa tslí sin, bhí sé ag cur aithne orthu, na daoine éirimiúla agus iadsan a bhí ag streachailt leis an bhfoghlaim. Réitíodar fadhbanna san uimhríocht dó, agus de réir dealraimh bhí roinnt bheag ailgéabair déanta ag na daoine ba shine orthu.

Dhein sé tagairt don ailgéabar ag dul abhaile dó tráthnóna in éineacht le Eibhlín sa charr. Ní raibh aon choinne aige go mbeadh a leithéid á dhéanamh ag páistí sa bhunscoil. 'Dheineadh Micheál é chun teacht roimh dheacrachtaí a bhuailfeadh leo sa mheánscoil,' arsa Eibhlín. 'Ní bheadh am ag na múinteoirí sa mheánscoil, cheap sé, chun tiomáint leo agus é a mhíniú ina lán slite éagsúla chun go bhfaigheadh na daoine malla tuiscint air'.

'D'aontaís leis, is dócha?'

'D'aontaíos.'

'B'iontach an bheirt sibh. Ní fheadar an mbeadh aon seans agam teacht in aon ghar don chaighdeán atá sroichte agaibh.'

Chlaon sí a ceann roimpi agus d'fhéach isteach sna súile air. 'An raibh iarracht d'íoróin mhagaidh ansin?' ar sise.

'Ní raibh aon phioc d'íoroin ná de mhagadh ann,' arsa Aindí. 'Ní fheadar an bhfuil rud éigin san aer timpeall na háite seo, ach níor bhuail riamh liom dream atá chomh héirimiúil, chomh cliste, chomh géar i dtaobh aon ní a bhaineann le meabhair chinn agus tuiscint agus daonnacht.'

'Ní foláir nó tá Luimneach lán de leathamadáin, mar sin. Agus sin rud nach gcreidim.'

'Agus ina measc sin ar fad,' arsa Aindí, 'tusa an bhanríon.'

Bhíodar tagtha chun an tí um an dtaca sin, agus d'fhanadar tamaillín sa charr gan aon ní a rá lena chéile. Ba í Eibhlín ba thúisce a labhair. 'Is dóigh liom,' ar sise, 'gur mar a chéile domsa agus do mhná eile. Is breá linn moladh a fháil, go háirithe ó fhear óg dathúil. Tá rud amháin le rá agam leat, áfach, a Aindí.'

'Agus cad é sin?'

'B'fhearr liom,' ar sise, 'nach ndéarfá rudaí den sórt sin agus Maitiú i láthair.'

Baineadh stangadh as Aindí. Ní raibh coinne aige lena leithéid. Shuigh sé ina staic taobh thiar den roth stiúrtha agus é balbh. 'Gabh mo leithscéal,' ar seisean ar ball.

D'oscail Eibhlín an doras agus sheas sí amach as an gcarr. Shiúil sí isteach sa tigh gan a thuilleadh a rá. D'fhan Aindí ina shuí ar feadh tamaill, ag iarraidh an chaint a dhein sí a thuiscint. Ní raibh a fhios aige cad ba bhun leis an rabhadh sin uaithi. Chaithfeadh sé a bheith discréideach leis an mbeirt acu. A chur san áireamh go rabhadar níos leochailí ná mar a mheas sé i dtosach. Bhí Maitiú i bhfad níos sine ná í, b'fhéidir fiche bliain níos sine. Ba dheacair a dhéanamh amach conas a thángadar le chéile. Ní fhéadfadh Aindí an gaol a bhí eatarthu a mhíniú do féin. Bhí sé tugtha faoi deara aige go mbídís i gcónaí sórt neafaiseach lena chéile. Ní dheinidís ach fíorbheagán cainte riamh. Is dócha go raibh tuiscint chomh maith sin acu ar a chéile nár ghá dóibh aon ní a chur i bhfocail.

Thuirling sé féin den charr agus chuaigh isteach sa tigh. Bhí Eibhlín sa chistin: chuala sé í ag gabháil do ghréithe ann. Ghlaoigh Maitiú amach chuige ón seomra suite: 'Conas a d'éirigh leat ar do chéad lá, a Aindí?'

'Go breá ar fad,' d'fhreagair sé, agus thosaigh sé ag dreapadh suas an staighre.

Bhéic Eibhlín ón gcistin, 'Cupán tae i gceann nóiméid, a Aindí?'

'Go raibh maith agat,' ar seisean agus lean sé air ag dul suas go dtí a sheomra. D'fhág sé a mhála ar an mbord agus shuigh ar cholbha na leapa ag machnamh dó féin ar feadh

23

tamaill. Níorbh fholáir nó bhí Eibhlín ag tabhairt le tuiscint dó go raibh Maitiú beagán íogair faoin gcaidreamh a bheadh aici le fir óga ar nós Aindí féin. Amaideach, b'fhéidir, ach thuig sé go mba mhaith an rud é go mbeadh eolas aige ar na cora casta a bhainfeadh le maireachtaint mar dhuine den líon tí.

Chuaigh sé síos go dtí an seomra suite, agus thug Eibhlín an tae isteach chucu. Aoibh uirthi agus í gealghaireach mar ba ghnáth. Thosaigh siad ag caint faoin scoil, ag freagairt na gceisteanna a chuir Maitiú orthu. Murach go raibh Aindí i láthair sa charr nuair a labhair Eibhlín, ní chreidfeadh sé go deo go raibh an comhrá úd acu.

'Tá tús maith curtha agaibh ar an obair,' arsa Maitiú. 'Go raibh rath agus fónamh air i gcónaí.'

4

Meán Fómhair 1977

An mhaidin dár gcionn, chuaigh an bheirt oide ar scoil i bhfochair a chéile sa charr. Caint faoi chúrsaí scoile a bhí ar siúl acu ar an turas, Eibhlín ag insint dó cad é a mbeadh coinne leis sa lá a bhí le teacht. Bheadh Siún Nic Ghreagair chuige tráthnóna chun fáilte a chur roimhe agus chun a rá leis go bhfuil meas agus gean ag na páistí air cheana féin. 'Agus cad é an luach saothair a bheidh ag teastáil uaithi mar chúiteamh ar an moladh bréige sin?' d'fhiafraigh Aindí.

'Faic na ngrást, ach go mbeidh sí sásta go bhfuil aithne aici ort agus aithne agatsa uirthi. As sin amach, beidh sí in ann *Aindí* a thabhairt ort in áit *Mac Uí Mhaonaigh* nó *A Mháistir.*'

'Áiféis!'

'Tá a fhios agam, ach caithfidh tú cuimhneamh air gur cuid den saol an scoil san áit seo, cosúil leis an séipéal, ar shlí. Chaitheas féin tamall ag múineadh i gCorcaigh sular tháinig mé anseo, agus ní raibh sa scoil ansiúd ach mar a bheadh siopa a raibh oideachas ar díol ann. Níor chuid den saol í.'

Caint mar sin a bhí ar siúl acu, gan tagairt ar bith don bhabhta beag géiríneachta a d'éirigh eatarthu an lá roimhe sin. Mheas Aindí go raibh deireadh leis mar scéal, go raibh sé curtha go liombó na haimsire caite.

Ach bhí breall air. 'Ba mhaith liom labhairt leat tráthnóna,' arsa Eibhlín leis díreach nuair a bhíodar chun tuirlingt den charr. 'Dúras le Maitiú go mbeadh moill orainn inniu mar go mbeadh orainn na leabhair rollaí agus na clárleabhair a líonadh don bhliain úr scoile.'

'Ach ní thógfaidís sin ach dha nóiméad,' arsa Aindí

'Tá a fhios sin agamsa agus agatsa,' ar sise, 'ach níl aige sin.'

Bhí an ceart aici maidir leis an bhfáistine a dhein sí. Nuair a bhí na páistí imithe abhaile agus Aindí ag scríobh nótaí faoinar deineadh i rith an lae, buaileadh cnag ar dhoras an tseomra. 'Tar isteach!' bhéic sé, ag ceapadh gur duine de na daltaí a bhí ann a dhein dearmad ar rud éigin.

Osclaíodh an doras agus sháigh bean a ceann isteach. Bean ghalánta, gruaig fhionn uirthi a bhí ag preabadh timpeall de réir mar a bhí a ceann ag casadh soir agus anoir agus í ag iniúchadh an tseomra. Aghaidh thanaí dhea-chumtha ghnaíúil uirthi, agus bhí sí gléasta go néata i gculaith ar dhath líomóide. 'An bhféadfainn cúpla focal a bheith agam leat?' ar sise.

'Níl mórán ama agam,' arsa Aindí, 'ach seo leat. Cad is féidir liom a dhéanamh duit?'

'Faic in aon chor, leis an bhfírinne a rá leat, ach ba mhaith liom fáilte a chur romhat chun na scoile. Tá áthas ar a lán againn go mbeidh fear óg fúinniuil mar mhúinteoir ag ár bpáistí. Agus tá ardáthas ar na páistí féin chomh maith.'

'Go raibh maith agat, a bhean uasal. Bhfuil duine leat ar an scoil againn?'

'Mise Siún Nic Ghreagair,' arsa an bhean. 'Tá mac liom, Tomás, i rang a ceathair agat.'

Mhol Aindí Tomás agus ghabh sé buíochas léi arís.

Chomh luath agus a ghlan sí amach an doras, bhí Eibhlín istigh sa seomra. 'An raibh an ceart agam?' d'fhiafraigh sí.

'Bhí.'

Shuigh Eibhlín ar bharr binse trasna an bhoird ó Aindí. D'fhéach siad isteach sna súile ar a chéile. 'Níl seachtain iomlán caite fós agat inár dtighne,' ar sise.

'Ceithre lá.'

'Agus cheana féin, braithim gur duine den chlann tú.'

D'fhan Aindí ina thost.

'Mar a chéile do Mhaitiú é,' ar sise. 'Labhair sé liom aréir, agus dúirt gur mhór aige sin chomh maith an comhluadar lách saoithiúil sa tigh. Ba bhreá leis an mbeirt againn dá bhfanfá linn go buan. Ní gá duit áit éigin eile a lorg.'

Dhein Aindí scige bheag gháire. 'Ní fheadar,' ar seisean. 'Is mór an focal é *buan*. B'fhéidir go n-éireodh eadrainn lá éigin agus go mbeimis i gcochall a chéile, agus nach mbeadh dul as agam ach an áit a thréigint láithreach bonn baill.'

'Dá dtarlódh a leithéid, tá súil agam go bhféadfaimis déileáil leis go sibhialta.'

Níor labhraíodar ar feadh tamaillín, an bheirt acu ag stánadh ar a chéile. B'fhéidir go raibh an ráiteas a dhein Eibhlín an tráthnóna roimhe sin ag rith trína n-aigne.

'Chun a bheith macánta leat,' arsa Aindí, 'táim thar a bheith compordach sa tigh agaibh. Is geall le hárasán agam féin an seomra leapa atá agam. Tá gach aon áis ann a bheadh ag teastáil ó dhuine, agus caitheann sibh beirt go cineálta agus go garach liom. Ina theannta sin, tá cead mo chinn agam faoi mar a bheinn i mo thigh féin agus príobháideacht iomlán agam ag an am céanna.'

'Fanfaidh tú linn, mar sin?'

'Go fóill, ar aon nós.'

'Tá blas beag d'amhras ar an bhfreagra sin.'

'Bhfuil ionadh ort go bhfuil?

Níor thug sí freagra ar feadh nóiméid. 'An rud a dúrt leat sa charr inné atá ag cur as duit, is dócha.'

'Sea. Déarfaidh mé amach leat é. An bhfuil sé i gceist, má fhanaim libh sa tigh, go mbeidh orm aon fhocal molta ba mhaith liom a rá fútsa a bhrú faoi cheilt ar eagla go mbeadh éad nó formad nó lagmhisneach nó drochamhras fúm ag Maitiú dá bharr?'

'Rud éigin mar sin,' arsa Eibhlín go séimh.

Arís, bhíodar ina dtost ar feadh tamaill.

'Féach,' arsa Aindí ag deireadh. 'Is dóigh liom go dtuigim cúrsaí.'

'Tuigeann tú, is dócha, cúrsaí chomh fada agus a bhaineann siad le Maitiú, ach ar éigean a thuigfeá an cur amach atá agamsa ar an scéal.'

'Tánn tú chun é a insint dom, ní foláir.'

'Táim, má bhíonn foighne agat chun éisteachta.'

'Seo leat. Níl aon deabhadh abhaile orm.'

'Mar a dhéanann gach éinne eile, is dócha go gceapann tú gur pósadh neamhghnách atá againn: eisean an méid sin níos sine ná mé agus sinn éagsúil lena chéile i slite eile chomh maith.'

'Caithfidh mé a admháil gur rith sé isteach i m'aigne.'

'Táimid pósta le ocht mbliana déag. Ní rabhas féin ach fiche bliain d'aois an uair sin, díreach tagtha amach as an gcoláiste oiliúna, agus post agam i gcathair Chorcaí. Bhí seisean ina theachta taistil d'fhoilsitheoirí leabhar oideachais, agus thagadh sé go dtí an scoil againne anois is arís. Bhí sé fúinniúil aclaí, agus ní mheasfá riamh go raibh sé aon phioc níos mó ná tríocha bliain d'aois.'

'Cén aois a bhí aige?'

'Níor luamar aois sular pósadh sinn, agus dá ndéanfaimis ní dóigh liom go gcuirfeadh sé aon bhac orm é a phósadh. Ní fheadar cathain a fuaireas amach go raibh sé fiche bliain níos sine ná mé. Níor chuir sé isteach orm puinn ar dtús. An fhadhb ba mhó a bhí againn ná go mbíodh sé sin as baile ó Luan go hAoine, agus ina theannta sin, níor bhronn Dia aon chlann orainn, pé cúis a bhí aige leis.' Dhein sí gáire beag aerach, mar go raibh sé de dhánacht inti an milleán a bheith á chur aici ar Dhia, is dócha.

'Cén fáth go bhfuil tú ag insint na rudaí seo dom?' arsa Aindí. 'Níl suim agam iontu. Glacaimse libh mar atá sibh sa lá atá inniu ann. Is cuma cad é an stair atá taobh thiar díbh.'

'Táim á n-insint duit mar go bhfuil súil agam go bhfanfaidh tú mar aoi sa tigh linn. Níl tú ach ceithre lá linn fós, agus cheana féin tá guth na hóige le cloisint againn laistigh de bhallaí an tí, agus coiscéim phreabanta ag duine ag dul síos agus suas an staighre. Ba mhaith linn beirt go leanfá ort ag maireachtaint inár dteannta go dtí go mbeadh sé áisiúil agat aistriú go háit éigin eile.'

'Táim sásta fanuint libh go fóill. Ní gá go nochtfá d'anam agus do stair phearsanta dom chun mé a choimeád ann.'

'Is gá.'

'*OK*: ar aghaidh leat, mar sin, agus coimeádfaidh mé béal dúnta go dtí go mbeidh críochnaithe agat.'

'Cá rabhas? Sea: de réir mar a bhí an saol ag dul ar aghaidh, bhínnse ag gearán mar gheall ar é a bheith as baile chomh minic sin agus mise i m'aonar i dtigh beag in eastát ar imeall na cathrach. Fuaireas an post anseo, agus d'éirigh seisean as an bpost a bhí aige. Tharla go gairid ina dhiaidh sin gur éirigh fear an phoist anseo as, agus chuaigh Maitiú isteach ina áit. Tá sé éirithe as anois, mar is eol duit. Nuair a bhí an créatúr ag dul in aois, an ghruaig scáinte ar a cheann, pianta airtríteacha ag gabháil dá ghlúine nuair a bhíodh sé ag rothaíocht timpeall na dúthaí ag seachadadh an phoist, tháinig athrú suntasach sa chaidreamh eadrainn.'

'Tá a fhios agat,' arsa Aindí, 'nach gá duit aon chuid de seo a insint dom. Ní bhaineann sé liom in aon chor, chun a bheith macánta leat.'

'Is gá. Mar a dúirt mé leat, teastaíonn uainn go dtuigfeá conas mar atá againn, agus go bhfanfá sa tigh linn.' Stad sí arís agus d'fhéach sí air. 'Teastaíonn sin uaimse go háirithe,' ar sise.

'Ach is é Maitiú a mhol don chéad uair go bhfanfainn libh.'

'Tá a fhios agam gurb é, ach ní thuigeann tú cén fáth gur mhol sé é. Dhein sé ar mo shonsa é, chun go mbeadh duine óg sa tigh a bheadh ag comhrá liom.'

'Ní féidir gur fíor sin.'

'Ó, is fíor. Tá sé cliste. Dá mbeifeása curtha fút in ait éigin eile, ní bheadh aon chur amach aige ar pé caidreamh a bheadh eadrainn sa scoil. Má bhíonn tú in aontíos linn, áfach, beidh sé sásta, mar beidh sé i dteagmháil le gach aon rud a bheidh ar siúl.'

'Ní dóigh liom go dtaitníonn an comhrá seo liom in aon chor.'

'Cad é an rud nach dtaitníonn leat?'

'Mé a bheith i mo chnámh spairne ag an mbeirt agaibh.'

'Ní bheir. Nach dtuigeann tú an méid sin? Bheifeá i do chnámh spairne i bhfad níos mó dá mba rud é go rabhais ag múineadh i mo theannta sa scoil agus ag cur fút in áit éigin eile. Ní bheadh aon eolas aige ar cad a bheadh ar siúl eadrainn, agus raghadh a chuid samhlaíochta ar eitilt bhuile.'

'Níor bhaol go mbeadh aon ní eadrainn,' arsa Aindí agus d'fhéach uirthi, agus bhuail dairt amhrais é faoina raibh ráite aige. 'Fear séimh ciúin is ea Maitiú. Ní féidir liom a shamhlú go mbeadh formad agus drochamhras den sórt sin ag cur isteach air.'

Bhí Aindí ag féachaint síos ar chlúdach an chlárleabhair le linn dó an méid sin a rá, agus Eibhlín ag stánadh ar a aghaidh siúd. Chaith sí súil ar a huaireadóir agus dúirt, 'Tá sé in am againn a bheith ag bogadh i dtreo an tí. Beidh sé ag feitheamh linn.'

Sheas Aindí agus shiúil an bheirt acu amach go dtí an carr. Ag dul abhaile dóibh chuir Aindí ceist uirthi: 'Conas a fhulaingíonn tú an teannas?'

'Cén teannas?'

'A bheith i gcónaí ag faire ort féin ar eagla go ndéarfá nó go ndéanfá rud éigin a chuirfeadh isteach ar Mhaitiú.'

'Ní bhraithim mar theannas é. Níl sé aon phioc níos teinne ná mar a bheadh ag daoine eile go bhfuil gaol de shórt éigin eatarthu, taobh amuigh ar fad de dhaoine atá pósta lena chéile.

Is dóigh liom nach bhfuil saoirse iomlán ag aon duine ina chaidreamh le daoine eile. Ní mór dó cearta agus mianta agus riachtanaisí daoine eile a chur san áireamh sa chumarsáid a bhíonn aige leo. Ní bhíonn saoirse iomlán ag duine ach amháin sa tír phríobháideach sin atá ag gach aon duine taobh istigh dá cheann féin.'

'Tá sin fíor, is dócha, ach má bhíonn duine ag éileamh an sórt sin dílseachta agus cneastachta ar dhaoine eile, nach bhfuil sé in am a chur in iúl dó nach mbíonn a leithéid ar fáil i gcónaí?'

'Tá dearmad ort, a Aindí, má cheapann tú go bhfuil aon ní á éileamh ag Maitiú. Níl. Is dóigh liomsa go bhfuil freagracht ormsa, áfach, gan aon rud a dhéanamh a thabharfadh masla dó, nó a chuirfeadh isteach air ar aon slí. Dílseacht a thugtar air.'

Bhíodar tagtha abhaile um an dtaca sin, agus chonaiceadar Maitiú ag bearradh na plásóige os comhair an tí. D'fhan an bheirt acu ag faire air ag siúl timpeall i ndiaidh an lomaire faiche. Níor ardaigh sé a shúil chun féachaint orthu. Is dócha go raibh fothram an lomaire ró-ard chun ligean dó fuaim an chairr a chloisint.

'Sin fíorghrá, is dócha,' arsa Aindí.

'Cad é?' d'fhiafraigh Eibhlín.

'An chineáltacht agus an urraim atá agatsa don bhfear sin. An rud sin ar ar thugais dílseacht.'

'A Aindí, a gharsúin, tánn tú an-óg. Chíonn tú seanóir críonna amuigh ansin ag bearradh na plásóige. Chím leis é, ach chomh maith leis sin chím an fear ónar fáisceadh an seanóir sin, fear óg scafánta bríomhar aclaí agus é gafa le grá is paisean domsa. Ná déan faic nó ná scaoil focal thar do bhéal go deo a chuirfeadh as dó ar chuma ar bith.'

D'imigh sí amach as an gcarr agus d'fhág sí an fear óg ina diaidh is ábhar machnaimh aige.

5

Deireadh Fómhair 1977

Chuaigh Aindí i dtaithí ar an scoil agus ar an tigh, a nósúlacht féin bunaithe aige. Taobh istigh de sheachtain nó dhó, glacadh leis mar ghnáthdhuine de na comharsana. Ag siúl an bhóthair dó, bheannaíodh sé do dhaoine agus bheannaídís siúd dó. Ní bhíodh tuairim aige féin go minic cérbh iad sin a bhíodh ag beannú dó. Chaitheadh sé gach tráthnóna agus tús gach oíche ina sheomra ag scríobh rud éigin don scoil nó ag léamh. Thagadh sé anuas chun a bheith i gcomhluadar na beirte eile nuair a ghlaodh duine acu air ag rá leis teacht agus féachaint ar chlár teilifíse éigin nó chun cupán tae a ól leo.

'Ní théann tú amach puinn,' arsa Maitiú leis oíche amháin.

'Ní théim,' ar seisean.

'Ní théann sé amach in aon chor,' arsa Eibhlín.

'Bheadh sé go deas dul amach,' arsa Maitiú. 'Bhuailfeá le daoine agus bheadh comhrá agat leo, ag cur aithne orthu agus rudaí mar sin.'

'Ach níl aon áit le dul,' arsa Aindí. 'Is dócha go dtéann daoine go dtí an tigh tábhairne, ach ní ólaimse.'

'Bhfuil a fhios agat?' arsa Maitiú. 'Beadsa ag dul chuig cruinniú de choiste an chumann iománaíochta oíche amárach. Nach dtiocfá liom?'

'Ní fheadar,' arsa Aindí. 'Ní ball den chumann mé, gan trácht ar an gcoiste. Nach mbeinn mar sórt sáiteacháin, ag brú isteach oraibh?'

'Ní bheadh. Bheadh fáilte romhat. Tá a fhios ag an gcuid is

mó acu go bhfuilir chun clárú mar imreoir sul i bhfad. Ba bhreá leo tú a bheith linn.'

Ghéill Aindí, agus chuaigh an bheirt acu chun an chruinnithe an oíche dár gcionn. Bhí ionadh ar Aindí nuair a chonaic sé an clubtheach breá mór dea-chóirithe. Isteach sa bheár a chuadar i dtosach. Bhí fir ina suí ag boird timpeall na háite, iad ag ól is ag comhrá go bríomhar. Bean amháin a bhí ina measc agus í i dteannta triúr fear ag bord amháin, bean mheánaosta.

'Cén bhean í siúd?' d'fhiafraigh Aindí.

'Sin Áine Ní Chuinn,' arsa Maitiú, 'an cathaoirleach ar an gcumann camógaíochta. Tá sí i dteideal a bheith ag an gcruinniú seo d'fhonn comhoibriú agus comheagar a chothú idir an dá chumann.'

Sheas fear suas agus labhair amach os ard. 'Beidh an cruinniu ag tosú i gceann cúig nóiméad,' ar seisean. Bhí sé gléasta i gculaith néata, bóna is carbhat á gcaitheamh aige, agus spéaclaí air. Bhí gothaí údarásacha air, agus taibhsíodh d'Aindí gurbh fhear inniúil acmhainneach é. Thug sé faoi deara go raibh gach duine eile gléasta i gculaith mhaith agus carbhat ar gach duine acu. Cheana féin, bhí sé ag rith leis go mba chumann dea-eagartha agus cumasach é.

Threoraigh Maitiú trasna é chun bualadh leis an bhfear údarasach sin a d'fhógair go mbeadh an cruinniú ag tosú. 'Seo Aindí Ó Maonaigh,' arsa Maitiú leis an bhfear, agus le Aindí, 'Is é seo ár gcathaoirleach, Tomás Mac Aodha.'

Chraitheadar lámh le chéile, agus chuir an cathaoirleach fáilte roimh Aindí. Ghabh Aindí a leithscéal leis mar gheall ar bheith ag teacht chun cruinnithe agus gan aon bhaint oifigiúil aige leis an gcoiste, nó leis an gcumann go fóill.

'Ná bíodh ceist ort,' arsa an cathaoirleach. 'Tá fáilte is fiche romhat. Is mór againn go mbeidh tú ag imirt do na sinsir sul i bhfad. Chomh fada agus is eol dom, tá scéala ag an rúnaí ó chumann Éire Óg agus tá na cáipéisí in ord is in eagar aige.

33

Beidh tú in ann imirt linn i gceann míosa sa chéad chluiche den sraithchomórtas.'

Tháinig na baill eile isteach agus shuigh ar na cathaoireacha a bhí socraithe timpeall an bhoird mhóir i lár an tseomra. Thug roinnt acu sracfhéachaint ar Aindí, agus ba dhóigh leis go raibh a fhios acu cheana féin cérbh é.

'Tosaímis, mar sin,' arsa an cathaoirleach. 'Bhfuil na miontuairiscí ón gcruinniú deireanach agat, a Rúnaí uasail?'

'Tá,' arsa an fear a bhí ina shuí taobh leis, fear beag caol, agus croiméal dubh mothallach faoina shrón. D'oscail sé leabhar mór agus thosaigh ag léamh amach a raibh scríofa ann. Gnáthchúrsaí cumainn dá leithéid a bhí ann. Níor chuir Aindí mórán suime ann, ach amháin tagairt a deineadh dó féin. Dúirt an rúnaí gur scríobh sé chuig cumann Éire Óg i gcathair Luimnigh ag iarraidh orthu go gceadóidís aistriú Aindí go dtí a gcumann féin. Ansin léigh an rúnaí amach na litreacha a tháinig chucu, agus bhí ceann ann ó chumann Éire Óg ag scaoileadh le Aindí, agus foirm aistrithe sínithe acu chun go mbeadh dearbhú oifigiúil gur deineadh an t-aistriú de réir na rialacha. Dúirt an rúnaí gur chuir sé foirm chláraithe chuig bord an chontae fosta, ag clárú Aindí mar imreoir do chumann Chnoc na Coille.

Thug Maitiú cuntas ar chúrsaí airgid. Bhí alltacht ar Aindí nuair a chuala sé go raibh os cionn £600,000 sa chiste acu, ach ba chiste é chun ardán nua a thógaint ina bpáirc imeartha, ina mbeadh ceithre chéad suíochán.

Thug bainisteoir na foirne, Brús Mac an tSionnaigh, cuntas ar an bhfoireann shinsearach agus an dul ar aghaidh a bhí á dhéanamh acu. Ba é a mheas go mbeidís ullamh don chluiche i gcoinne Bhaile an Londraigh i gceann míosa. Dúirt sé leis go mbeadh fáilte mhór roimh Aindí Ó Maonaigh, agus go mba mhaith leis labhairt leis i ndiaidh an chruinnithe mar gheall ar an traenáil.

Thug an rúnaí liosta dóibh de na cluichí a bhí le teacht, agus bhí tuairisc ó chathaoirleach an fhochoiste a d'eagraíodh ocáidí sóisialta. Thug sé eolas doibh ar shocruithe do bhiongó agus tráth na gceist, agus ceiliúradh mór sa chlubtheach ar an Aoine bheag sin in onóir don bhua a bhí ag na mionúir sa sraith-chomórtas.

Bhí ciúnas ansin ar feadh tamaill. 'Sin an méid,' arsa an cathaoirleach. 'Bhfuil aon ghnó eile? Ceist ag éinne?'

Sheas rábaire fir agus labhair go stadach cúthail. 'Tá ceist agamsa, a Chathaoirligh uasail,' ar seisean. 'Cé a cheap na maoir chúil don chluiche idir na mionúirí againne agus Béalgadán?

'Bord Oirthear Luimnigh, is dócha,' arsa an cathaoirleach. 'Iadsan a dhéanann na socruithe sin. An raibh aon ní cearr leo?'

'Bhíos-sa ag an gcluiche,' arsa an fear. 'Tá mac liom ag imirt do na mionúirí, mar is eol daoibh, agus thit an lug ar an lag agam nuair a chonac an bheirt ina seasamh taobh leis na pollaí, ag ceann amháin den pháirc, ag an gcúl againne. Cótaí bána orthu agus streill orthu. Dhá streill, ceann an duine.'

'Cad a bhí cearr leis sin?'

'Beirt ó Dhún an Tóchair a bhí ann.'

'Is é an dualgas atá ar an gcoiste ná maoir a cheapadh nach mbeadh taobhach. Chomh fada agus nach bhfuil aon bhaint acu le ceann de na cumainn atá ag imirt sa chluiche, táid oiriúnach do na poistíní sin.'

'B'fhéidir nach bhfuil aon bhaint acu leis na foirne a bhí ag imirt, ach cén seans a bheadh ann go bhfaighimis cothrom na Féinne ó na scraisti sin ó Dhún an Tóchair?'

'Ach nár bhuamar an cluiche?'

'Is cuma faoi sin. Bhí an baol ann go ndéanfaí feall orainn. Bhuamar go héasca i ndeireadh dála, ach dá mbeadh an cluiche níos déine agus dá mbeadh cinneadh deacair le déanamh acu, conas a bheadh againn?'

Labhair an cathaoirleach go séimh. 'Ní fheadar sin,' ar seisean. Chas sé chuig fear óg ar a aghaidh amach agus dúirt,

'Cad é an córas atá ag an mbord ceantair chun na maoir sin a cheapadh, a Liam?'

'Ní ainmnítear iad,' d'fhreagair Liam. 'Iarrtar ar chlub neodrach éigin maoir a sholáthar don chluiche. Ní raibh ceist faoi go dtí seo, go bhfios dom.'

'Is dóigh liom go bhfuil an scéim sin sásúil go maith,' arsa an cathaoirleach. 'Ní dóigh liom go bhféadfaí teacht ar chóras a bheadh foirfe amach is amach. Is oth liom a rá, a Pheaidí, nach mbeadh aon chúis dhlisteanach ag ár n-ionadaí, Liam, cur i gcoinne na gceapachán sin. Chaithfí glacadh leis go mbeadh pé cumann a roghnófaí chun maoir a cheapadh freagrach agus ionraic.'

'Bheadh dul amú orthu,' arsa Peaidí, chomh bog sin go mba ar éigin a chualathas é, agus shuigh síos.

'Tá go maith, mar sin,' arsa an cathaoirleach. 'Cathain a bheidh an chéad chruinniú eile againn?'

Sula raibh seans ag an rúnaí freagra a thabhairt air, sheas fear eile. Fear de bhunadh na háite, de réir gach cosúlachta. Bhí an craiceann rocach griandóite fáiscithe go teann thar chnámha a aghaidhe. Bhí sé neamhchosúil leis an gcuid eile sa mhéid go raibh cóta mór á chaitheamh aige, ceann a bhí sean agus giobach. Gruaig scáinte ar a cheann is í liobarnach, dlaoi fáin ag titim anuas ar a chlár éadain. An rud ba shuntasaí faoi ná na súile liatha seasmhacha ag díriú ar an gcathaoirleach fad a bhí sé ag labhairt leis. Thug Aindí taitneamh dá gheáitse mar go raibh sé mar a bhí sé, gan mustar ná éirí in airde d'aon sórt ag baint leis. 'Tá ceist eile agamsa, a Chathaoirligh uasail,' ar seisean. 'Ceist í cosuil leis an gceann a bhí ag Peaidí, mar baineann sé leis an tost rúndiamhrach a thiteann ar an gcoiste seo, agus go háirithe ar na hofigigh, nuair a ligeann siad do dhreamanna áirithe satailt orainn.'

'Tóg breá bog é, a Jeaic,' arsa an cathaoirleach. 'Má tá cúis gearáin agat, éistfear leat agus déanfar gach iarracht déileáil leis.'

'Is ar an gcluiche céanna ag na mionúir atáimse ag caint, leis. Tá a fhios ag éinne a bhí ag an gcluiche sin gur cuireadh mo mhacsa Cathal den pháirc. Tá a fhios chomh maith ag éinne a bhí ag faire go haireach ar an rud a tharla gur cuireadh den pháirc go heagórach é. Thug an leaid ó Bhéalgadán fogha fíochmhar meata fealltach ar Chathal. Tá a fhios agam gur bhuail Cathal paltóg mhaith sa chaincín air in éiric na héagóra. Nach raibh a chúis aige? Ba é an fear eile a chuir tús leis.'

'Is oth liom go bhfuil orm a rá leat, a Jeaic,' arsa an cathaoirleach, 'gurb é an píonós atá bunaithe ag na rialacha ná go ndíbrítear imreoir den pháirc má bhuaileann sé imreoir eile lena dhorn, is cuma cúis a bheith aige leis nó gan a bheith.'

'Bhfuil riail i leabhar sin na rialacha, i ndúch dubh ar pháipéar bán, á rá sin? Tá a fhios agamsa nach bhfuil, mar tá an diabhal leabhair sin léite agam ó thús go deireadh fiche uair, agus ní fhéadfainn teacht ar aon tagairt dó.'

Chas an cathaoirleach i dtreo an rúnaí agus d'fhiafraigh de an raibh eachtra den sórt sin luaite sna rialacha. Labhair an rúnaí go húdarásach, a chroiméal ag bogadh ó thaobh go taobh, síos suas, agus an fhoclaíocht á scairdeadh amach aige chuig an tionól. 'Níl na focail *buille* ná *dorn* luaite go sonrach,' ar seisean, 'ach is dóigh liom go mbeadh an chalaois sin clúdaithe ag an riail sin a choscann ionsaí a dhéanamh ar imreoir ar bhealach ar bith taobh amuigh de na bearta atá ceadaithe ag na rialacha a bhaineann le himirt an chluiche.'

'An dtuigeann tú sin, a Jeaic?' arsa an Cathaoirleach.

'Tuigim cad tá á rá aige, ceart go leor,' arsa Jeaic.

'Bhuel, sin é mar sin é,' arsa an Cathaoirleach. 'Is dócha gur i dtaca leis an riail sin a díbríodh Cathal den pháirc. Ní fhéadfaimis aon rud a dhéanamh chun é a chosc. Bheimis ag snámh in aghaidh an tsrutha dá mbeimís ag iarraidh achomharc a dhéanamh.'

D'fhan Jeaic ina thost ar feadh tamaillín. '*OK*,' ar seisean ar ball. 'Más ag rá liom atá tú nach féidir libh faic a dhéanamh

37

faoi, caithfead glacadh leis, is dócha. Ach is dóigh liom go mba cheart an riail sin a athrú, agus ceann a thógaint do cérbh é a thosaigh an bhruíon. Aon duine go mbeadh aon rian d'fhearúlacht ann agus misneach aige, chaithfeadh sé é féin a chosaint ar ionsaí fealltach dá leithéid sin a deineadh ar Chathal seo agamsa. An aontófása leis sin, a Chathaoirligh uasail?

'Admhaím, a Jeaic, gurbh fhiú scrúdú a dhéanamh ar an gceist sin,' arsa an cathaoirleach. 'Níor mhór foclaíocht a cheapadh a dhéanfadh idirdhealú idir an fóbartach agus an t-íospartach sna cásanna sin, chun cothrom na Féinne a thabhairt do gach éinne. Dá dtabharfadh duine éigin agaibh faoi dréachtadh a dhéanamh ar an riail, d'fhéadfaimis scagadh a dhéanamh air agus é a mholadh ag cruinniú cinn bhliana an bhoird.'

Leis an ráiteas sin ag an gcathaoirleach, cuireadh deireadh leis an gcruinniú. Bhí ardmheas ag Aindí ar Thomás Mac Aodha, ar an bhfoighne a bhí aige, ar an acmhainn a bhí aige chun deacrachtaí a thuiscint agus dul go ceartlár na faidhbe chun réiteach a fháil orthu. Ba bhreá leis líofacht is cruinneas a chainte, agus an tséimhe lenar chaith sé le daoine go raibh cuthach orthu i dtaobh rud éigin a bhí ag cur isteach orthu. Chuir sé gnó an chruinnithe ag sruthú ar aghaidh go héasca seolta ó thús go deireadh.

I ndiaidh an chruinnithe tháinig Brús Mac an tSionnaigh chuig Aindí agus chraith lámh leis. Chuir sé fáilte roimhe agus thug cuireadh dó a bheith páirteach sa traenáil a bheadh ag tosú ar an Máirt ina dhiaidh sin. Máirt agus Déardaoin gach seachtain a bheadh sí ar siúl. Thug Aindí geallúint dó go mbeadh sé ann.

Nuair a bhí an bheirt acu ag dul abhaile sa charr, chuir Aindí ceist ar Mhaitiú faoin Jeaic a bhí ag caint faoina mhac a díbríodh den pháirc.

'Feirmeoir,' arsa Maitiú, 'Jeaic Ó Faoláir. Tá feirm mhór aige thall ansin, dhá mhíle nó mar sin ar an mbóthar go Brú na nDéise. Tá thart ar cheithre chéad acra aige ann. Eallach seasc is mó a bhíonn aige. Ba aige, leis, diúlairí chun beithigh óga a sholáthar don tréad. Tá sé amuigh air gurb é an feirmeoir is saibhre ar Mhachaire Méith na Mumhan é.'

Dhein Aindí scige bheag gháire. 'Ní cheapfá sin le féachaint air!'

'Ná tóg aon cheann dá fheisteas. Fear é gur cuma leis stíl. Tá muirear mór air, naonúr nó deichniúr. Bean an-ghalánta ardnósach a bhean. Ba dheacair beirt a fháil a bheadh chomh héagsúil le chéile agus atá an bheirt sin.'

6

Deireadh Fómhair 1977

Chuaigh Aindí ag traenáil leis an bhfoireann an Mháirt dár gcionn. Chuir sé aithne ar na himreoirí eile. Bhí an chuid ba mhó acu beagfhoclach leis an strainséir. Bheannaíodar dó agus b'in uile, fiú sa seomra feistis nuair a bhíodar ag gléasadh don imirt, agus ina dhiaidh nuair a bhiodar sna cithfholcthaí agus iad ag cabaireacht le chéile, iad ag béiceadh os ard ag iarraidh go gcloisfí iad thar slaparnach an uisce ag scairdeadh anuas orthu. Níor chuir sin aon ionadh ar Aindí. Bíonn fir óga mar sin nuair a chastar ar a chéile iad don chéad uair. Ní raibh aon seans acu a bheith ag caint lena chéile amuigh sa pháirc mar cuireadh ag rith iad agus bhíodar go léir, seachas beirt nó triúr, gearranálach tar éis a bheith díomhaoin ar feadh an tsamhraidh. Cuireadh amach as an gcraobhchomórtas iad go luath.

Tháinig fear óg fionn chuige ag deireadh, áfach, agus chuir é féin in aithne dó. 'Mise Tomás Ó Faoláir,' ar seisean. 'Bhuaileamar le chéile cheana, an lá a bhís ag teacht chun na háite seo don chéad uair. Tá fáilte romhat. De ghnáth, téimid isteach sa bheár tar éis na traenála. Ar mhaith leat a bheith linn?'

'Ba mhaith liom,' arsa Aindí. 'Ach ní ólaim ach uisce agus oráiste nó rud éigin.'

'Tá sin go breá,' arsa Tomás. 'Ní ólann éinne againn. Ní cheadaíonn Brús Mac an tSionnaigh dúinn a bheith ag ól nuair a bhímid ag traenáil. Cúpla deoch i ndiaidh cluiche, b'fhéidir: sin uile.'

Ba sa bheár a chuir Aindí aithne cheart ar an gcuid ba mhó de na himreoirí eile. Bhí sé féin agus Tomás Ó Faoláir ina suí taobh le taobh ar stólta arda le cois an chuntair. Nuair a thagadh na leaideanna eile aníos chun deochanna a ordú, bhíodh cúpla focal acu le Aindí agus Tomás. Faoin iománaíocht a bhídís ag caint, agus ag cur ceisteanna ar Aindí faoin gcomparáid idir cúrsaí ag cumann Éire Óg agus acu féin. Ba léir go rabhadar mórálach as an bhfearastú a bhí déanta acu féin, cumann beag tuaithe i bhfogas deich míle do Chill Mocheallóg, agus cumainn mhóra eile dála an Rátha agus Cromaidh.

Bhain sé taitneamh as an oíche, agus bhí sé ag dúil leis an gcéad bhabhta eile traenála a bheadh acu. Bhí Eibhlín fós ina suí nuair a shroich sé an tigh, ach bhí Maitiú imithe a chodladh. Dhein sí tae dó, agus chaitheadar tamall maith den oíche ag caint sa chistin. Bhí Aindí á ceistiú faoi na daoine a bhuail leis ag an traenáil agus sa bheár ina dhiaidh sin.

Bhuail an sagart paróiste isteach chuige sa scoil an lá ina dhiaidh sin. Bhuail sé cnag ar an doras agus d'oscail sé féin é. Tháinig sé isteach. Bhrúigh sé bulc mór a choirp isteach sa seomra agus é ag portaireacht go neafaiseach faoi pháistí áille agus an fear uasal a bhí á mhúineadh.

Sheas na páistí agus chanadar a n-ainteafan féin, rud a mhúineadh dóibh d'ocáid mar é, de réir dealraimh, mar labhraíodar uile amach i dteannta a chéile gan oiread is siolla a chur amú. 'Dia is Muire dhuit, a Chanónaigh Ró-Oirmhinnigh, tá céad míle fáilte romhat chun na scoile.'

Thug sé faoi labhairt leis na daltaí, agus b'ainnis an iarracht é. 'Á, a pháistí. Bhfuil sibh go maith? Á, sea, tá, tá... Bhfuil sibh ag foghlaim? Sea. Bígí ag foghlaim. Sea, caithfidh mé dul amach chun na daoine beaga neamhurchóideacha sa seomra eile a fheiscint. Slán agaibh. Slán. Slán...' Nuair a bhí na focail dheireanacha sin á rá aige, bhí sé ag druidim amach i dtreo an dorais. D'oscail sé an doras dó féin agus chuaigh amach. Díreach sular dhún sé ina dhiaidh é, raid sé cupla focal thar a ghualainn isteach chuig Aindí: 'Bí sa séipéal anocht ar a seacht chun an cór a threorú ag Beannacht na Sacramainte Naofa.'

'Ach—' thosaigh Aindí, ach bhí an fear eile glanta leis agus é ag cnagadh cheana féin ar dhoras an tseomra eile. D'fhág Aindí doras a sheomra ar oscailt chun a bheith ullamh chun bualadh leis nuair a bheadh sé ag teacht amach arís.

Nuair a tháinig sé amach, bhí Eibhlín in éineacht leis. Ghluais Aindí trasna chun aghaidh a thabhairt air, ach rug Eibhlín ar láimh air agus d'fháisc, ag iarraidh é a cheansú. D'éirigh léi. Chas Aindí timpeall agus shiúil sé isteach ina sheomra ranga féin. Dhún sé an doras agus chuaigh chun an chláir dhuibh chun rud éigin a scríobh. Píosa filíochta a bhí á scríobh aige, agus lean sé air go dtí go raibh an fear buile ina cheann faoi smacht aige.

Ag am tae bhí an triúr, Maitiú, Eibhlín, agus Aindí, ina suí ag an mbord ag ithe an tsuipéir. 'Tá sé ag druidim lena seacht a chlog,' arsa Aindí. 'Is dóigh liom go mba cheart dom dul chuige agus a rá leis nach mbeidh mé ann.'

'Nach mbeidh a fhios sin aige nuair nach mbeidh tú ann?' arsa Eibhlín.

'Cad a dhéanfaidh sé ansin? Seans nach mbeidh aon cheol acu don bheannacht.'

'Nach féidir leis daoine a bheannú gan aon cheol?' arsa Eibhlín.

Níor thóg Maitiú aon pháirt sa chomhrá. Is docha gur mheas sé nach raibh aon bhaint ag na cúrsaí sin leis féin. 'Bhfuil aon tae fágtha sa chorcán?' ar seisean.

D'éirigh Eibhlín ina seasamh. Thóg sí an corcán ón sorn agus dhoirt sí cupán eile do Mhaitiú. Ag gabháil thar Aindí ag cur an chorcáin ar ais ar an sorn di, leag sí lámh ar a ghualainn agus d'fháisc. 'Ná bí buartha faoi,' ar sise. 'Cuirfidh mé geall leat nach gcuirfidh sé isteach puinn ar an bhfear sin. Beidh sé ag rith isteach ina cheann gur stóinseach an fear tú, agus is mó an meas a bheidh aige ort.'

'Tá an ceart aici siúd,' arsa Maitiú. 'Níorbh fhearr duit rud a dhéanfá ná éisteacht léi. Tá an méid sin foghlamtha agamsa le fada an lá.'

Dhein Aindí gáire faoi sin. Chinn sé go ndéanfadh sé rud ar Eibhlín, agus d'fhan mar a bhí aige. Ní raibh teagmháil aige arís leis an sagart go ceann tamaill mhaith. Aon uair a thug an fear sin cuairt ar an scoil, ba chuig Eibhlín a chuaigh sé, agus deireadh sé léi beannú d'Aindí ar a shon is a chur in iúl dó go mbuailfeadh sé isteach chuige an chéad uair eile. Ach níor dhein. Bhíodh deabhadh i gcónaí air. B'éigean dó dul go dtí sochraid nó pósadh nó chun leanbh a bhaisteadh nó chun cuairt a thabhairt ar dhuine éigin a bhí ag fáil bháis.

Lean cúrsaí ar aghaidh ar an gcuma sin go dtí lá ar fhág sé foirm oifigiúil ag Eibhlín le tabhairt d'Aindí chun í a líonadh. Foirm a bhí ann ag iarraidh deontais d'athchóiriú a deineadh ar sheomra gleacaíochta na scoile. Thug sí dó í nuair a bhíodar ag dul abhaile sa charr. 'Ní bhaineann sin liomsa in aon chor!' arsa Aindí le fearg agus fíoch. 'Tá an pleidhce sin sagairt ag iarraidh mé a chiapadh, agus ag baint sásaimh as!'

'Ní thabharfainn ciapadh air, leis an bhfírinne a rá,' arsa Eibhlín. 'Ag spochadh asat, b'fhéidir. Ní thuigeann tú in aon chor cén sórt duine é. Taobh thiar den diagacht agus an tsollúntacht, tá rógaire críochnaithe.'

'Is ionann sin agus a rá go bhfuil sé ag magadh fúm.'

'Tá, is dócha, ach déarfainn go mbeadh coinne aige go n-íocfása an comhar leis.'

'Conas a dhéanfainn sin? Nílim chun teachtaire a dhéanamh díotsa chun an fhoirm seo a chur ar ais chuige.'

'Dein machnamh air. Tiocfaidh tú ar sheift éigin.'

'Tá aithne mhaith agat air.'

'Tá.'

'Ní hionadh sin, ar shlí.'

'Is dócha,' ar sise. Leath aoibh ar a béal agus tháinig an loinnir sin ina súile a bhíodh iontu nuair a bhuaileadh spreang

43

meidhre í. Mheas Aindí go mbíodh sí gnaíúil meallacach ag amanna mar iad sin.

'Ní bhíonn leisce air cuairt a thabhairt ort.'

'Ní bhíonn.'

'Cén fáth sin, an dóigh leat?'

'Tá spéis aige ionam, de réir dealraimh.'

'Spéis?'

'Sea.'

'Spéis? Cad atá i gceist agat le *spéis*?'

'Tá a fhios agat: *spéis*. Mar a bhíonn ag buachaillí agus cailíní dá chéile. Fir agus mná, más mian leat.'

'An ndúirt sé rud éigin leat?'

Dhein sí gáire. 'Ní dúirt. Cad a mheasann tú? Ní dhéanfadh sé a leithéid.'

Bhí Aindí ciúin ar feadh tamaill. 'Cá bhfios duit, mar sin, go bhfuil *spéis* aige ionat?'

'Tá a fhios agam. Níl a fhios agam i gceart cén fáth, ach bíonn an t-eolas sin ag mná.'

'Bhfuil daoine eile go bhfuil spéis acu ionat?'

'Tá.'

'Cé hiad?'

'Ó, tá roinnt mhaith acu ann. Ní ceart dom ainmneacha a lua. Rud é atá i mo cheann féin, agus is fearr é a d'fhágaint ann.'

Arís, bhí Aindí ciúin ar feadh tamaill. 'Bhfuil spéis agamsa ionat?' ar seisean ag deireadh.

'Tá. B'fhéidir nach bhfuil a fhios agat féin é, ach tá.'

'Bhfuil spéis agatsa ionamsa?'

'Fút féin atá sé é sin a oibriú amach. Seo. táimid ag baile, buíochas le Dia. Tá sé in am an bhaothaireacht leanbaí sin a chaitheamh uainn agus labhairt faoi neithe ciallmhara trom-chúiseacha a bhaineann leis an saol réadúil: rudaí mar shaor-bhreosla do phinsinéirí, nó cead pósta do shagairt agus manaigh.'

Nuair a chuadar isteach sa tigh, chuaigh Aindí in airde staighre go dtí a sheomra. Shuigh sé ar an gcathaoir taobh thiar den bhord agus bhí ag féachaint amach an fhuinneog ar an machaire glas ag síneadh soir uaidh in imigéin. Bhí sé ag machnamh ar an gcruacheist a bhí ag rothlú timpeall ina cheann: conas a chuirfeadh sé in iúl don chladhaire sagairt sin nach líonfadh sé aon fhoirm nach raibh baint aige leis féin. Bheartaigh sé ag deireadh litir a chur chuige agus an fhoirm iniata. Thóg sé bileog páipéir agus thosaigh ag scríobh.

A Chanónaigh, a chara,

Maidir leis an bhfoirm a chuiris chugam le líonadh,
ní mor dom a chur in iúl duit nach mbaineann
foirmeacha den sórt sin liomsa in aon chor. Ar an
gcéad dul síos, níor ceapadh fós mé mar ionadaí ar an
gcoiste bainistíochta, agus fiú dá ndéanfaí sin, ní ormsa
a thitfeadh an dualgas sin. Chomh fada agus is eol
dom, is é cathaoirleach an choiste a líonann agus a
shíníonn foirmeacha den chineál sin. Cuirim ar ais
chugat í leis an litir seo.

Sláinte chugat agus fad saoil,
Aindrias Ó Maonaigh

Chuala sé Éibhlín ag glaoch air go raibh cupán tae ullamh aici dó. Thug sé an litir leis agus thaispeáin di í.

Léigh sí í agus chaith tamall maith ag breathnú uirthi. Léigh sí cúpla uair í, níorbh fholáir. 'Ní fheadar,' ar sise, 'beagán ródháiríre, déarfainn.'

'Dáiríre?'

'Sea. Tá an iomarca dlíthiúlachta nó rud éigin ann: do cheartsa a bheith ar an gcoiste mar gur tú an príomhoide, daoine go mbíonn na dualgaisí éagsúla orthu, faoi mar a bheadh daoine áirithe oiriúnach chun foirmeacha de shaghas amháin a líonadh agus daoine eile d'fhoirmeacha eile, agus gach éinne ina bhosca beag féin de réir cirt agus dlí.'

'Ach nach mar sin atá an scéal? Nach é sin an fhírinne?'

'Sea, is dócha,' ar sise, agus aoibh mheidhreach ar a beola. 'Ach ba mhó go mór an éifeacht a bheadh ag cúpla focal aerach agus caolchúiseach a d'fháiscfeadh scige bheag gháire as.'

'Ní dóigh liom go bhfuil an fhéith sin ionam,' ar seisean go díomách.

'Scaoil léi mar atá sí, más mar sin atá agat. Tuigfidh sé duit.'

'Ní fheadar,' ar seisean. 'B'fhéidir go dtabharfása lámh chúnta dom?'

'Tabharfad, más áil leat é. Fág an cháipéis sin agam, agus déanfad iarracht í a bhogadh.'

Thosaigh Maitiú ag caint le Aindí faoi imeachtaí an chumann iománaíochta, faoin traenáil agus cén meas a bhí aige ar Bhrús Mac an tSionnaigh mar bhainisteoir.

Fad a bhíodar sin ag caint, bhí Eibhlín ag scriobláil ar an gcáipéis a fuair sí ó Aindí. Tar éis tamaill a bheith ag gabháil dó, d'éirigh sí agus chuaigh amach go dtí an seomra cónaithe. Thainig sí thar n-ais le bileog bhán agus bhí ag scríobh uirthi. 'Cad é do mheas air sin, a Aindí?' ar sise nuair a bhí críochnaithe aici léi.

Thóg Aindí an bhileog uaithi agus léigh. 'Tá sin ar fheabhas,' ar seisean. 'Éist leis seo, a Mhaitiú. Cad é do mheas air?' Léigh sé amach os ard an rud a scríobh Eibhlín:

A Chanónaigh, a chara,

Mo mhíle buíochas leat as an bhfoirm sin a chur chugam agus an onóir a thugais dom í a fhágaint agam le líonadh duit. Ní cuimhin liom aon uair riamh ar thaispeáin duine iontaoibh mar é asam, ná as mo chumas agus m'ionracas chun a leithéid a dhéanamh. Dhéanfainn duit é agus fáilte dá mbeadh aon eolas agam faoin gcostas a bhí air agus sonraí an chonartha a deineadh leis an bhfoirgneoir a dhein an obair. Is trua liom a chur in iúl duit nach bhfuil ionam ach príomhoide na scoile agus nach bhfuilim sa phost sin

ach le cúpla seachtain, gan cur amach ar bith agam ar
aon ní a bhaineann le foirgneoireacht ná leis an
mbeartaíocht a ghabhann le reáchtáil na scoile.

Cuirim ar ais chugat an fhoirm, agus tá súil agam
go bhfaighidh tú duine éigin a bheidh inniúil ar an ngar
a dhéanamh duit.

Beir bua agus beannacht,
Aindrias Ó Maonaigh

Nuair a bhí sí léite aige, labhair Maitiú: 'Nach ag an mbean sin agamsa atá an éirim agus na ciútaí chun a bheith ag plé leis an bhfear mór léinn agus intleachta sin thuas i mbarr an bhaile?'

'Ní fheadar,' arsa Aindí. 'Ceapfaidh sé go bhfuilim ag magadh faoi.'

'Conas a cheapfadh?' arsa Eibhlín. 'Níl aon fhocal tarcaisneach nó aithiseach ráite ansin agat.'

'Níl, ach beidh a fhios aige nach bhfuilim macánta ag gabháil buíochais leis mar gheall ar an bhfoirm a chur chugam le líonadh,' arsa Aindí. 'Agus ag cur in iúl dó gur mise an príomhoide ar an scoil nuair atá a fhios sin go maith aige cheana féin.'

'Tá sin fíor, ach níl aon bhréag á hinsint agat dó. Níl sa mhéid sin ach an fhírinne ghlan.'

'Tá a fhios agam gurb é an fhírinne é, ach is féidir leis an bhfírinne a bheith maslaitheach.'

'Tá a fhios agam,' arsa Eibhlín. 'Nach dtuigeann tú íoróin, a chara? Íoróin atá ansin, agus níl aon duine go bhfuil tuiscint níos fearr aige ar íoróin ná an fear sin, ná aon duine go mba mhó leis é mar áis chun snas a chur ar an gcaidreamh a bhíonn ag daoine lena chéile.'

Dhein Aindí machnamh air ar feadh tamaill. '*OK*, mar sin,' ar seisean ar ball. 'Tabhair dom í. Déanfaidh mé cóip di agus cuirfidh mé ar aghaidh chuige í. Tiocfaidh a dtiocfaidh, agus caithfidh mé a bheith sásta leis.'

7

D'imigh seachtain thart. Bhí Aindí sa scoil ag obair le rang a sé, a dhroim leis na páistí agus é ag scríobh ar an gclár dubh. Baineadh geit as nuair a sheasadar suas taobh thiar de agus chan a mbeannacht le cuairteoir a d'oscail an doras agus a sháigh a cheann isteach sa seomra. 'Dia is Muire dhuit, a Chanónaigh Ró-Oirmhinnigh. Tá céad mile fáilte romhat chun na scoile.'

B'ionadh le Aindí an fear mór a bheith ann an taca sin den mhaidin. De ghnáth, ní thagadh sé ach amháin ag an am a bhí leagtha síos ar an gclár trátha do theagasc Críostaí. Fear a bhí ann a bhí scrupallach maidir leis na comhghnása cearta a chomhlíonadh.

'Ní bheidh mé ag cur isteach oraibh,' arsa an canónach. 'Bhíos ag dul abhaile i ndiaidh an aifrinn, ag dul thar bráid. Mheasas go mba mhaith an rud é ruathar a thabhairt isteach agus beannú do mo chairde anseo. Bhfuil gach aon ní ar do thoil, a Aindréis? Rudaí mar is maith leat féin iad a bheith?'

Bhí a bhéal oscailte ag Aindí chun a rá leis nár ghearánta dó, ach níor fhan an fear eile len é a chlos. Lean sé ar aghaidh: 'Á, is maith sin! Is maith, go deimhin. Mo bheannacht d'Eibhlín. Abair léi go raibh deabhadh orm. Buailfidh mé isteach chuici an chéad uair eile. Slán agaibh, a pháistí. Slán. Slán agaibh go léir.' Agus chuaigh sé de ruathar amach ar aon luas leis an ruathar a thug sé isteach cúpla nóiméad roimhe sin.

Níor dhein Aindí tagairt don chuairt nuair a bhí sé ag caint le Eibhlín go dtí go rabhadar ag dul abhaile sa charr tráthnóna. Níor theastaigh uaidh an t-ábhar a phlé go dtí go mbeadh dóthain ama acu chuige. Bhraith sé go raibh sonraíocht ag baint leis nár thuig sé i gceart. Níorbh fhearr aon duine ná Eibhlín chun é a chíoradh. 'Is dóigh liom go bhfuil difríocht mhór idir daoine san áit seo agus an dream againne sa bhaile,' ar seisean nuair a bhí an bheirt acu suite sa charr agus é á bhogadh amach ar an mbóthar chun dul abhaile.

'Conas sin?' arsa Eibhlín.

'Tá caolchúis agus tuiscint dhiamhair ag baint leis an gcaint agaibhse anseo nach bhfuil ag an dream soineanta in airde ar na cnoic thiar.'

'Ná bí ag ligint ort gur dream simplí neamhurdchóideach iad sin thuas. Tá géarchuis agus cur chuige acu atá chomh cliste sin go mba dhóigh leis an saol trí chéile gur saonta atáid.'

'Táim ag rá leat dá mbeadh duine ag teastáil uaim chun focal sa chuirt a rá ar mo shon gur duine ón áit seo ab fhearr liom.'

'Cad é, in ainm Dé, a chuir an fuadar seo fút?'

Dhein Aindí gáire. 'Turas a thug an Canónach orm ar maidin,' ar seisean. 'Tá a fhios agam go bhfuil fothéacs éigin ag gabháil leis, ach táim chomh dúr le slis ag plé le rudaí den chineál sin.'

'Deinimis scagadh air. Inis dom cad a tharla.'

D'inis Aindí an scéal di agus thug di focal ar fhocal gach a ndúirt an canónach gan aon chor nó casadh a fhágaint ar lár. 'An bhféadfása é a mhíniú dom?' ar seisean.

'Mhíneofá féin é dá gcuirfeá chuige,' ar sise, 'mar tá gach siolla a labhraíodh agus gach cor a chuir sibh díobh ar eolas go beacht agat. Ní foláir nó bhraithis go raibh ciall éigin ag baint leo.'

'An ceart agat, ach táim ag rá leat go bhfuilim dall ar an mbrí atá leo.'

'Ní féidir gur mar sin atá. Tosaigh ag an tosach. Tháinig sé isteach chugat gan chuireadh gan iarraidh. Cén fáth, an dóigh leat?'

'Ní fheadar.'

'Cuimhnigh anois air. Ar tharla aon ní le déanaí a thiomáinfeadh isteach chugat é? Cad a rith isteach i do cheann nuair a chonaicis istigh é?'

'Bhuel, ó chuiris an cheist orm, is dócha gur rith sé isteach i m'aigne nár chuir sé cos taobh istigh de dhoras mo sheomra ón uair úd cheana ar chuireas an litir ar ais chuige ag diúltú an fhoirm a líonadh dó.'

'Cad eile? An bhféadfadh aon chúis eile a bheith leis? Ná déan dearmad air go raibh sé ag fanúint amach uait le tamall maith, ón oíche nár chuaigh tú chun an tséipéil don bheannacht.'

'Tá an ceart agat ansin,' arsa Aindí. 'Ach cad a thug ann inniu é?'

'Cad is dóigh leat? Conas a chaith sé leat? An raibh sé cairdiúil nó an raibh sé doicheallach?'

'Cairdiúil.'

'An féidir leat ciall a bhaint as sin?'

'Is dócha go raibh sé ag rá liom gur mhaith sé dom aon tarcaisne a thugas dó nuair a dhiúltaíos don rud a d'iarr sé orm a dhéanamh.'

'Go maith! Tá tú ag dul i bhfeabhas,' ar sise, agus dhein scige bheag gháire. 'Anois, ar rith sé leat in aon chor gur bhuail sé isteach chugaibh ar uair neamhghnách?'

'Rith. Mheasas go mbíodh sé scrupallach faoi sin, gan cur isteach orainn le linn teagasc saolta a bheith ar siúl. B'shiúd é ag briseadh isteach agus ceacht uimhríochta ar siúl agam le rang a sé. Bhí sin ait.'

'Agus bhfuil míniú agat air sin?'

'Níl. Ní fheadar ó thalamh an domhain cad a thug isteach é ag an am sin de lá. Bhfuil léamh éigin agatsa air?'

'Bhí sé ag cur in iúl duit nár chuairt oifigiúil í. Dá mba

chuairt oifigiúil í, bheadh sé chugat ag an am ceart. Cuairt phearsanta a bhí ann. Bhí caidreamh de shórt nua á bhunú aige leat.'

'Ní féidir gurb é sin a bhí ann,' arsa Aindí. 'Nach bhféadfadh sé an méid sin a rá liom más é a bhí á chur in iúl aige?'

'Cad leis a bheifeá ag súil?' arsa Eibhlín go mífhoighneach. '"Tá cathú orm, a Mhic Uí Mhaonaigh, go rabhas ag déanamh éagóra ort. Maith dom é, agus beimid sibhialta agus cairdiúil le chéile as seo amach"?'

'Is dócha go mbeadh sé sin ag dul beagáinín thar fóir leis an scéal.'

'Bhuel, mar sin, glac leis sa spiorad inar labhair sé leat. Nach bhfuil creidiúint ag dul dó as admháil a dhéanamh go mb'fhéidir go raibh sé tuathalach agus caitheamh leat mar a dhein?'

'Tá, is dócha... Ní thiocfaidh mé isteach go deo ar na ciútaí cumarsáide a bhíonn agaibhse san áit seo.'

Bhí an ceart ag Eibhlín, dar ndóigh. Ón la sin amach, thagadh an sagart isteach chuig Aindí níos minicí ná mar a dheineadh roimhe sin, agus chaitheadh sé tamall ag caint leis, gan deabhadh amach air mar a bhíodh. Cheistíodh sé an fear óg, ag iarraidh aithne cheart a chur air: ceisteanna faoina áit dhúchais, faoina mhuintir agus a chuid scolaíochta.

'Ionadh orm gur dheinis Laidin sa mheánscoil,' a dúirt sé uair amháin. 'Ní dhéantar anois í ach amháin in áiteacha fánacha anseo agus ansiúd. Is mór an cúnamh é chun ceartas gramadaí a chothú agus urlabhra sna teangacha Románsacha go háirithe, agus tá an Béarla féin ar maos le hiasachtaí ón Laidin.'

'Bhí an t-ádh linn, is dócha,' arsa Aindí. 'Ba é an príomh-oide sa scoil a mhúineadh an Laidin dúinn. Bhí sé amuigh air gur ghnóthaigh sé a chéim i Magh Nuat ach nár lean sé ar aghaidh chun a bheith ina shagart.'

'I Mainistir na Féile a bhí an mheánscoil agaibh, nárbh ea?'

'Ba ea.'

'Agus conas a théiteá féin ann? An raibh an bus scoile agaibh?'

'Ní raibh. Théinn isteach gach maidin agus abhaile arís tráthnóna ar rothar.'

'Bhíodh meas ar an oideachas san áit sin thuas i gcónaí. Creidiúint mhór ag dul dóibh.'

Dreasa beaga caidreála den sórt sin a bhíodh acu, agus bhí ionadh an domhain ar Aindí go bhféadfadh an fear go raibh aithne aige air roimhe sin a bheith chomh muinteartha, chomh dírithe, agus chomh ciallmhar agus a bhí. Bhí Aindí ag cur aithne cheart air, agus le himeacht aimsire bhí meas mór aige ar an seanfhear, fiú ma bhí sé seanfhaiseanta ar mhórán slite.

B'ionadh leis, dá bhrí sin, glaoch teileafóin a fháil uaidh sa tigh lá amháin. 'Dia dhuit, a Aindréis,' arsa an sagart. 'Seo Séamus Ó Baoill.'

'Séamus Ó Baoill?' arsa Aindí.

'Sea. An Canónach Séamus Ó Baoill, más fearr leat é.'

'Ó, gabh mo leathscéal, a Chanónaigh, ní raibh d'ainm baiste ar eolas agam.'

'Is cuma. Ba mhaith liom labhairt leat, a Aindréis. An bhféadfá teacht chun an tí chugam?'

'Cathain?'

'Aon uair a bheadh caoithiúil duit féin.'

'Anois díreach?'

'Go breá. Beidh mé ag súil leat.'

Neilí a scaoil isteach é. Aoibh fháilteach ar a haghaidh an turas seo, gan rian ar bith d'imní ná d'fhaitíos uirthi. 'Tá sé féin ag feitheamh leat,' ar sise, agus threoraigh sí isteach é go dtí an seomra suite.

Bhí an canónach ann, ina shuí ag léamh an phortúis. D'ardaigh sé a cheann agus lig uaidh an portús. 'Tá fáilte romhat, a Aindréis,' ar seisean, agus shín sé lámh i dtreo cathaoireach os a chomhair amach. 'Suigh síos ansin agus beimid ag caint.' Ansin thosaigh an fear eile ag feadaíl trína fhiacla mar a dhein sé an chéad lá a bhuail Aindí chuige.

D'fhan Aindí ina thost, gan aon iarracht a dhéanamh an ciúnas a bhriseadh mar a dhein an chéad uair a raibh sé sa seomra sin. Bhí sé ag rith trína aigne nárbh fholáir nó bhí an canónach i bponc éigin agus é ag iarraidh teacht ar shlí éigin chun an rud a bhí le rá aige a chur i bhfocail. Bhí ciall cheannaithe faighte ag an bhfear óg, áfach, agus níor labhair sé. D'fhan sé ina shuí, a lámha ar a ghlúine aige agus a shuile dírithe ar an urlár.

Tar éis tamaill stad an canónach den bhfeadaíl agus dhein casacht bheag chun a sceadamán a réiteach. 'Ar chuala tú an scéal faoi Mhaidhc Ó Tuathail?' ar seisean.

'Níor chuala,'

'Tugadh teach dó san eastát nua i gCill Mocheallóg. An Chomhairle Chontae a thug dó é. Iadsan a thóg an t-eastát.'

'Go n-éirí leis,' arsa Aindí. 'Tá súil agam go mbeidh aoibhneas agus só aige ann, agus go mbeidh an t-ádh leis féin agus lena chlann.'

'Is maith uait an dea-ghuí sin a dhéanamh orthu,' arsa an canónach, agus stad sé. D'fhéach sé ar Aindí. 'Tá a fhios agat cad a éiríonn as sin duitse,' ar seisean.

'Tuairim agam,' arsa Aindí, 'ach ní fúmsa atá sé na rudaí sin a ordú.'

'Tá a fhios agat gur gealladh duitse go mbeadh an tigh atá aige anois agatsa fad a bheifeá i do mháistir sa scoil i gCnoc na Coille.'

'Tá a fhios sin agam,' arsa Aindí.

Chas an canónach ar bheith ag feadaíl trína fhiacla arís. Thuig Aindí ansin gur nós é a bhí aige chun ligint don duine eile rud éigin a rá, agus bheadh sé ag súil leis go ndéarfadh an fear eile an rud ab áil leis féin a chloisint. D'fhan Aindí mar a raibh sé, ina thost, ag stánadh ar an urlár agus gan a cheann a bhogadh. Cheap sé go raibh an canónach ag súil leis go ndéarfadh sé féin nár theastaigh an tigh uaidh in aon chor. B'fhíor nár theastaigh, ach ní raibh sé sásta é sin a rá.

I ndeireadh na dála, lig an canónach osna agus thosaigh sé ag caint. 'Is mar seo atá an scéal,' ar seisean. 'Tá an tigh sin díomhaoin anois. Gealladh duitse é, ach níorbh fhéidir é a thabhairt duit go dtí seo mar go raibh sé i seilbh duine eile. Tá sé agat anois, áfach, saor in aisce, má theastaíonn uait cónaí ann.' Bhí foirmeáltacht sa tslí a raibh sé ag caint, faoi mar a bheadh sé ag cur a chuid ráitisí ar taifead.

'Níor mhór dom machnamh a dhéanamh air,' arsa Aindí. 'Ní bheadh seilbh cheart go deo agam ar an áit. Ba leis an Eaglais i gcónaí an tigh. Sa bhaile ní raibh mórán de mhaoin an tsaoil againn, ach an méid a bhí againn ba linn féin é. Ba gheall le rí é m'athair taobh istigh de bhallaí a chaisleáin féin. B'fhearr liomsa, leis, m'áit féin a bheith agam agus gan a bheith ag maireachtaint ann le cead ó éinne.'

'Ní bheadh éinne ag cur isteach ná amach ort ann,' arsa an canónach.

'Tá a fhios sin agam, ach ní bheadh aon spor do mo phriocadh chun mo chúinne beag féin a réiteach.'

Bhí sé chun a thuilleadh a rá, ach chuir an sagart isteach air. 'B'fhearr go ndéanfaí an cinneadh sin ar an toirt,' ar seisean. 'De réir dealraimh, tá fonn ar an Easpag sagart cúnta a chur amach chugam, ach bheadh sin ag brath ar an gcóiriú a bheadh ar fáil dó sa cheantar.'

'Ach nach mbeadh fuíollach slí don bheirt agaibh i dtigh an pharóiste agatsa?' arsa Aindí.

'A, a Aindréis, a chara, tá dearmad á dhéanamh agat gur daonnaithe atá ionainne, sagairt. Ní sórt ainmhithe institiúideacha sinn, cé go mbíonn an bóna cruinn bán sin thart ar an muineál againn, agus teagmháil chóngarach againn leis an bhfear thuas staighre.' Le linn dó a bheith á rá sin, d'ardaigh sé a ghuaillí agus d'imigh a dhá shúil suas ina cheann, gan le feiscint ina n-áiteanna ach mogaill bhána. Ag an am céanna, bhog a bheola agus dhein draid bheag mheidhre a thug nod go raibh an íoróin in uachtar ina aigne i gcónaí. Ansin chaith sé leathshúil ar Aindí, agus labhair sé go bog séimh os íseal, faoi mar a bheadh rún á scaoileadh aige agus nár mhaith leis go gcloisfeadh Neilí é. 'Ní dóigh liom go dtaitneodh sé le Neilí,' ar seisean. 'Níl sí chomh haclaí agus a bhíodh, agus níor mhaith léi a bheith ag iarraidh beirt againn a shásamh, áit nach mbíodh de chúram uirthi go dtí seo ach seanfhear saonta malltriallach amháin.'

'Ná bíodh aon bhuairt ort faoi,' arsa Aindí. 'Chun a bheith macánta leat, ní theastaíonn an tigh sin uaim in aon chor. Ní maith liom an áit ina bhfuil sé, áit dhorcha faoi scáth na gcrann seiceamair. Tá gach aon chompord agam san áit ina bhfuilim anois, i dteannta Mhaitiú agus Eibhlín.'

'Sea. Tá, is dócha, an fad a mhairfidh an socrú sin agaibh.'

'Níl cúis ar bith nach mairfeadh,' arsa Aindí. 'Daoine deasa sítheacha cairdiúla iad, agus réitímid go breá le chéile.'

'Sea. Sea,' arsa an canónach, agus bhí sé soiléir go raibh amhras de shórt éigin air mar gheall ar an socrú sin. 'Fear stóinseach dea-mhúinte an fear sin Maitiú.'

'Sea, gan amhras,' d'aontaigh Aindí leis. 'Agus cad faoina bhean Eibhlín?'

'Á, Eibhlín!' arsa an canónach, agus bhí a shúile leath-dhúnta faoi mar a bheadh sé ag iarraidh pictiúr den bhean a chruthú ina intinn. 'Níl bean sa tír a bhainfeadh barr di siúd.' Chuir sé chun línte filíochta a mhonabhar faoina anáil.

'*Na céadta tá i bpéin dá grá le géarshearc shámh
    dá cneas mhín,
Clanna ríthe, maca Mhíle, dragain fhíochta is gaiscígh.*'

D'ardaigh sé a cheann agus d'fhéach isteach sna súile ar Aindí. 'Ná lig sinn i gcathú, a Aindréis, a bhuachaill. Ná lig sinn i gcathú!'

8

Bealtaine 1978

Bhí Aindí geall le bliain i gCnoc na Coille, agus é neadaithe go seascair tigh Mhaitiú is Eibhlín. Níorbh ionadh go raibh dearmad glan déanta aige go fóill ar áit dá chuid féin a fháil. Bhí aithne air go forleathan agus meas is gean ag mórán air, go háirithe acu sin a raibh suim acu san iománaíocht, nó bhí gaisce déanta aige ar fhoireann na háite i gcúpla cluiche cleachta.

Ag dul abhaile sa charr lá amháin, dúirt Eibhlín leis gur tháinig Máire Ní Fhaoláir isteach chuici an lá sin agus gur thug sí cuireadh d'Aindí chun suipéir ar an Aoine dár gcionn.

'Cé acu duine díobh í sin?' arsa Aindí. 'Tá an méid sin acu ann gur deacair ainm a chur ar aon duine acu.'

'Sin an duine is sine de na híníonacha, gruaig dhubh uirthi. Tá sí níos sine ná Cáit, ach is í Cáit atá luaite le Conal Mac Cárthaigh, mac an Teachta Dála.'

'Nach ait an rud é nár tháinig sí isteach chugam féin chun an cuireadh a thabhairt dom?'

'Cuireadh don triúr againn a bhí ann, Maitiú agus mé féin chomh maith leatsa.'

'Táim an-chairdiúil le Tomás agus an duine is sine acu, Mic,' arsa Aindí, ag machnamh os ard dó ar an gcúis go bhfaigheadh sé cuireadh ó na Faoláraigh. 'Buailim leo anois agus arís ag an gclubtheach.'

Chuadar ann i gcarr Mhaitiú agus Eibhlín, Maitiú ag tiomáint mar bhí eolas na slí aige. Aibhinne fada cuartha, agus dromchla crua tarra air, ag lúbadh isteach ón mbóthar go dtí réamhchúirt fhairsing ghairbhéil ar aghaidh an tí. Tigh mór seanaimseartha, ballaí cloiche agus fuinneoga gan a bheith ró-mhór. Tús oíche a bhí ann, agus ní raibh na soilse ar lasadh go fóill acu mar bhí gealas an lae ag righneáil fós sa spéir. Bhain Maitiú cúpla plimp láidir as an mboschrann.

Gealadh an fuinneoigín fardorais nuair a lasadh solas taobh istigh. Osclaíodh an doras, agus bhí Máire Ní Fhaoláir ann ag fáiltiú rompu. Phóg sí Eibhlín is Maitiú, agus chraith sí lámh le Aindí. Thóg sí cóta Eibhlín agus chroch ar an mballa ansin é sa halla. Threoraigh sí an triúr acu isteach i seomra suite ar an taobh dheis. Seomra mór a bhí ann, tolg le balla amháin agus cathaoireacha uilleacha anseo is ansiúd, cornchlár le balla eile agus bord beag le hais na fuinneoige. Taobh leis sin bhí cófra ar a raibh doirse gloine, agus ar sheilfeanna taobh istigh de bhí gloiní snoite de dhéantús Phort Láirge. Taobh thíos de sin bhí doirse adhmaid. 'Suígí nóiméad,' arsa Máire. 'Beidh Mam isteach chugainn láithreach.'

Chuir an seomra i gcuimhne d'Aindí an ceann i dtigh an Chanónaigh, ach bhí an dealramh ar sheomra na bhFaolárach nach mbíodh daoine ann go rómhinic.

Bhíodar díreach suite síos nuair a bhí orthu éirí ina seasamh arís. Tháinig bean an tí, Siobhán Uí Fhaoláir, isteach. Shiúil sí isteach le dínit, go mall is go maorga. Bhí aoibh ar a béal ag fáiltiú rompu. 'Á, Eibhlín,' ar sise, rug ar lámha uirthi agus thairg leaca di le pógadh. Leag Eibhlín a leaca féin ar a leaca siúd, agus leis an mbeart sin deimhníodh comhstadas na beirte. Chas Bean Uí Fhaoláir agus thug aghaidh ar Mhaitiú. 'Maitiú,' ar sise, agus chraith sí lámh leis. Ansin chas sí timpeall agus thug aghaidh ar Aindí. 'Agus an tUasal Ó Maonaigh,' ar sise. 'Tá fáilte is fiche romhat chun an tí seo.'

'Go raibh míle maith agat, a bhean uasail,' arsa Aindí. 'Tá áthas orm a bheith anseo.'

Tháinig Tomás isteach ansin. 'Á, Tomás,' arsa an bhean,

'tánn tú díreach in am chun deochanna a dhoirteadh dár n-aíonna.'

Cheap Aindí go raibh na deasghnátha fáilte mar a bheidís leagtha síos i script éigin a bhí de ghlanmheabhair ag na haisteoirí. Bhí sé an-chaoithiúil mar a bhíodar ag teacht ar an láthair díreach nuair a bheadh a gcuid féin sa dráma le déanamh acu.

Thóg Maitiú braon uisce beatha, agus thóg Eibhlín branda is pórtfhíon. Dhiúltaigh Aindí d'aon deoch meisciúil, ach d'áitíodar air gloine Cidona a ól. Bhíodar ina suí ansin ag blaiseadh dá ndeochanna go deismíneach nuair a tháinig iníon eile isteach, Cáit. Cuireadh in aithne d'Aindí í, agus dhein an comhluadar dreas bríomhar comhrá faoin aimsir.

'Tá gach aon rud réidh istigh anois,' arsa Máire tar éis tamaill. 'Nuair a bheidh bhur ndeochanna ólta agaibh, buailimis sall.'

D'imigh sí féin amach, agus lean an chuid eile trasna an halla í is isteach sa seomra bia. Bhí bord mór i lár baill agus cathaoireacha le gach taobh de. Bhí nua gacha bia agus sean gacha dí ar chlár. Bhí doras i gcúinne an bhalla trasna an tseomra ón doras amach sa halla, agus d'imigh Máire isteach ann. Fad a bhí sí siúd amuigh, thug bean an tí a n-áiteacha dóibh ag an mbord, iad deighilte óna chéile. Tháinig baill eile an teaghlaigh isteach, duine nó beirt sa turas, go dtí go rabhadar go léir suite síos. Ba í Máire an duine deireanach a tháinig, agus dhá chorcán mhóra tae ar iompar aici. Fágadh cathaoir amháin díomhaoin, agus cheap Aindí gur don athair, Jeaic, an ceann sin, mar bhí sé siúd fós gan teacht. Dheimhnigh bean an tí sin nuair a dúirt sí, 'Beidh Dada chugainn ar ball. Bhí sé ag an marglann stoic i Ráth Caola inniu, agus anois díreach a tháinig sé abhaile.'

Cúis iontais ag Aindí an tslí ar tháinig siad go léir isteach agus ar chuaigh go dtí cathaoir éigin gan treoir ó éinne agus gan focal á rá ag éinne. Thug sé faoi deara go raibh gach duine den triúr aoi idir duine de na mná agus duine de na fir. Deineadh mar sin é, cheap sé, chun go mbeadh an rogha acu comhrá a dhéanamh le fear nó le bean. De réir gach dealraimh, bhí sé socraithe mar sin acu roimh ré, agus ba dhóigh leis go raibh straitéis éigin taobh thiar de. Ba í Aoife, an iníon ab óige, a bhí ar thaobh na láimhe clé aige féin, agus Cathal, an duine ab óige ar fad, ar an taobh eile de. Bhí Aoife ag obair i siopa éadaigh i gCill Mocheallóg.

Sailéad breá ar phláta os comhair gach duine, agus babhlaí is miasa lán de bhreis dóibhsean ar mhaith leo é i lár an bhoird: peaindí, glasraí brúite, biatas dearg, trátaí, leitís, cúcamar, mairteoil, muiceoil, caoireoil, circeoil. Bhí buidéil d'fhíon dearg agus fíon bán ann, agus bhí fíonghloine ar aghaidh gach duine. Tomás a dhoirt an fíon dóibhsean ar mhaith leo é. Dhiúltaigh Aindí agus Tomás féin dó, agus níor tairgeadh do Chathal é. D'ól gach duine eile roinnt de.

'Seo libh,' arsa Bean Uí Fhaoláir. 'Tosaígí. Ní gá fanúint le Dada: beidh sé tamall eile fós. Is maith leis folcadh ceatha a bheith aige agus a chuid éadaigh d'athrú tar éis teacht ón marglann.'

Thosaigh siad ag ithe agus ag ól faoi thost. Ní raibh le cloisint ach sceana is forcanna ag scríobadh ar phlátaí, agus dá mbeadh éisteacht mhaith ag duine, seans go gcloisfeadh sé cogaint ar siúl ar gach taobh. Ba í bean an tí a bhris an ciúnas nuair a labhair sí le Aindí: 'Conas a thaitníonn an saol sa dúthaigh seo leat, a Mhic Uí Mhaonaigh?'

'Ar fheabhas,' arsa Aindí. 'Tá na daoine fáiltiúil agus muinteartha liom, agus is breá liom an scoil is na páistí atá ann.'

'De réir mar a chloisimid,' arsa Aoife a bhí taobh leis, 'is breá leo sin tusa a bheith mar mhúinteoir acu chomh maith.'

'Agus cad faoi na hiománaithe?' arsa Mic. 'Táid sin thar a bheith sásta leis.'

'Tógaigí bog é!' arsa Eibhlín. 'Beidh cloigeann ataithe air má leanann sibh oraibh ar an téama sin.'

Dhein gach éinne gáire agus dúirt Aoife, 'Ní dóigh liom gur baol dó.'

'Tá an Canónach sásta leis, ar aon nós,' arsa Bean Uí Fhaoláir. 'Bhí sé á mholadh nuair a bhí sé anseo chun dinnéir an tseachtain seo caite, é féin agus Donncha Mac Cárthaigh— Donncha an Teachta Dála, tá's agat, a Aindí. Ní bheadh aithne agat air go fóill, is dócha. Tá Cáit againne geallta lena mhac Conal.'

D'fhéach Aindí ar Cháit agus dúirt, 'Comhghairdeas, a Cháit. Ádh mór oraibh.'

'Conas a réitíonn tú leis an gCanónach?' arsa Máire leis.

'Go maith.'

'Tá sé ceart go leor nuair a bheadh aithne agat air,' arsa Tomás.

'Ní aontódh Taic leat,' arsa Mic.

'Cé hé Taic?' d'fhiafraigh Aindí.

'Comharsa i mbéal dorais linn,' arsa Máire. 'Tá sé beagáinín ait. Difriúil. Feirmeoireacht dá chuid féin ar siúl aige. Caoirigh agus gabhair aige. Faic eile.'

Ansin osclaíodh an doras chun na cistine. Tháinig Jeaic Ó Faoláir isteach agus sheas ansin ag féachaint timpeall ar an gcomhluadar. Ní raibh sé socair ar a chosa ach é ag luascadh clé deas, siar agus aniar, a shúile leathdhúnta agus streill amadánta ar a bhéal. Fiú san áit a raibh sé ina shuí, fuair Aindí boladh an óil uaidh. Thit ciúnas ar an áit agus bhí gach péire súl dírithe ar an bhfear ag an doras.

'Dia is Muire dhuit, a Jeaic,' arsa Eibhlín.

'Ar fheabhas,' arsa Jeaic, ag mungailt na bhfocal. 'Ar mhuin na muice…'

'Suigh anseo, Dada,' arsa Cáit agus leag lámh ar chúl na cathaoireach taobh léi.

'Déan sin,' arsa bean an tí. 'Agus bí ag ithe duit féin. An raibh aon ní le n-ithe agat ó mhaidin?'

Dhein sé iarracht ar shiúl timpeall barr an bhoird, ach ar éigean a bhí ar a chumas é a dhéanamh. Chuir sé lámh ar ghualainn a mhná céile chun tacaíocht a fháil. Ansin leag sé lámh ar ghualainn Eibhlín, agus thuisligh timpeall an chúinne gur phlab sé a thóin síos ar an gcathaoir. Chaith sé tamall ag féachaint ar an mbia ar an bpláta, agus bhí ciúnas na reilige sa seomra. Chrom Jeaic ar an bhfeoil ar an bpláta a ithe ansin, ach bhog an bia eile a bhí ann amach go himeall an phláta.

'Conas mar a bhí ag an marglann?' d'fhiafraigh Mic de.

'Go maith,' arsa an fear eile as béal lán d'fheoil. 'An-mhaith,' ar seisean ar ball.

'Ar dhíolais?' d'fhiafraigh Tomás.

'Dhíol.'

'Beir ag dul go siopa Bhairbre Rós sa Chaisleán Nua lá éigin, is dócha,' arsa Eibhlín le Siobhán. Thúg Aindí faoi deara an spréach magaidh sin ina súile.

Níor fhreagair Siobhán í, ach thug sracfhéachaint ar a fear céile. Dhein Jeaic iarracht rud éigin a rá, ach leis an bhfeoil a bhí palcaithe ina bhéal agus an míobhán meisce ag drumadóireacht ina cheann, ba é an rud a chualathas ná: 'Naisle bhfuil sa diabhal siopa sin cannaící cheana féin...'

'Ná bac leis,' arsa Siobhán. 'Tiocfaidh sé chuige féin ar ball.' Chas sí ansin chuig Eibhlín agus dúirt, 'Bhíos ann le déanaí, agus ní raibh mórán ann seachas stíleanna an earraigh. Dúirt an bhean liom go mbeadh stór an tsamhraidh ag teacht isteach sul i bhfad.'

Bhíog Jeaic. 'Eibhlín,' ar seisean.

'Sea, Jeaic,' arsa Eibhlín.

'Raise mé in airde ort sul mbeanoíche thart...'

Chualathas mar a bheadh anáil chomónta amháin á sú isteach ag a raibh i láthair, cathaoir Mhaitiú ag scríobadh ar an urlár, agus b'shiúd é ina sheasamh is tine creasa ina dhá shúil dírithe go nimhneach ar Jeaic. Bhí Aindí ar tí seasamh chun dul trasna agus breith ar Mhaitiú agus é a ghreamú sula dtabharfadh sé faoin bhfear eile. Ach phléasc Eibhlín amach ag gáirí go croíúil sultmhar, agus cúpla soicind ina dhiaidh sin dhein Siobhán aithris uirthi. Láithreach, bhí a raibh ann sna tríthí. Tháinig draid leamh ghealgháireach ar bhéal Mhaitiú, agus shuigh sé síos arís.

Nuair ba léir nach raibh aon duine róbhuartha faoin raiméis a bhí ar siúl ag an bhfear a bhí ar meisce, shocraigh daoine ar bheith ag caint le chéile duine ar dhuine. Bhí na guthanna meascaithe le chéile, agus daoine ag labhairt os ard is níos aoirde chun go gcloisfí iad. Bhí roinnt mhaith fíona ólta ag cuid acu, a n-aghaidheanna deargaithe agus iad ag spalpadh leo ag comhrá go saoráideach gan chosc.

'An dtéann tú riamh go hoíche cheoil i dtigh tábhairne?' d'fhiafraigh Aoife d'Aindí.

'Chaitheas tamaillín ag cúpla ceann,' arsa Aindí, 'ach níor fhanas rófhada ag aon cheann acu.'

'Cén fáth nár fhan?'

'Ní fheadar. Is dócha nár thaitin an ceól go rómhór liom, agus cuireann an fothram ard leanúnach cosc ar chomhrá.'

'Bhraithfeadh sin ar an sórt comhrá a bheadh ag teastáil uait. Cinnte, ní fhéadfá comhrá domhain ardaigeanta a dhéanamh, ach bheadh sé go deas comhrá simplí cairdiúil caidreamhach a dhéanamh le duine idir na babhtaí ceoil.'

'Is dócha go mbeadh,' arsa Aindí. 'Níor chuimhníos ar aon rud mar sin.'

'Bain triail as uair éigin.'

'B'fhéidir go ndéanfad.'

Bhris Maitiú isteach ar an gcomhrá a bhí ar siúl ag Aindí agus Aoife: 'Cad a déarfá leis sin, a Aindí?'

'Cad é? Ní rabhas ag éisteacht libh.'

'Tomás i lár na páirce leat.'

'Ba bhreá liom é, ach nach mbeadh gá níos mó leis sna

tosaigh? Ní dóigh liom go bhfuil aon duine eile a bheadh chomh maith leis ansiúd.'

'Cad faoi Chathal seo againne?' arsa Tomás. 'Beidh sé ró-shean do na mionúir an bhliain seo chugainn, agus déarfainn go ndéanfadh sé jab maith ann.'

'B'fhiú é a thriail, ar aon nós.'

Nuair a chas sé thar n-ais chuig Aoife, dúirt sí go mbíodh oícheanta taitneamhacha ceoil anois agus arís in Óstán na Ríochta i Ráth Luirc.

'B'fhéidir go raghainn ann oíche éigin,' arsa Aindí.

'Ar mhaith leat go gcuirfinn scéala chugat nuair a bheidh buíon mhaith éigin ann?'

'Sea, ba mhaith liom.' Ní raibh sé siuráilte ina aigne go mba mhaith leis, ach cad eile a fhéadfadh sé a rá?

Chuaigh sí ag póirseáil ina mála agus thóg amach leabhar beag nótaí. 'Tabhair dom uimhir an fhóin agaibh,' ar sise, 'agus tabharfadsa uimhir an tsiopa duitse.'

Bhí Eibhlín agus Siobhán ag faire orthu agus iad ag scríobh.

9

Bealtaine 1978

Ar an turas abhaile dóibh ó thigh na bhFaolárach, bhí an triúr sa charr ina dtost. Eibhlín an t-aon duine amháin a labhair. 'Bhí sin suimiúil,' ar sise, agus d'aontaigh an bheirt eile léi. Ní raibh a fhios ag Aindí cén chúis go rabhadar triúr balbh i dtaobh ar thit amach i rith na hoíche. Cén fáth nár theastaigh ó aon duine acu labhairt faoi aon rud a tharla, nó tuairim a nochtadh faoin teaghlach aisteach sin a bhí faoi theannas de shórt éigin? Cén fáth nár mhaith leis féin rud éigin a rá? Rith sé leis go mb'fhéidir go raibh faitíos air go mbeadh an bheirt eile beagán íogair faoin rud búrúil a dúirt Jeaic le Eibhlín. B'ionadh leis nach ndúirt Eibhlín rud éigin, áfach, mar níor dhuine í ar leasc léi labhairt amach faoi aon ní a mbeadh suim aici ann.

'Cad é do mheas ar na Faoláraigh?' d'fhiafraigh sí de, áfach, nuair a bhíodar ag dul abhaile sa charr i ndiaidh na scoile an lá ina dhiaidh sin. Is dócha gur bhraith sí go raibh saoirse aici chun é a tharraingt anuas nuair nach raibh Maitiú i láthair.

'Ní thuigim i gceart iad,' arsa Aindí. 'Cheapas go raibh taispeántas á thabhairt acu aréir, go háirithe ag na mná, d'aon ghnó chun aon achrann a bhíonn ar siúl eatarthu a choimeád faoi rún.'

'Déarfainn go bhfuil an ceart agat,' arsa Eibhlín.

'Is é an rud nach dtuigim,' arsa Aindí, 'ná cén fáth go bhfuil an teannas sin ann. Tá riar suntasach de mhaoin an tsaoil acu, gach aon ní ar a dtoil acu, cheapfá.'

'Tá cúigear ban óg in aontíos ann, gan súil chinnte le

pósadh ach ag duine amháin acu, mná sna fichidí déanacha nó na tríochaidí luatha. Ní foláir nó braitheann siad frustrachas is éadóchas, agus go mbíd easaontach is spairneach lena chéile.'

'Is ait sin,' arsa Aindí. 'Cheapfá go mbeadh an-sheans acu siúd sna cúrsaí sin.'

'Ní haon chúnamh dóibh Jeaic.'

'Conas sin?'

'Ó, fear den seandéantús é siúd. Níl meas madra aige ar mhná. Níorbh fhiú leis airgead a chaitheamh ar oideachas dóibh. Níor chuaigh aon duine acu níos faide ná an teastas sóisearach, agus chualais cad a dúirt sé liomsa nuair a bhí braon ólta aige.'

'Garbh go maith. Agus tá sé amuigh air gurb é an feirmeoir is saibhre ar Mhachaire Méith na Mumhan é. Agus féach an bhean chéile atá aige, bean mhín cháiréiseach.'

'Is mór an díol trua í. Caithfidh go gcuireann sé siúd déistin uirthi, tá sé chomh tútach cábógach sin.'

'Tá na leaideanna go deas, Tomás agus Mic. Níl aithne ró-mhaith agam ar Chathal.'

'Tá an chlann ar fad go deas. Ba í an mháthair a thóg iad, í féin amháin gan aon chabhair ó Jeaic. Ní bhíodh suim ar bith aige siúd iontu.'

'An mháthair sin,' arsa Aindí. 'Nach bhfuil an-iarracht á déanamh aici ar bheith uasal, ardnósach agus dea-bhéasach? An dealramh uirthi, uaireanta, go bhfuil páirt á ghlacadh mar aisteoir i ndráma aici, páirt mar dhuine den uaslathas, matrarc an chine nó rud éigin. Cheapfá uaireanta nach mbeadh an rud a bhí á rá aici ag teacht óna croí, ach gur línte as script a bhíonn á n-aithris aici.'

'Sea. Déarfainn go nglacann sí na béasa sin chuici féin,' arsa Eibhlín, 'chun í féin agus a clann a dheighilt óna fear céile. Tá aithne mhaith agamsa uirthi agus táim cairdiúil léi ó tháinig mé chun na háite seo. Caitheann sí uaithi an mhóiréis sin nuair nach mbíonn ann ach an bheirt againn linn féin.'

'Tá na daoine óga deas caoinbhéasach, nach bhfuil?'

'Tá... Bhfuil aon duine acu i gceist agat go speisialta?' D'fhéach sí ar Aindí agus an spréach shúgach sin ag gealadh na súl inti.

'Níl,' arsa Aindí go neamhchúiseach. 'Táid go léir mar sin.'

'Bhí an-chomhrá ar siúl agat féin agus Aoife le chéile.'

'Bhíomar ag caint faoi na buíonta ceoil a bhíonn ag seinm in Óstán na Ríochta i Ráth Luirc.'

'Agus beidh tú ag dul ann, is dócha?'

'Ní fheadar. Tá sí chun teachtaireacht a chur chugam nuair a bheidh dream éigin le dealramh le bheith ann.'

'Nach breá duit?'

Ní raibh ansin ach trí fhocal simplí gan urchóid ar bith iontu, cheapfá, ach cúis mhór buartha agus imní d'Aindí a bhí iontu, mar nár thuig sé i gceart cén intinn a bhí taobh thiar díobh. Bhí taithí aige um an dtaca sin ar na modhanna cumarsáide a bhí ar a cumas ag an mbean sin agus gan ach na focail chomónta sa teanga á n-úsáid aici. Bhí sé deimhneach go raibh íoróin sa ráiteas sin, ach níor fhéad sé a dhéanamh amach dó féin cad é a bhí taobh thiar de. Ba chosúil nár thaitin sé léi go raibh an socrú sin déanta aige le Aoife Ní Fhaoláir.

Bhí machnamh á dhéanamh aige le tamall ar an tslí a gcaitheadh Eibhlín leis. Duine den teaghlach a bhí ann, agus ba mhór aige mar a thógadar isteach é agus a ghlacadar beirt leis mar a bheadh mac nó dearthair ann. Bhí gaol athardha ag Maitiú leis, agus bhí sé sin simplí gan aon cheist ina cheann faoi. I gcás Eibhlín, áfach, ní raibh a fhios aige ar mháthair nó leannán leis í. Uaireanta labhraíodh sí leis mar a dhéanfadh máthair, agus uaireanta eile théadh sí an-ghairid do rudaí a rá a mbeadh coinne ag duine leo ó leannán. D'fhág sé an cheist gan fuascailt. 'Is amhlaidh gurb in an sórt duine í,' a deireadh sé leis féin, agus d'fhágadh sé mar sin é. Ní raibh aon réiteach eile aige ar an scéal. Bhí rud amháin cinnte, áfach. Bean stuama phrionsabálta a bhí inti, agus níor bhaol go dtógfadh sí oiread is céim amháin thar theorainn na cuibhiúlachta go deo. Ba léir dó ar an mbealach a gcaitheadh sí le Maitiú go mba mhór aici an dílseacht ina caidreamh le cairde agus gaolta. Chinn sé, pé acu máthair nó leannán í, nach mbeadh aon bhaint aici beag ná mór lena shaol pearsanta. Dá mba mhian leis dul go tigh tábhairne i dteannta le Aoife, ba é a ghnó féin é.

Lá amháin fuair sé nóta ó Aoife ag rá go raibh buíon cheoil, Na Rábairí Meidhreacha, le bheith ag Óstán na Ríochta ar an Satharn dár gcionn. Chuir sé freagra chuici: *Ba mhaith liom dul ann. Ar mhaith leat a bheith liom?* Ní raibh a fhios aige ó thalamh an domhain cén fáth gur chuir sé an teachtaireacht sin chuici. Mar go mbeadh coinne aici sin leis, is dócha, agus níor mhaith leis go ndealródh sé a bheith aisteach ina súile siúd. Tháinig nóta chuige an lá ina dhiaidh sin: faic ann ach *Ba mhaith liom. Aoife.*

I dtús na hoíche ar an Satharn, bhí Eibhlín agus Maitiú ina suí sa seomra suite ag féachaint ar an teilifís nuair a chuir Aindí a cheann isteach ag an doras agus dúirt, 'Táim ag dul amach. Seans go mbeinn cuibheasach déanach ag teacht isteach.'

'Bhfuil eochair an dorais agat?' arsa Maitiú. 'Is dócha go mbeimidne sa leaba nuair a bheidh tú ag teacht isteach.'

'Tá sí agam.'

'Tar isteach go bhfeicimid tú,' arsa Eibhlín.

Ba leasc le Aindí rud a dhéanamh uirthi, mar bhí a fhios aige go gcumfadh sí scéal ar an bhfeisteas a bhí á chaitheamh aige. Dhein sé mar a d'iarr sí air, áfach, mar níor mhaith leis í a eiteach. Bhí casóg dhonn air, léine bhuídhonn, oscailte ag an muineál, bríste dúdhonn agus bróga donna.

D'fhéach siad air. 'Tá tú go breá,' arsa Maitiú.

Níor dhein Eibhlín aon tagairt don chruth a bhí air ach d'fhan ag féachaint air ar feadh tamaill. Labhair sí go bog staidéartha: 'Tá súil agam go mbeidh oíche thaitneamhach agat.'

Ag a leathuair tar éis a seacht ar an bpointe, stiúir sé a charr isteach ar réamhchuirt na bhFaolárach. Máire a scaoil isteach é agus a chuir isteach sa seomra suite é. 'Beidh Aoife leat gan mhoill,' ar sise. 'Bhí sí déanach ag teacht abhaile. Bhí an siopa oscailte níos déanaí inniu acu, ar chúis éigin.' D'fhág sí ann é.

I ndiaidh deich nóiméad, osclaíodh an doras. Sheas Aindí ag súil le Aoife a fheiscint ag teacht isteach, ach níor tháinig isteach ach lámh mhór gharbh timpeall na hursaine, bhrúigh cnaipe an tsolais agus d'fhág an seomra sa dorchadas.

'Mo leithscéal!' arsa Aindí os ard.

Lasadh an solas arís agus tháinig Jeaic isteach. 'Ó, Aindí Ó Maonaigh,' ar seisean, 'Ní raibh a fhios agam go raibh éinne ann. Cad tá ar siúl agat?'

'Táim ag feitheamh le Aoife,' arsa Aindí.

'Cá raghaidh sibh?'

'Go Ráth Luirc.'

'Ádh mór ort, a gharsúin!' arsa Jeaic agus scairt sé amach ag gáirí. D'imigh sé amach as an seomra gan a thuilleadh a rá.

Fiche nóiméad ar fad a chaith Aindí ann sular tháinig Aoife isteach. Ghabh sí a leithscéal, agus mhínigh sí dó gur cuireadh moill uirthi sa siopa éadaigh mar a raibh sí ag obair, agus bhí sí tamall ag feitheamh leis an síob abhaile a bhí aici ina dhiaidh sin. Bhí sciorta dubh an-ghearr uirthi, stocaí dubha, agus blús bán a raibh muineál an-íseal air. Bhí seál lag-ghorm aici thar a uillinn, agus chroch sí thar a guaillí é nuair a bhí siad ag fágaint an tí. Tháinig Siobhán, bean an tí, chucu nuair a bhí siad ag dul amach, agus bheannaigh sí d'Aindí is ghuigh oíche mhaith orthu.

'Is maith é a bheith linn féin,' arsa Aoife nuair a bhí siad ar an mbóthar tamaillín. Níor labhair ceachtar acu go dtí sin.

'Is maith,' arsa Aindí.

'Tugann sé seans dúinn aithne a chur ar a chéile.' Agus dhein sí scige bheag gháire chun a chur in iúl, is dócha, nach raibh sí i ndáiríre ar fad ag caint faoi aithne a chur ar a chéile.

'Tugann,' arsa Aindí.

Bhíodar ciúin arís go dtí gur shroicheadar Ráth Luirc. Fuaireadar áit pháirceála sa charrchlós mór taobh thiar den óstán. Shiúladar taobh le taobh isteach an príomhdhoras agus isteach sa bheár. Bhí roinnt mhaith daoine ann cheana féin, agus tuilleadh ag druidim isteach.

'Dála an scéil,' arsa Aindí, 'an raibh béile agat i ndiaidh do chuid oibre?'

'Ní raibh, ach is cuma faoi sin.'

'Ní cuma,' arsa Aindí, agus d'áitigh sé uirthi dul isteach sa bhialann leis agus béile a bheith aici. D'ordaigh sé buidéal fíona di chomh maith. Ní raibh aige féin ach cupán caife ar ball, agus dúirt sé go mbeadh milseog aige nuair a bheadh sise á hordú di féin. Ní raibh mórán daoine sa bhialann, agus ní raibh le cloisint ach ceol clasaiceach mar chúlra sámh leis an monabhar caomh cainte a bhí ar siúl ag na boird eile. Bhí an bhialann tamall maith ón mbeár agus ní raibh an gleo ansiúd le cloisint ann, sa tslí go bhféadfaí comhrá a dhéanamh go héasca.

'Ní rabhas riamh cheana istigh anseo,' arsa Aoife. 'Bhíos sa bheár minic go leor, ach ní rabhas riamh anseo.'

'Áit dheas í.'

'Sea. Is maith liom í. Bhí an donas ort agus buidéal fíona a ordú. Ní ólfad ach leathghloine as.'

'Nach féidir leat corc a chur ann agus an chuid eile a bhreith abhaile leat? Cathain a bheidh an ceol ag tosú sa bheár, ní fheadar?'

'Is cuma faoin gceol, ar shlí,' arsa Aoife. 'D'fhéadfaimis dul isteach ansin am ar bith agus is é an sórt céanna fothraim a bheidh á dhéanamh acu i gcónaí. Athrú poirt, b'fhéidir, agus sin uile.'

'Más mar sin dó, cad a thugann daoine ann, an dóigh leat?'

'An comhluadar agus an comhrá, is dócha.'

'Ní mór an comhrá a dhéanfaidís i gcomórtas leis an mbúireadh a bhíonn ar siúl ag an mbuíon cheoil.'

'Tá an ceart agat, is dócha,' ar sise.

'Cad eile a dhéanann tú mar chaitheamh aimsire?' d'fhiafraigh Aindí.

'Cad eile?'

'Sea, seachas dul go beár ina mbíonn ceol.'

'Tóg bog é nóiméad. Ní bhímse i mbeár ach go hannamh, agus ansin féin ní bheinn ann mura mbeadh ceol ann a thaitneodh liom.'

'Mo leithscéal. Tá a fhios sin agam. Ní rabhas ach ag magadh.'

Leanadar orthu ag caint mar sin ar feadh tamaill ar ábhair nach raibh iontu ach rudaí fánacha éadoimhne. Fuair Aindí amach go mbíodh sí ag féachaint ar an teilifís oícheanta nuair nach dtéadh sí amach, go mbíodh leathshúil caite aici uirthi aon uair a bhíodh sí ag fanúint thar oíche sa chathair in árasán a bhí ag triúr ban a bhí cairdiúil léi. Ba bhreá léi na sobaldhrámaí, agus roinnt de na cláracha ina mbíodh comhrá is agallaimh le daoine cáiliúla. Thaitin scannáin de shórt áirithe léi chomh maith, na cinn sin a dtugtaí drámaí orthu níos mó ná scéalta eachtraíochta agus buachaillí bó agus *thrillers*. Ní léadh sí puinn, ach thaitin scéalta le Seána Ní Chláraigh léi. Chuir sise ceisteanna air sin chomh maith faoi na rudaí a thaitin leis.

'Bhfuil a fhios agat,' ar sise, 'níor ghá dom na ceisteanna sin a chur ort in aon chor. Is é an liosta ceannann céanna atá agat agus atá ag mo dheartháireacha sa bhaile. Sin taobh amuigh de na leabhair. Ní léann siad sin puinn, seachas na leathanaigh spóirt ar an Domhnach.'

Tar éis tamaill, chas siad ar ábhair phearsanta. Ise a chuir tús leis. B'fhéidir go raibh an fíon ag dul i gcion uirthi go raibh sé de dhánaíocht inti ceisteanna dá leithéid a chur air. 'Bhfuil cailín agat?'

'Cailín?'

'Sea. Cailín, bean, leannán: pé rud is maith leat a thabhairt uirthi. Duine speisialta go dtéann tú amach léi.'

'Tá a fhios agam cad tá i gceist agat. Níl cailín agam.'

'An raibh riamh?' ar sise, a guth ardaithe beagán le hiontas agus le fiosracht.

'Bhí, tamall i Luimneach.' Níor mhaith leis aon rud a rá léi faoin ngealltanas pósta a bhí aige leis an mbean a dhiúltaigh teacht leis go Cnoc na Coille.

'Agus bhfuil deireadh leis anois?'

'Deireadh le cad é?'

'Deireadh leis an ngaol a bhí eadraibh, leis an rómánsaíocht?'

'Níl gaol ná caidreamh, ná fiú caradas, eadrainn anois.'

'Cad a tharla?

'Ní fheadar i gceart. Bhí argóint eadrainn faoi bheith ag dul áiteanna nár mhaith liomsa dul, agus chuireamar deireadh leis. Dúirt sí nár theastaigh uaithi a saol sóisialta ar fad a chaitheamh ina suí ar shuíochán an phaisinéara i mo charrsa.'

Scairt Aoife amach ag gáirí.

'Bhfuil fear agat féin?' d'fhiafraigh Aindí.

'Níl anois.'

'Ach bhíodh?'

'Bhíodh minic go leor, ach ní mhairidís ach oíche nó dhó, nó cúpla seachtain ar a mhéid. Mise a chuireadh deireadh leis. Ní raibh ón gcuid ba mhó acu ach an t-aon rud amháin, tá a fhios agat.'

'Tuigim.'

Chasadar thar n-ais ar labhairt faoin mbia agus faoin gceol a bhí le cloisint go faon ón mbeár ag an nóiméad sin. Níor bhrostaíodar chun an bheáir, ach chaith uair an chloig eile ag ithe agus ag caint. Nuair a chuadar go dtí an beár, thart ar a deich a chlog, bhí an ceol faoi lánseol agus an comhluadar ina dtost, mar dá mbeidis ag caint ní raibh aon seans ann go cloisfí iad. Bhí an chuid is mó ina suí, ach roinnt a bhí ina seasamh in aice an chuntair chomh maith, iad ar fad agus na súile leath-dhúnta acu, a gcoirp, a gcinn, a gcosa agus a lámha mar a bheidis ceangailte dá chéile le cordaí leaistice agus iad á gcraitheadh anonn is anall cosúil le puipéid. Dhein triúr cailín ar shuíochán ar chúl an bheáir slí d'Aoife agus Aindí. Bheannaigh a lán d'Aoife, mná agus fir. Ba léir go raibh aithne go forleathan uirthi.

Bhí sé ag druidim lena haon a chlog ar maidin nuair a d'fhágadar slán lena chéile ag doras tigh na bhFaolárach. Thug Aoife póg dó, ach ní dúradar aon ní faoi bhualadh le chéile arís. Dhein Aindí iarracht gan an bheirt a dhúiseacht nuair a bhí sé ag dul isteach agus suas an staighre, ach ghlaoigh Eibhlín amach, 'Móra dhuit ar maidin, a Aindí!'

'Móra is Muire dhuit,' d'fhreagair sé.

10

Meitheamh 1978

D'imigh trí sheachtain thart gan teagmháil ar bith ag Aindí le Aoife. Bhí traenáil dhian ar siúl gach aon oíche ag an bhfoireann iománaíochta. Bhí cluiche i gcoinne Brú na bhFear sa dara babhta den chraobh le bheith ar siúl i gCill Mocheallóg ar an Domhnach ina dhiaidh sin. Bhí an cluiche i mbéal gach éinne. Labhair an Canónach faoi le Aindí agus ghuigh sé rath orthu.

'Ardú meanman don pharóiste ar fad a bheadh ann dá mbuafaimis é agus an cluiche ceathrú craoibhe a bhaint amach don chéad uair riamh,' arsa Maitiú. Bhí sceitimíní air, agus de ló is d'oíche ní raibh mar ábhar cainte aige ach an cluiche. 'Tá seans éigin againn i mbliana,' a deireadh sé le daoine, 'go háirithe agus Aindí Ó Maonaigh againn i lár na páirce.'

Bhí a fhios ag Aindí go raibh caint den sórt sin ar siúl, agus níor thaitin sé leis in aon chor. Chuir sé brú uafásach air go raibh daoine ag brath air chun an cluiche a bhuachaint ar a son. Bhí ceathrar déag eile ar an bhfoireann agus ní raibh trácht ar aon duine acusan mar a bhí ar Aindí. 'Tá a fhios agat,' ar seisean le Maitiú, 'go ndéanfaidh mé mo dhícheall, ach tá seans ann nár leor é mo dhícheall, ná dícheall na foirne go léir.'

Thagadh athrú ar dhreach Mhaitiú ansin. Bhíodh sé mar a bheadh scamall duairc os a chionn ag caitheamh scáil ar a aghaidh, a bhí ar lasadh go dtí sin ag an muinín a bhí aige as Aindí agus an tnúth a bhí aige leis an gcluiche ceathrú craoibhe a bhaint amach.

73

Ní raibh cluiche chomh mór ná chomh tábhachtach ag foireann an pharóiste riamh, agus bhí sé ar intinn ag gach aon duine a bheith ann, idir na leanaí ab óige, fad is a bhíodar in ann siúl, agus na seanóirí a raibh an siúl ar éigean ag a lán acu. Tháinig Maitiú abhaile oíche amháin ó chruinniú a bhí ag coiste an chumainn agus é lúcháireach. 'Táimid chun busanna a chur ar fáil,' ar seisean le Eibhlín agus Aindí.

'Cad chuige?' arsa Eibhlín.

'Chun na daoine a thabhairt go Cill Mocheallóg don chluiche.'

'Nach bhfuil carranna ag an gcuid is mó acu?' arsa Aindí.

'Tá, ach cuimhnigh ar an deacracht a bheadh acu ag páirceáil cóngarach don pháirc. Agus cad faoi theacht abhaile agus cúpla deoch ólta ag na tiománaithe tar éis dóibh a bheith ag ceiliúradh?'

'Nó ag caointeoireacht,' arsa Aindí.

'É sin leis,' arsa Maitiú. 'Ba é Tomás Mac Aodha, an cathaoirleach, a dhein an moladh. Mheas sé go gcabhródh sé chun na daoine a aontú taobh thiar den bhfoireann, agus go spreagfadh sé iad chun ardghleo a thógaint ag tacaíocht leo ag an gcluiche féin. Scaipfear an t-eolas i gceann cúpla lá. Tiocfaidh na daoine le chéile ag an séipéal. Féadfaidh siad na carranna a pháirceáil sa charrchlós. Beidh na busanna ag fágaint ón áit sin agus ag filleadh go dtí an áit chéanna níos déanaí.'

'Bhfuil mórán ag dul?' arsa Aindí.

'An saol agus a mháthair,' arsa Maitiú. 'Tá sé dochreidte, nach mór, an méid suaitheantas de gach sórt a díoladh ag an gclubtheach le seachtain.'

Bhí slua mór ag an séipéal ar an Domhnach. Ní raibh na himreoirí ann: d'imíodar sin ina mbus féin ón gclubtheach. Ba ghlórmhar dathannach an radharc é an slua ag feitheamh leis na busanna. Geansaithe bána a bhí ag an bhfoireann agus sais leathan dhearg trasna orthu i lár baill. Bhí na dathanna sin i ngach áit i measc an tslua, ar bhrait, ar chaipíní agus ar hataí a dheineadar féin as páipéar agus éadach, ar scaifeanna a chniotáil daoine agus a dhein daoine eile as éadach.

Tháinig na busanna, ceithre cinn. Chuaigh na daoine de ruathar isteach iontu, agus fágadh an oiread céanna díobh amuigh mar nach raibh slí ann dóibh go léir. Bhí Tomás Mac Aodha ann agus callaire aige. Thug sé fógra dóibh go bhfillfeadh na busanna chun iad a bhreith isteach nuair a bheadh an chéad ualach tugtha isteach acu. Dhein gach bus dhá thuras, agus bhí ceann amháin go raibh air an tríú turas a dhéanamh.

Níorbh fhada go raibh siad ar fad sa pháirc, roinnt acu san ardán agus an chuid ba mhó ina seasamh ar na céimenna leathana stroighne thart timpeall na faiche. Bhí Maitiú agus Eibhlín san ardán i dteannta le hoifigigh eile an chumainn agus a muintir. Cheana féin bhí bús mór cainte agus corrbhéic á dtógaint, agus ceol máirseála á dtíonlacan ag banna práis an bhaile mhóir.

Istigh sna seomraí feistis, bhí imreoirí an dá fhoireann gléasta cheana féin agus iad ina suí ag caint eatarthu féin faoin straitéis agus an bheartaíocht a bheadh á gcleachtadh acu nuair a thosódh an cluiche. I seomra fhoireann Chnoc na Coille bhí teannas, níos mó b'fhéidir ná mar a bhí i seomra na foirne eile. Ba mhó an brú a bhí orthusan bua a fháil. Bhí Brús Mac an tSionnaigh ina sheasamh i lar an urláir agus é ag cur de go tréan.

'A fheara,' ar seisean, agus stad sé, a cheann faoi agus é ag machnamh ar an gcéad rud eile a déarfadh sé—nó b'fhéidir go raibh sé ag rith leis nach raibh aon rud a d'fhéadfadh sé a rá a bhainfeadh an teannas díobh nó a thabharfadh uchtach dóibh chun sárchluiche a imirt. 'Táimid ag feitheamh leis an lá seo le tamall.' Stad sé arís. 'Agus tá sé buailte linn i ndeireadh na dála. Táimid ullamh. Nuair a raghaidh sibh amach ar pháirc sin an chatha i gceann' (d'fheach sé ar a uaireadóir) 'deich nóiméad, músclaígí bhur misneach agus cuirigí chuige go cróga agus go dian chun an namhaid a chloí. Cuimhnigí air seo. Tá an dream sin istigh taobh linn, a gcloiseann sibh ag liú iad, díreach chomh díograiseach chun buachana agus atáimid féin. Nuair a shéidfear an fheadóg agus nuair a chaithfear an sliotar isteach, tabharfaidh siad sin faoi go fíochmhar. Rithfidh siad ar mire chun an tsliotair, agus má bhíonn siad ann romhaibhse beidh deireadh libh. Má bhíonn sibhse rompu chun an tsliotair, áfach, tabharfaidh siad fúibh cosúil leis an gconairt nimhe—ní duine amháin acu, ach iad ina mbeirteanna agus ina dtriúir, agus ina mbuíonta níos mó ná sin de réir mar a bhíonn gá acu leis. Táim á rá libh anois go sollúnta, a leaideanna: bígí rompu chun an tsliotair agus faighigí réidh de chomh luath agus is féidir libh. Agus má bhíonn sibh teanntaithe acu sula mbíonn an deis agaibh í a bhualadh, bainigí úsáid as an bpasáil láimhe a chleachtaíomar minic go leor. Bhfuil sibh ullamh?'

'Táimid,' arsa cúpla duine.

'Bhfuil sibh ullamh?' arsa Brús arís, níos airde an turas seo.

'Táimid!' arsa an t-iomlán arís go dásachtach.

'*Bhfuil sibh ullamh?*' ar seisean arís de bhéic.

'*Táimid!*' arsa an slua go feargach, in ard a gcinn agus a ngutha.

'Seo linn, mar sin!'

Ritheadar amach ar an bpáirc, agus thosaigh ag léimt is ag cromadh is ag rith i ngach aon treo, ag pasáil sliotair chun a chéile chun iad féin a ullmhú don chluiche. Thíos ar an leath eile den pháirc bhí an fhoireann eile ag gabháil do na rudaí ceannann céanna. Chaitheadar thart ar chúig nóiméad ag gabháil do na réamhimeachtaí sin, díreach mar a dhéantar ar gach páirc imeartha in Éirinn. Bhí cúntóirí, maoir uisce, maoir foirne ag rith timpeall ag dáileadh deochanna uisce ar na himreoirí agus roisín á chuimilt dá lámha chun go bhféadfaidís greim daingean doscaoilte a choimeád ar na camáin.

Shiúil an réiteoir amach go lár na páirce, na guaillí caite siar aige agus é lán de ghus agus mór-is-fiú. Shéid sé bleaist ar an bhfeadóg, agus d'imigh na cúntóirí den pháirc. Bhailigh na himreoirí le chéile agus sheas i bhfáinní, a lámha thart ar a chéile agus cogar mogar ar siúl acu chun iad féin a ghríosadh chun catha. Buaileadh rolladh tormála ar na drumaí agus shéid an banna amach go dalba *Amhrán na bhFiann.* Chan an slua é le fuinneamh is le fonn.

Rith na foirne go dtí a n-áiteanna sa pháirc. Chuala Aindí duine den bhfoireann eile a bhí ag dul thar bráid ag rá, 'Cé acu duine díobh an focar ó Éire Óg?' Shocraigh sé ina aigne ansin nach nglacfadh sé le lámh láidir ná tíorántacht d'aon chineál uathu.

Caitheadh an sliotar isteach idir an ceathrar i lár páirce. Dhruid Aindí siar deich slat nó mar sin agus d'fhág Tomás Ó Faoláir ag spairn leis an mbeirt eile. Tharraing Tomás agus duine den bhfoireann eile ar an sliotar i dteannta a chéile, agus phreab sé ar aghaidh chomh fada le Aindí. Bhí sé siúd ina sheasamh ina aonar, agus phioc an sliotar ón talamh le cor cliste dá chamán. Bhuail sé buille maith láidir air, agus bhí a fhios aige ón drithlín aoibhinn a rith tríd an gcamán agus ó bhinneas na fuaime gur theagmhaigh sé le croí na boise. Sheas sé ag faire ar an sliotar ag seoladh go hard tríd an aer agus ag dul idir na cuaillí.

'Fútsa atá sé, Deirí, súil a choimeád ar an leábharaic sin,' arsa duine den bheirt i lár na páirce lena chomhbhádóir. Uaidh sin amach, chloígh an duine sin le Aindí. Ba chuma cá dtéadh Aindí, lean seisean é agus d'fhan idir é is a chúl féin. Ba é an chomhairle a cuireadh air, de réir dealraimh, ná gan ligint d'Aindí urchar a dhíriú ar an gcúl. B'fhearr dóibh i bhfad dá ndéarfaí leis a bheith roimh Aindí chun an tsliotair. Tharla sé, dá bhrí sin, go mba é Aindí a bheireadh ar an sliotar aon uair a thagadh sé ina gcóngar. Luíodh Deirí isteach air ansin, agus dheineadh sé go maith é. Ní thugadh sé spás d'Aindí chun buille maith a bhualadh ar an sliotar, ach chaitheadh sé siúd é chuig duine éigin eile le pasáil láimhe. Bhí sé de chlisteacht ag a chomhimreoirí a bheith i gcónaí ag druidim i leataobh nuair a bhíodh Aindí i seilbh an tsliotair, agus bhídís saor chun é a ghlacadh uaidh.

Lean an cluiche ar aghaidh ar an dóigh sin, agus ag leath-am bhí Cnoc na Coille ocht gcúilín chun tosaigh, 0-11 in aghaidh 0-3. Fuair Aindí trí cinn de na cúilíní sin. Ba léir do gach éinne go raibh smacht ag foireann Chnoc na Coille ar an bhfoireann eile, agus go raibh an scéal mar sin mar go raibh siad in uachtar i lár na páirce agus sna leath-thosaigh.

'Tá súil agam go leanfaidh sé ar aghaidh mar sin,' arsa Maitiú le Eibhlín. 'Tá Aindí ar fheabhas, agus tá an chomhimirt idir é agus na leath-thosaigh thar barr. Caithfidh siad siúd plean éigin a chur i bhfeidhm chun é sin a neodrú. Beidh sé suimiúil.'

Bhí fear nua i lár na páirce ag Brú na bhFear nuair a thosaigh an dara leath. Bhí rith níos tapúla aige ná mar a bhí ag an duine a bhí ann roimhe, agus bhíodh sé ar aon chéim le Aindí ag sroichint an tsliotair. Ina ainneoin sin, ba é Aindí a fhaigheadh greim ar an sliotar, mar bhí sé níos seiftiúla ná an fear eile ag láimhseáil an chamáin. Tharraingíodh an fear eile ar an sliotar, ach bhíodh sé ródhéanach mar bhíodh sé sciobtha leis ag Aindí cheana féin. Tugadh faoi deara ansin go gcríoch-naíodh sé an buille agus go n-aimsíodh sé Aindí ar ailt na méar. Ba ghairid go raibh an craiceann bainte de gach alt acu agus iad ag cur fola.

Thosaigh Aindí ag tarraingt ar an sliotar ansin, agus bhíodh sé roimh an bhfear eile, agus ba é siúd a bhí ag fáil buillí ar a lámha. Bhain sé díoltas amach le buille fealltach a bhualadh ar Aindí sa cheann. Bhí an t-ádh le Aindí go raibh clogad á chaitheamh aige agus nár scoilteadh a chloigeann. Bhí an buille chomh trom sin, áfach, gur thit sé ar an talamh agus é gan aithne gan urlabhra. Thóg an lucht féachana raic. Rith Maitiú anuas ón ardán agus sheas ag an taobhlíne ag féachaint amach ar lucht garchabhrach ag cur cóir leighis ar Aindí. Bhí sé anbhuartha nuair a chonaic sé fear na croise deirge ag rith isteach ar an bhfaiche agus sínteán aige. Iompraíodh Aindí amach agus tugadh isteach sa seomra feistis é. Lean Maitiú isteach iad agus dhein sé iarracht ar labhairt le Aindí. Ní raibh Aindí ach ag teacht chuige féin agus dúirt sé, 'OK. OK... Tá sé OK.' Bhí Maitiú ag rith anonn is anall agus gach aon eascaine aige faoin duine a bhuail Aindí. Bhí dochtúir ann um an dtaca sin, agus d'iarr sé ar Mhaitiú an áit a fhágaint.

Bhí an t-otharcharr ar an láthair, agus bhíodar chun Aindí a chur ann agus a thabhairt chun an ospidéil. Bhí Eibhlín tagtha isteach agus chonaic Aindí í. Shín sé lámh chuici agus rug sí air. 'Tig leatsa dul leis san otharcharr ina theannta,' arsa an dochtúir léi. 'Níl sé ródhona, ach ní mór é a choimeád san ospidéal faoi chiúnas go ceann cúpla lá, déarfainn.'

Tugadh go dtí an t-ospidéal i gcathair Luimnigh é. Fágadh Eibhlín sa seomra feithimh go dtí gur glacadh Aindí isteach agus gur tugadh leaba dó i seomra príobháideach, mar theastaigh uathu go mbeadh sé ar a shuaimhneas agus nach mbeadh aon ní ag cur isteach air. Tugadh cead d'Eibhlín dul isteach agus labhairt leis ansin, ach gan fanúint thar chúpla nóiméad. Um an dtaca sin, bhí Maitiú tagtha ina comhair chun í a bhreith abhaile.

Nuair a bhí Eibhlín agus Maitiú ag siúl amach go dtí an carr ar ball, bhuail siad le Aoife Ní Fhaoláir ag dul isteach. 'Níl cead ag éinne dul isteach chuig Aindí,' arsa Eibhlín léi. 'Caithfidh sé ciúnas iomlán a bheith aige go ceann roinnt laethanta.'

'Conas tá sé?' d'fhiafraigh Aoife.

'Tá sé sórt leamh agus marbhánta ann féin, ach deir siad liom go mbeidh sé ceart go leor i gceann seachtaine. Bhfuil síob abhaile uait?'

'Níl, go raibh maith agaibh. Fanfaidh mé san árasán le mo chairde anseo. Ní fiú dom dul thar n-ais go Cnoc na Coille anocht.'

'Tá go maith,' arsa Maitiú. 'Fágfaimid ag an árasán tú, más mian leat.'

'Bheinn buíoch díbh.'

11

Meitheamh 1978

Chuaigh Aoife go dtí an t-ospidéal ar an Déardaoin, agus tugadh cead di cuairt a thabhairt ar Aindí. Bhí sé éirithe agus gléasta, ina shuí in aice na leapa ag léamh. 'Conas tá tú?' ar sise leis agus meangadh aoibhnis ar a beola.

'Táim ar fheabhas,' ar seisean. 'Theastaigh uaim dul abhaile, ach ní ligfidh siad dom go dtí amárach.'

'Is maith sin. Trua nach bhfuilir saor anocht. D'fhéadfá síob a fháil ó Neid Puirséal. Bead féin leis.'

'Neid? Cad a thug anseo é?'

'Tá sé ag obair anseo sa chathair. I mBanc na hÉireann. Tagann sé isteach gach maidin agus filleann ar an mbaile tráthnóna.'

'Beadsa ag tiomáint abhaile i mo charr féin, ar aon nós. Tabharfaidh Maitiú isteach dom é amárach.'

Bhíodar ciúin ansin.

'Buadh orainn, chuala mé,' arsa Aindí. 'Bhíos ag caint le Maitiú ar an bhfón.'

'Buadh,' arsa Aoife. 'Thit an lug ar an lag acu nuair a d'imís den pháirc. Ní raibh ach ceithre dhuine dhéag ag an dream eile. Cuireadh an ruaig ar an bhfear a bhuail thú.'

'Bhí díomá ar a lán, is dócha.'

'Ní raibh, dáiríre. Seantaithí acu air.'

Bhuail tost arís iad.

'Baineadh suaitheadh asam nuair a chonac sínte ar an talamh tú,' arsa Aoife.

81

'Baineadh suaitheadh asam féin chomh maith leat!' arsa Aindí, agus dhein sé gáire.

'Chuamar go léir go tigh tábhairne Joe Uí Núnain i gCill Mocheallóg i ndiaidh an chluiche,' arsa Aoife. 'Bhíodar ag éirí meidhreach i ndiaidh cúpla deoch, ach ní fhéadfainnse a bheith leo. Bhíos róbhuartha fútsa.'

'Níor ghá duit a bheith buartha fúmsa.'

'B'fhéidir nár ghá, ach bhíos.'

D'inis sí dó gur tháinig sí chun an ospidéil tráthnóna Dé Domhnaigh ach nach raibh cead aici dul isteach sa bharda chuige. Níor chodail sí néal an oíche sin ach í ag únfairt is ag casadh anonn is anall le buairt is imní faoi féin.

Níor labhair ceachtar acu go ceann i bhfad ina dhiaidh sin. Sheas Aoife ansin agus dúirt go gcaithfeadh sí imeacht.

'Fan tamaillín eile,' arsa Aindí. 'Tá a fhios agam nach comhluadar ró-anamúil mé, ach is leamh an áit í seo, agus bím ar mo shuaimhneas fad a bhíonn tú liom.'

Shuigh sí arís agus chaith sí leathuair an chloig eile ann, iad ag caint ar cad a dhéanfadh sé nuair a raghadh sé abhaile. Bhí sise ag moladh dó gan dul ar ais go dtí an scoil go ceann seachtaine eile ar a laghad, chun deimhin a dhéanamh de go mbeadh sé tagtha chuige féin i gceart. Dúirt seisean go mbeadh sé go breá agus go raghadh sé ar ais ar an Luan dár gcionn.

Tar éis lóin ar an Aoine a tháinig Maitiú go dtí an t-ospidéal chun Aindí a bhreith abhaile. I gcarr Aindí a tháinig sé. Theastaigh ó Aindí a charr féin a thiomáint thar n-ais go Cnoc na Coille, ach ní ligfeadh Maitiú dó é sin a dhéanamh. Dúirt sé go maródh Eibhlín é dá ligfeadh. Thángadar ar chomhréiteach: thiomáinfeadh Aindí chomh fada leis an gcrosbhóthar, áit a mbeidís ag casadh isteach ar an taobh-bhóthar go dtí an baile, agus go dtógfadh Maitiú ón áit sin é.

Bhí Éibhlín ag an doras ag feitheamh leo nuair a shroicheadar an tigh. Rug sí barróg ar Aindí agus thug póg dó.

'Tá fáilte romhat abhaile,' ar sise. 'Tagaigí isteach, agus gheobhaidh mé rud éigin le n-ithe daoibh.'

'Bhí lón agamsa san ospidéal,' arsa Aindí. 'Ní íosfaidh mé anois.'

'Beidh greim agamsa,' arsa Maitiú, 'má tá rud éigin ullamh agat.'

Bhíodar ag caint ina dhiaidh sin, ina suí ag an mbord, Maitiú ag ithe agus an bheirt eile ag ól tae chun comhluadar a choimeád leis.

'Bhí do mháthair ar an bhfón,' arsa Eibhlín. 'Chonaic siad scéal sa pháipear faoinar tharla. Thugas uimhir an ospidéil di.'

'Sea,' arsa Aindí. 'Chuir sí glaoch orm. Bhí sí sásta nuair a chuala sí ag caint mé.'

'Bheadh sé chomh maith agat seachtain eile saoire breoiteachta a thógaint ón scoil,' arsa Eibhlín. 'Déarfainn go dtabharfadh an Dochtúir Ó Conchúir teastas duit. Bhí sé buartha fút lá an chluiche. Bhí sé ag iarraidh deimhin a dhéanamh de go mbeadh suaimhneas agus síth agat.'

'Táim i mbarr mo shláinte arís,' arsa Aindí. 'Raghaidh mé thar n-ais ar an Luan. Cad a dhein sibh fad a bhíos amuigh?'

'Bhíomar ceart go leor. Bhí Micheál Ó Saoraí againn i d'áit.'

'Micheál Ó Saoraí?'

'Rúnaí an chumainn,' arsa Maitiú. 'Tá aithne agat air.'

'Ó, sea. Fear an chroiméil.'

'Sin é agat é,' arsa Maitiú. 'Fear an-éirimiúil, ach níl aon phost aige. Tá sé ar an dól.'

'Tá sé an-mhaith leis na páistí,' arsa Eibhlín. 'Níor ghá duit aon imní a bheith ort fúthu.'

'Ní hé sin a bheadh ag cur isteach orm in aon chor, ach ní dóigh liom go bhféadfainn an díomhaointeas a sheasamh.'

'Nár dheas an rud é dul abhaile chun do mháthar, go bhfeicfeadh sí go bhfuilir sláintiuil arís? Bhí sí buartha fút.'

'Bhí sí ag caint liom. Tá sí sásta, déarfainn.'

'Tánn tú fuarchúiseach agus dúr leis an mbean mhaith sin. Ní chreidfinn go mba dhuine den sórt sin tú.'

Dhein Aindí machnamh ar feadh cupla nóiméad. 'Is iad sin na daoine is ionúine agam agus is mó a bhfuil meas agam orthu ar chlár na cruinne. Ní théim abhaile chucu go rómhinic mar bíonn siad de shíor ag tathant orm post a fháil in áit éigin in achomaireacht dóibh agus cur fúm ann. Is fearr liom mo ghort féin a threabhadh go ceann tamaill.'

'Tuigim… Ar mhaith leat luí síos ar feadh tamaill?'

'Á, fanaigí anois. Tuigigí an méid seo: táim ar fheabhas, chomh maith agus a bhíos riamh. D'fhéadfainn teacht abhaile ar an Luan seo a d'imigh tharainn dá scaoilfidis liom. Bhfuil a fhios agaibh cad ba mhaith liom a dhéanamh anois? Dul ar siúlóid. Raghaidh mé anonn chomh fada leis an scoil agus thar n-ais arís.'

'Dein,' arsa Eibhlín. 'Agus bíodh sé mar chleachtadh aclaíochta agat as seo amach. Má tá ciall agat, ní imreoidh tú iománaíocht arís.'

'Cén fáth?'

'Mar tá tú rómhaith chuige, agus tá daoine cosúil leis an ngamal sin a bhuail an buille ort Dé Domhnaigh ar gach aon fhoireann, agus raghaidh siad amach chun tú a bhascadh ar eagla go mbeidís náirithe agat san imirt.'

'B'fhéidir go nglacfainn leis an gcomhairle sin agat,' arsa Aindí. 'Is breá an cluiche an iománaíocht, ach chomh fada agus atá bastúin is breillicí mar é siúd á imirt, bheadh sé chomh maith agam éirí as.'

Bhuail sé amach ag spaistóireacht i dtreo na scoile. Tháinig sé go dtí geata láidir, déanta d'fheadáin iarainn. Chuir sé na huillinneacha ar an mbarra uachtarach agus bhí ag féachaint ar na bullain bheathaithe fholláine istigh sa pháirc agus an lonracht shoilseach ar an seithe acu.

Nuair a bhí sé tagtha thar n-ais chun an tí, bhuail an fón sa halla agus d'fhreagair Eibhlín é. Aoife a bhí ann agus theastaigh uaithi labhairt le Aindí.

'Haigh, Aindí. Aoife anseo.'

'Dia dhuit, a Aoife.'

'Bhfuilir *OK*?'

'Táim ar fheabhas. Is geall le fíon an t-aer úr taobh amuigh den ospidéal, agus tá cead mo chos agam arís. Bhíos plúchta san áit sin. Cá bhfuilir féin?'

'Táim sa siopa, ach níl aon bhrú orainn i láthair na huaire. Bhfuil a fhios agat cén fáth ar chuireas an glaoch ort?'

'Ní fheadar.'

'Beidh ceoldráma ar siul in Amharclann na mBard i Luimneach an tseachtain seo chugainn. Ar mhaith leat dul ann?'

'Cén ceoldráma é?'

'*La Bohème.*'

'Ní raibh a fhios agam go mbeadh suim agatsa i gceol-drámaí.'

'Níl, is dócha, ach mheasas go mb'fhéidir go mbeadh agatsa.'

'Bhuel, tá agus níl,' arsa Aindí. 'Thaitníodh an ceol go mór le mo mháthair agus bhíodh dioscaí aici de Pavarotti agus Placido Domingo agus Kiri te Kanawa, agus iad sin. Thaitin an ceol liom féin, leis, ach ní fheadar conas a bheadh sé mar chuid de dhráma ar an ardán. B'fhéidir go mbeadh sé suimiúil. Ar mhaith leatsa dul ann?'

'Mar a deirir, bheadh sé suimiúil. Dá mbeifeá féin ag dul ann, níor mhiste liom a bheith leat.'

'Tá go maith. Gheobhad na ticéid agus raghaimid ann.'

'Gheobhadsa iad. Bheadh ortsa dul isteach go dti an chathair chun iad a fháil. Beidh duine de na cailíní anseo ag dul isteach chun iad a fháil do dhaoine anseo, agus gheobhaidh sí dom iad.'

'*OK*, mar sin. Dá bhfeadfá iad a fháil don Satharn.'

Chuaigh an bheirt go dtí an ceoldráma ar an Satharn, agus nuair a d'fhág Aindí Aoife ag a baile thart ar mheánoíche, thug sí cuireadh dó teacht isteach agus cupán tae a ól sula raghadh sé abhaile. Níor mhaith leis a bheith ag cur isteach ar a muintir, a dúirt sé léi, ach dúirt sí nach mbeadh aon duine acu ann, go mbeidís imithe a chodladh, ach amháin Tomás a bheadh amuigh go maidin lena chailín féin i gCill Mocheallóg. Ghlac Aindí leis an gcuireadh, agus chaith sé an chuid ba mhó d'uair an chloig ag cadráil léi sular imigh sé abhaile. Dheineadar socrú bualadh le chéile tar éis aifrinn an mhaidin ina dhiaidh sin agus dul ar síob go Cill Chaoi is Lios Dúin Bhearna. Cheap Aindí go mb'ionann é agus a rá go raibh tús curtha acu le bheith ag suirí.

An lá ina dhiaidh sin, chaitheadar tamall maith ina suí sa charr i gCill Chaoi ag faire ar an bhfarraige ag rith i gcuilithíní beaga éadroma go dtí an trá agus ag titim go fann ar an ngaineamh, á snasú faoi ghile na spéire. Níor labhraíodar mórán, ach rith sé isteach ina cheann ag Aindí gur cliseadh ar an gcaradas a bhí idir é féin agus an cailín sin i Luimneach mar nár theastaigh uaithi a saol sóisialta a chaitheamh ina suí ar shuíochán an phaisinéara ina charr. Bhí sé á cheistiú féin: ar chuma leis dá ngabhfadh Aoife an bóthar céanna?—agus ní fhéadfadh sé freagra macánta a thabhairt air. Bhí sé tugtha faoi deara aige, áfach, go mbíodh sise gealgháireach nuair a bhíodh sí ina chomhluadar agus gur dóichí go raibh fáilte aici roimh an gcumann a bhí ag fás eatarthu.

An tseachtain ina dhiaidh sin, chuadar go dtí dráma in amharclann bheag i gcúlshráid i Luimneach, agus chuig tábhairne ina raibh grúpa ceoil, Na Fuiseoga Suairce, ag seinm is ag canadh. Bhí an ceol bríomhar is gáifeach, agus bhíodh cuid den lucht éisteachta ag canadh leo nuair a bhíodh an t-amhrán ar eolas acu. Chan Aoife leo go rábach, agus bhain sí an-taitneamh as. Bhí ionadh ar Aindí aithne a bheith aici ar an oiread sin daoine, iad sin a bheannaigh dóibh i rith na hoíche.

Shleamhnaigh an bhliain thart. Bhuailidís le chéile go rialta agus théidís áit éigin. Théidís go dtí clubtheach an chumann iománaíochta go minic, agus dá bharr sin d'aithin gach aon duine sa cheantar go mba leannáin an bheirt acu. Chaith Aindí saoire an tsamhraidh ina bhaile féin in aice le hÁth an tSléibhe in iarthar an chontae. Thagadh sé anuas cúpla uair sa tseachtain chun bualadh le Aoife.

I mí Mheán Fómhair chuaigh Aoife go Tenerife ar sheachtain saoire lena deirfiúr Sorcha agus beirt bhan eile. 'Tá sé álainn anseo,' a scríobh sí ar chárta a chuir sí chuig Aindí.

Spéir ghorm gach uile lá, agus teas na gréine á stealladh anuas orainn. Faic le déanamh againn. Agus sin an rud is fearr faoi. Ní bhíonn aon bhrú oibre orainn. Bímid inár suí agus inár luí in aice leis an linn snámha ag crú na gréine, mar a dúirt duine éigin. Sin agus ag ithe sa bhialann sa tigh ósta. Is trua nach bhfuilir anseo linn.

'Ní fheadar ar mhaith liom é,' arsa Aindí leis féin.

Nuair a tháinig sí abhaile ní raibh mar ábhar cainte acu ach an seal a chaith sise ar saoire i Tenerife. 'Murach an aimsir agus an tír agus na foirgintí difriúla a bhí ann, agus dar ndóigh an t-ostán is na háiseanna do chuairteoirí, cheapfá go mbeifeá fós in Éirinn. Bhí an áit lán d'Éireannaigh. Chloisfeá iad ag spalpadh cainte i ngach aon áit. D'aithneofá ar a dtuin cainte iad.'

'Ní dóigh liom go bhféadfainn seachtain iomlán a chaitheamh ann,' arsa Aindí. 'B'fhearr liom go mbeadh rud éigin le déanamh agam seachas a bheith i mo luí faoin ngrian.'

'Cén sórt saoire ab fhearr leat, mar sin?'

'Is dóigh liom go mba mhaith liom dul go ceann de chathracha móra seanda na hEorpa, breathnú ar na foirgintí agus na pictiúir sna dánlanna cáiliúla, dul go coirmeacha ceoil agus go dtí amharclanna chun drámaí a fheiscint, ag fáil leargais ar an sórt sibhialtachta atá i réim san áit. Ba mhaith liom sin.'

'Deinimis é uair éigin,' arsa Aoife.

'An bheirt againn?'

'Sea, an bheirt againn.'

'Ach ar mhaith leatsa an t-am a chaitheamh ag gabháil do na rudaí sin a luaigh mé anois díreach?'

'Ní fheadar, mar níor dheineas riamh iad. Ceapaim dá mbeifeása ag tabhairt eolais dom fúthu agus ag insint dom cén míniú atá leo go mb'fhéidir go bhfaighinn suimiúil iad agus go mba mhaith liom iad.'

Bhí Aindí ag machnamh ar feadh tamaillín. 'Tá an ceart agat,' ar seisean. 'Cén fáth nach ndéanfaimis é? Ach níor mhaith liom thar trí nó ceithre lá a chaitheamh in aon cheann acu.'

'Ba leor sin. Nach mbeidh saoire agaibh thart ar Oíche Shamhna? D'fhéadfaimis dul ann an tráth sin. Gheobhainn cead imeachta ó mo bhas. Ar éigean a bheadh aon duine eile á lorg ag an am sin.'

'Sea. Cén áit a raghaimis?'

'Cad faoi Pháras?'

'OK, Páras. Déanfad na socruithe. Beidh ón Luan go dtí an Aoine saor againn. Cuirfidh mé dhá sheomra in airithe ar feadh cúig oíche.'

'Aindí, a chroí, tánn tú chomh soineanta agus chomh neamhurchóideach le páiste. Cén fáth go mbeadh costas dhá sheomra á dhíol againn nuair a dhéanfadh ceann amháin an gnó?'

'Ach an mbeadh sin ceart, seomra amháin a bheith againn?'

'A Aindí! Dá ndéarfadh mo mháthair rud éigin mar sin liom, ní chuirfeadh sé aon ionadh orm, ach tusa, fear óg nua-aimseartha?'

'Ach nua nó sean, níor cheart go mbeadh beirt nach bhfuil pósta ag codladh le chéile mar sin in aon leaba.'

'Tánn tú ag magadh fúm!'

'Níl. Níl aon róchur amach agam ar an dearcadh nua-aimseartha ar na cúrsaí sin, ach ceapaim nach mbeadh sé ceart oíche a chaitheamh in aon leaba le chéile nuair nach bhfuilimid pósta.'

'Ní bheimis in aon leaba. Bíonn dhá leaba sna seomraí sna hóstáin sin, agus d'fhéadfaimis ceann an duine a bheith againn.' Thosaigh sí ag gáiri. 'Níor bhaol duit, a mhaoinigh,' ar sise. 'Ní thabharfainn fogha fút i lár na hoíche nó aon ní mar sin!'

12

Ba é Tomás a bhí ag aerfort na Sionna chun Aindí agus Aoife a bhreith abhaile i Ford mór na bhFaolárach. D'fhág sé Aindí ag geata tigh Eibhlín is Mhaitiú, agus rug sé leis Aoife go dtí a mbaile féin. Níor thug Aindí deis d'Eibhlín ach ceist amháin a chur air faoin saoire. 'Ar thaitin Páras leat?' d'fhiafraigh sí.

'Thaitin,' arsa Aindí. 'Cuirfidh mé mo mhála suas sa seomra agus beidh mé ag caint libh ansin.'

Ar thaitin Páras leat? Cén fáth *leat* agus nár *libh*? Ceist dhiamhair! Bhí a fhios aige go mba chuma cén freagra a thabharfadh sé air sin, nach mbeadh sí lánsasta leis. Phiocfadh sí gach aon ghoblach den scéal uaidh, agus bheadh déistin air leis féin mar go bhféadfadh sí a raibh ina cheann a léamh ach cúpla ceist a chur air. Ní fhéadfadh sé bréag a insint di, mar bheadh sé ar a cumas an fhírinne a fháisceadh as an mbréag.

Nuair a tháinig sé anuas an staighre, bhí béile an tráthnóna ullamh ag Maitiú don triúr acu, agus shuíodar chun boird. Bhí Maitiú ag cur ceisteanna air faoin turas go Páras agus bhí Eibhlín ina tost, ag ithe agus ag éisteacht, sracfhéachaint á chaitheamh aici ar Aindí corruair. Tar éis an tae nigh Maitiú agus Aindí na gréithe, iad ag comhrá i gcónaí faoi Pháras agus ag tagairt anois is arís don chumann iománaíochta. Bhí Eibhlín imithe ar shiúlóid bheag. Bhí sí tagtha ar ais nuair a bhí an bheirt fhear críochnaithe sa chistin, í sa seomra suite is an teilifís ar siúl aici.

D'imigh Maitiú go dtí an clubtheach. Thuas staighre, bhí

Aindí ina shuí ag an mbord, bileog bhán paipéir agus peann ar an gclár os a chomhair, agus é ag breathnú amach an fhuinneog ar an machaire fairsing ag síneadh amach uaidh in imigéin. Ní fhaca sé é, dáiríre, mar bhí an dorchadas tite ar an tír cheana féin, ach bhí sé mar léirphictiúr ina chuimhne. I bhfad amach uaidh, bhí solas ag drithliú i dtigh éigin. Daoine ann, ní folair. A gcúraimí féin ag déanamh tinnis dóibh, agus gan suim dá laghad acu in Aindí ná sna castaí is na cúinsí a bhí ag drannadh lena shaol.

Baineadh preab as nuair a osclaíodh an doras. 'An lasfaidh mé an solas?' arsa Eibhlín, a bhí ina seasamh ann.

'Ná déan.'

'Ní féidir leat scríobh gan solas,' ar sise.

'Nílim ag scríobh.'

'Cad tá ar siúl agat?'

'Táim ag machnamh.'

'Ó! Fágfaidh mé an áit, mar sin?'

'Ná déan,' ar seisean. 'Tar isteach agus suigh in áit éigin.'

Ní raibh ach an t-aon chathaoir amháin ann, agus bhí Aindí ina shuí ansin. Chuaigh Eibhlín trasna an tseomra taobh thiar de agus shuigh ar cholbha na leapa. Sular tháinig sí isteach bhí Aindí iata taobh istigh dá sheithe féin, ar marthain ina chloigeann. Nuair a ghluais Eibhlín thairis, líon sí an seomra lena pearsantacht agus lena cumhracht féin. Shleamhnaigh Aindí amach as an ngéibheann smaointeoireachta ina raibh sé, agus ghlac le comhluadar na mná.

'An mbeadh aon seans go bhféadfá do chuid machnaimh a roinnt le duine eile?' arsa Eibhlín. 'Nó an rud fíorphríobháideach é?'

'Go fóill, ar aon nós, ní roinnfidh mé le héinne é.'

'Bíodh agat, más é sin do rogha. Bhí an cuntas ar Pháras a thugais do Mhaitiú an-shuimiúil: an Louvre, Versailles, l'Arc de Triomphe, na pléaráca ar an Metro, agus seo is siúd. Bhí sé mar a bheinn ag léamh bróisiúr do thurasóirí. Ní raibh faic le cloisint agam, áfach, faoin mbeirt a bhí ag gabháil timpeall sna háiteanna sin.'

'B'in iad na rudaí a raibh suim ag Maitiú iontu, de réir dealraimh. Níor chuiris féin aon cheist orm.'

'Níor dhein. An ceart agat. Is dócha go mb'fhearr liom nach mbeadh ann ach an bheirt againn nuair a chuirfinn na ceisteanna,' ar sise, agus dhein sí gáire. 'Ní bheadh suim ar bith ag Maitiú sna rudaí sin a mbeadh suim agamsa iontu.'

'Cad iad?'

'Rudaí mar conas a thaitin an turas le Aoife, an caradas a bhí idir an bheirt agaibh, conas a réitigh sibh le chéile, ar chuaigh sibh i ngach aon áit i dteannta a chéile: rudaí den sórt sin.'

Níor labhair Aindí go ceann tamaill. 'Bhí an ceart agat nuair a dúrais go mba rud fíorphríobháideach na rudaí sin, is dócha. Níor mhaith liom a bheith ag caint fúthu.'

'Á! Tá mistéir ann, mar sin, rud éigin go dteastaíonn uait é a choimead faoi rún.'

'Níl.'

'Ach níor mhaith leat a bheith ag caint faoi go fóill.'

'Níor mhaith.'

'Tá go maith. Conas mar a bhí ag an óstán?'

'Is dócha go raibh sé cosúil le hóstáin eile. Níl a fhios agam.'

'Na seomraí. Conas mar a bhí ag na seomraí? An rabhadar mór bhúr ndóthain daoibh?'

'Bhí.'

'An raibh siad in aice le chéile?'

'Cad iad?'

'Na seomraí.'

Níor thug Aindí freagra uirthi, agus bhí an bheirt acu gan labhairt ar feadh tamaill mhaith.

Ba í Eibhlín a bhris isteach ar an gciúnas. 'Tá sin ceart go leor,' ar sise, í ag labhairt go bog caoin.

D'éirigh Aindí agus las sé an solas. Chuaigh sé thar n-ais go dtí an chathaoir agus d'fhéach idir an dá shúil ar Eibhlín. 'Tá mearbhall intinne orm,' ar seisean, 'agus ní mór dom labhairt le duine éigin.'

'Seo leat, más mian leat. Tig leat mise a bheith agat mar rúnchara, más féidir leat muinín a bheith agat asam. Geallaim go sollúnta duit nach sceithfead do rún le duine ar bith.'

'Bhí sé ar intinn agam labhairt leat ar aon nós,' ar seisean. 'Bhíos ag iarraidh misneach a mhúscailt chun tabhairt faoi.'

'Tóg breá bog é, agus beidh mé ag éisteacht leat.'

'D'fhiafraís an raibh na seomraí in aice le chéile,' ar seisean. 'Bhuel, ní raibh seomraí i gceist. Ní raibh againn ach an t-aon seomra amháin.'

'Bhíos ag ceapadh gur mar sin a bheadh,' arsa Eibhlín. 'De réir dealraimh, sin mar a bhíonn ag péirí óga neamhphósta ar saoire. Is rud nua-aimseartha é. Ní raibh sé mar sin nuair a bhíomarna ag suirí.'

'Níor dheineas aon mhachnamh air,' arsa Aindí. 'Chloisinn leaideanna ag caint faoi, ach níor bhain sé liom féin beag ná mór. Tá a fhios agam go gcloím le córas moráltachta sean-aimseartha. B'in é an tabhairt suas a fuaireas ag mo bhaile. Chuaigh sé i gcion go mór orm. Admhaím duit anois go bhfuil déistin agus uafás orm faoin tamall a chaitheas i bPáras. Mheasas go rabhamar dulta chun drabhlais, mé féin agus Aoife.'

'Tuigim duit,' arsa Eibhlín. 'Ach tugaid saoirse anois air, agus mar atá déanta ag an gcuid eile acu, tiocfaidh tú féin isteach air le himeacht aimsire.'

'Tá sé deacair orm i gcónaí glacadh leis gur féidir le beirt codladh i dteannta a chéile gan riail éigin a bhriseadh.'

'An bhfuilir ag rá go raibh sibh in aon leaba le chéile?'

'Bhí dhá leaba sa seomra.'

'Tuigim,' arsa Eibhlín, agus d'fhan siad ciúin arís ar feadh tamaill.

'Ar tháinig sibh le chéile in aon chor?' d'fhiafraigh Eibhlín.
'Conas?'
'Bhí sibh ag codladh libh féin sa dá leaba. Ar tháinig sibh le chéile riamh?'
'Ní dúirt go rabhamar ag codladh sa dá leaba. Dúras go raibh dhá leaba sa seomra.'
'Sea. Tuigim.'
Arís bhí ciúnas eatarthu, a lean ar feadh cúpla nóiméad.
'Déarfainn gur rith ceist pósta isteach i do cheann,' arsa Eibhlín go scigiúil. 'Ag duine gur deacair dó an tsean-mhoráltacht a thréigint, agus é ag maireachtaint de réir prionsabail an niachais a bhíodh ag daoine measúla fadó. Chaithfeá a hainm agus a cáil siúd a chosaint.'
'Is iontach mar is féidir leat mo chuid smaointe a léamh. Tá an ceart agat, ar ndóigh. Chuireas an cheist ar Aoife.'
'Agus dúirt sí go ndéanfadh sí machnamh ar an scéal?'
'Ní dúirt. Teastaíonn uaithi go raghaimis in aontíos ar dtús, go mbainfimis triail as, féachaint conas a d'éireodh linn.'
'Agus cad dúrais faoi sin?'
'Dúras go gcaithfinn machnamh fada géar a dhéanamh air.'
'Ó, a Mhuire, a Aindí, ní gá aon mhachnamh a dhéanamh air. Ní féidir leat é sin a dhéanamh. Anseo san áit seo go háirithe. B'fhéidir go n-éireodh leat i gcathair mhór dá mbeifeá ag maireachtaint i gceantar i bhfad ón scoil agus nach mbeadh aon eolas ag údaráis na scoile faoi do chúrsaí tís.'
'Tá a fhios sin agam,' ar seisean, 'agus tá sé ráite agam le Aoife. Níl le rá agam faoi sin ach go bhfuil an bheirt againn ar mhalairt aigne.'
Chuala siad carr Mhaitiú ag teacht isteach sa chabhsán ar aghaidh an tí. Sheas Eibhlín agus dúirt, 'Raghaidh mé síos. Sin é agat an seandearcadh ar mhoráltacht i réim arís. Níor mhaith an rud é go bhfaigheadh an fear sin mé i do sheomra leapa nuair a thiocfadh sé isteach, is cuma cé chomh soineanta agus atá sé. Glaofaidh mé ort chun cupán tae ar ball.'

Bhí Eibhlín agus Maitiú suite ag an mbord nuair a tháinig Aindí anuas. 'Bhfuil do chuid oibre déanta agat?' d'fhiafraigh Maitiú de, díreach chun rud éigin a rá, is dócha.

'Tá,' arsa Aindí. 'Raibh mórán thuas?'

'Bhí slua maith ann, leaideanna óga is mó. Bhí roinnt mhaith acu ag ól, agus geallaim duit go bhfuilid go maith chuige. An fad a bhíos ann, d'ól cuid acu ceithre phionta. Bhí cuid acu ag gabháil do bhilleardaí, agus dairteanna, agus thall sa chúinne bhí Micheál Ó Saoraí—an rúnaí, tá's agat—agus garsún óg ag imirt fichille.'

'Ar ólais féin aon bhraon?' arsa Eibhlín.

'D'ólas dhá bhraon,' arsa Maitiú, 'mé féin agus Liam Mac Coitir. Chaitheas tamall ag caint le Jeaic Ó Faoláir chomh maith. Tháinig sé chugam nuair a bhíos ag teacht amach. Bhí sé ag gabháil a leithscéil liom mar gheall ar an masla a chaith sé leatsa an oíche a bhíomar thall.'

'Níor thógas air é,' arsa Eibhlín. 'Bhí sé ar deargmheisce.'

'Chuir sé an-chuid ceisteanna orm fútsa, a Aindí. Bhí sé imníoch mar gheall ar an mbuille a fuairis sa chluiche. Ach ní bheadh a fhios ag éinne cad a bheadh faoi chaibidil aige siúd. Tá sé glic.'

'Conas a d'éirigh leat fáil réidh leis?' arsa Eibhlín.

'Tháinig an sagart isteach, agus bhíodar ag beannú dá chéile. Thosaigh siad ag caint agus d'fhágadar mise sa diabhal, agus shleamhnaigh mé amach.'

'An raibh an Canónach ann?' d'fhiafraigh Aindí agus ionadh air.

'Ní raibh,' arsa Maitiú. 'Níor leag sé siúd cos taobh istigh de dhoras an chlub riamh ina shaol.'

'Ach dúrais go dtainig an sagart isteach.'

'An sagart óg a bhí i gceist agam. Ó, sea! Bhís san ospidéal nuair a tháinig sé, an sagart óg. Sagart cúnta don Chanónach.'

'Bhfuil sé ann cheana féin?' arsa Aindí. 'Bhí a fhios agam go mbeadh sé ag teacht, ach ní raibh aon choinne agam leis chomh luath seo. Ar bhuail sibhse fós leis?'

'Níor bhuaileas, dar ndóigh,' arsa Maitiú, 'ach bhuail sé isteach sa scoil agus bhí ag caint le Eibhlín.'

'Cén sórt é?'

'Ní fheadar,' arsa Eibhlín. 'Fear beag néata. É dealraitheach feiceálach. Tá sé an-bhroidiúil ó tháinig sé, ag dul timpeall ag cur aithne ar dhaoine, ag plámás leo.'

'Cá bhfuil sé ag cur faoi?' d'fhiafraigh Aindí.

'Tá sé sa tigh a bhí ag Maidhc Ó Tuathail,' arsa Maitiú, 'an tigín in eastát Springfort. Tá sé á chóiriú ag foirgneoir éigin ón gCeapach Mhór, ach tá an sagart ag maireachtaint ann fad atá an obair ar siúl acu.'

'Cloisim go bhfuil mná ag briseadh na gcos ag freastal air,' arsa Eibhlín, 'ag déanamh na cócaireachta dó agus cúraimí beaga tís.'

'Ar chaith sé mórán ama libh sa scoil?' d'fhiafraigh Aindí.

'Dhá uair an chloig.'

'Dhá uair an chloig?'

'Sea. Bhí sé istigh le Micheál Ó Saoraí i dtosach, ach chuir Micheál an ruaig air. Dúirt sé leis go raibh rudaí áirithe le bheith déanta aige sula dtíocfása thar n-ais, agus murar mhiste leis é go mba mhaith leis a bheith á ndéanamh.'

Dhein Aindí gáire. 'Chaith sé an chuid ba mhó den am i do rangsa, mar sin,' ar seisean. 'Cad é in ainm Dé a bhí ar siúl aige?'

'Bhí sé ag cur ceisteanna ar na páistí: cé hiad, cér díobh iad, cad a bhí á dhéanamh ag a n-aithreacha, an raibh na máithreacha ag obair sa bhaile, agus mar sin de. Ghabh sé leithscéal liomsa, agus dúirt go raibh sé ag iarraidh aithne a chur ar mhuintir an pharóiste chomh tapa agus ab fhéidir leis.'

'Ní fheadar,' arsa Aindí. 'Ní maith liom an fuadar atá faoi.'

'Mheasas féin, leis, go raibh sé pas beag ródhíograiseach,' arsa Eibhlín.

13

Nollaig 1978

Bhí cruinniú ag an gcumann iománaíochta i mí na Nollag, agus fógraíodh go mbeadh oíche chaidrimh is cheoil sa bheár ina dhiaidh. Chanfadh Brian Ó Lionnáin cúpla amhrán, agus bheadh fear éigin ann le bosca ceoil chun a bheith ag seinm fad a bheadh an slua ag cadráil agus ag ól. Ní rud mór a bheadh ann, ach leithscéal ag na comharsana chun teacht le chéile roimh Nollaig. D'áitigh Maitiú ar Eibhlín dul ann i dteannta Aindí is Aoife, go mbeadh sé féin chucu chomh luath agus a bheadh an cruinniú thart. Bhí an triúr ina suí ag bord in aice an bhalla díreach ar aghaidh an chuntair. Bhí slua mór ann, cuid acu ina suí ag boird, cuid acu ina seasamh i lár baill, roinnt acu mórthimpeall ag ciumhais an tionóil, agus seanfhondúirí ina n-áiteanna féin ar na stólta arda ag an gcuntar. D'aithin Aindí iad mar go mbídís ann i gcónaí, agus bhuaileadh sé leo aon uair a dtéadh sé suas chun deoch a cheannach.

Um an dtaca go raibh an cruinniú thart, bhí an chipeadraíl sa bheár faoi lánseol. Slua mór ilchineálach ann, an t-ól á mbogadh agus a nguthanna ag ardú is ag géarú dá réir. Scafairí arda ann agus bolaistíní beaga téagartha, mná óga dathúla agus cailleacha toirtiúla garbha. Ní raibh le feiceáil díobh ag Aindí, mar a raibh sé suite, ach a gcinn ag bagairt thar dhroim a chéile le fuinneamh na cainte a bhí ar siúl acu, cinn a bhí fionn agus dubh agus rua agus maol. A mbéil ar leathadh ag a lán agus iad ag liúrach chun go gcloisfí cad é a bhí le rá acu thar ghleo an rancáis. Sa chúinne ab fhaide ón gcuntar bhí seanfhear liath, a shúile dúnta agus é ag seinm ar bhosca ceoil. Ní raibh éinne ag eisteacht leis, ach de réir dealraimh ba chuma leis sin. Bhí streill magaidh ar a aghaidh agus é ag gabháil d'fhonn mall éigin a chuir síth agus suaimhneas ar a chroí.

Istigh i lár na raice, thugadar faoi deara go raibh Maitiú tar éis teacht amach ón gcruinniú. Bhí sé féin agus an sagart nua ag béiceadh ar a chéile i gcomhrá bríomhar faoi ábhar tromchúiseach éigin. Shín Maitiú lámh i dtreo an triúir a bhí ag feitheamh leis: chun éalú ón sagart, mheas Aindí. Ach tháinig an bheirt trasna chucu. 'Tá aithne agat ar Eibhlín,' arsa Maitiú leis an sagart. 'Seo Aoife Ní Fhaoláir, agus sin Aindí Ó Maonaigh. An tAthair Seán Ó Corráin agaibh.'

'Sea,' arsa an sagart in ard a ghutha, 'tá aithne agam ar Eibhlín.' Chraith sé lámh le Aoife agus le Aindí. 'Bhíos ag caint le d'athair, a Aoife, agus tá súil agam cuairt a thabhairt oraibh sul i bhfad. Buailfidh mé isteach chugat sa scoil, a Aindí, lá éigin, leis. Tá súil agam nach dtógfaidh sibh orm é, ach tá a lán daoine le feiscint agam anocht. Ba bhreá liom tamall a chaitheamh in bhur dteannta, ach caithfidh mé a bheith ag bogadh liom.'

'Ar thug sibh faoi deara chomh glan agus atá sé?' bhéic Aoife nuair a bhí sé imithe. 'Tá an chuma air go bhfuil sé sciúrtha glan, cé go bhfuil an giall gorm iarbhearrtha sin air. Tá sé feistithe go deas in éide sagairt, éide dhubh, ach tá sé nua-fhaiseanta ar chuma éigin. An bhfuair sibh an boladh cumhra uaidh, an *aftershave* nó rud éigin?'

'Agus tá sé an-bheag,' scread Aindí. 'Déarfainn go bhfuil cúpla duine de na garsúin i rang a sé níos airde ná é. Níl ach cúig throigh is ceathair aige, nó rud éigin thart ar an airde sin.'

'Tá roinnt de na mná an-tógtha leis,' arsa Aoife. 'Cloisim ag caint iad. Tugann m'athair an Sagairtín Gleoite air.'

'Féachaigí,' arsa Eibhlín, 'tá sé amaideach a bheith ag scréachach ar a chéile mar atáimid. Seo libh chun an tí, agus beidh comhrá sibhialta againn.'

Thar n-ais sa tigh bhíodar ag ól tae, agus bhí an comhrá sibhialta sin dírithe go hiomlán ar an sagart nua. Maitiú a bhí ag insint dóibh cad a bhí á phlé aige leis an sagart nuair a bhíodar ag caint sa bheár. 'Eisean a bhuail comhrá orm,' ar seisean. 'Nuair a thángas amach ón gcruinniú tháinig sé chugam, é féin agus Neid Puirséal. Chuir Neid in aithne dá chéile sinn.'

'Cad é an comhrá a bhuail sé ort?' d'fhiafraigh Eibhlín.

'Faoin gcumann. Bhí a fhios aige go raibh oifig agamsa ann, gur mé an cisteoir. Is dócha gurb é Neid a thug an t-eolas dó.'

'An raibh suim aige sa mhéid airgid atá sa chiste agaibh?'

'Ní raibh. Na daoine atá ar an gcoiste an rud ba mhó a bhí faoi chaibidil aige. Chuir sé an-chuid ceisteanna orm faoin gcathaoirleach, Tomás Mac Aodha. Cad as dó? Cén aois atá aige? Cad é an tslí bheatha atá aige? Bhfuil meas air i measc na mball?'

'Nach raibh sin ait?' arsa Aindí.

'Níor bhraitheas ait é,' arsa Maitiú, 'an tslí ar chuir sé chuige. Duirt sé go raibh sé ag iarraidh pictiúr iomlán a fháil de na daoine atá sa pharóiste seo, gur cheap sé go raibh daoine ardaigeanta, dream den scoth, i gceannas ar Chumann Lúth-chleas Gael, agus ba mhaith leis aithne a chur orthu.'

'Déarfainn é,' arsa Eibhlín, agus ba léir d'Aindí ar a laghad go raibh íoróin sa ráiteas sin aici.

'Tá suim aige i bhfoghlaeracht, leis,' arsa Aoife. 'Dúirt sé le m'athair go raibh gunna aige agus go mba mhaith leis dul amach ag lámhach uair éigin. Tá socrú déanta acu dul i dteannta a chéile go Coill na bhFiach ar thaobh Chúl an Aitinn, thíos in aice le Gleann Oisín. Tá cáil ar an áit maidir le naoscáin agus piasúin.'

'Nach galach gaisciuil an diabhailín é?' arsa Eibhlín.

'Ní maith leat é?' arsa Aindí.

'D'fhéadfá a rá nach duine díobh sin atá *tógtha leis* mé, mar a bhí tusa ag rá, a Aoife. Níl a fhios agam an maith liom é nó nach maith liom go fóill.'

'Is dóigh liomsa gur duine deas é,' arsa Aoife. 'Ní haon drochrud fear óg gníomhach a bheith i mbun an pharóiste. Tá an áit fada go leor ag brath ar sheanduine leisciúil ardnósach go bhfuil drochmheas aige ar an gcuid eile againn.'

Nuair a bhí sé soiléir go raibh Aoife agus Eibhlín ar mhalairt tuairime faoin sagart nua, d'iompaigh Maitiú ar ábhar eile, an t-ábhar be ghaire dá chroí: foireann iománaíochta Chnoc na Coille. Cad a chaithfidis a dhéanamh chun dul ar aghaidh níos faide ná an chéad bhabhta an bhliain dár gcionn? Ar cheart dóibh bainisteoir nua a chur in áit an fhir a bhí ann le tamall, Brús Mac an tSionnaigh?

'Tá Brús ceart go leor,' arsa Aindí. 'Beidh imreoirí maithe aige ag teacht aníos ó fhoireann na mionúirí, agus seans go ndéanfaidís gaisce.'

'An ceart agat,' arsa Maitiú. 'Beidh Marc Ó hUallacháin, an fear lár páirce, ann agus déanfaidh sé an-pháirti duitse. D'fhéadfadh Tomás Ó Faoláir dul thar n-ais sna tosaigh, agus b'fhearr ansin é.'

'Ní bheadsa ann in aon chor,' arsa Aindí.

'Conas? Ní thuigim,' arsa Maitiú.

'Ní thógfad camán i mo ghlac go deo arís,' arsa Aindí.

Shuigh Maitiú gan cor as, agus ba ghreannmhar an radharc é, a bhéal agus a shuile ar dianleathadh le halltacht agus é ina stangaire balbh.

'Tánn tú ag magadh fúinn,' arsa Aoife. 'Is mó an aithne atá ort mar iománaí ná mar oide scoile. Bheadh sé cosúil le pearsantacht eile a ghlacadh chugat féin. Bheadh orainn go léir aithne a chur ort athuair.'

'An-mhaith, a Aindí,' arsa Eibhlín. 'Is ciallmhar an beart é sin agat.'

'Ní féidir…' arsa Maitiú, agus níor chríochnaigh sé an

abairt. 'Beidh an praiseach ar fud na mias,' ar seisean nuair a tháinig a chaint chuige.

'Níor insíos d'éinne eile go fóill é,' arsa Aindí. 'Caithfidh mé litir a scríobh chun an bhoird chun é a chur in iúl dóibh. Seolfaidh mé chuig Micheál Ó Saoraí é, agus is dócha go leifidh sé amach don choiste é.'

'Tá cruinniú cinn bhliana an chumainn le tionól san athbhliain. Coiste nua a bheidh ann, mar toghfar na hoifigigh nua ag an gcruinniú sin. Dála an scéil, dúirt an Sagart Ó Corráin go mba mhaith leis a bheith ina bhall den choiste, go mba bhreá leis aon chabhair ab fhéidir leis a thabhairt dúinn: a bheith ina bhainisteoir ar an bhfoireann, fiú amháin. Tiocfaidh malairt aigne chugat, a Aindí, ní foláir.'

'Ní thiocfaidh, a Mhaitiú. Is oth liom é sin a rá leatsa, mar tuigim an bá atá agat leis an gcumann agus leis an gcluiche féin.'

Níor labhair aon duine acu ar feadh scathaimh.

'Cad as don Sagart Ó Corráin sin?' d'fhiafraigh Aindí.

'Ciarraí,' arsa Maitiú.

'Cén t-eolas a bheadh aige sin ar iománaíocht?' arsa Aindí. 'É sin i bhfeighil foireann iománaíochta, bheadh sé cosúil le fear ó oirthear Luimnigh a bheith ag traenáil foireann peile Chiarraí.'

'An ceart agat,' arsa Maitiú. 'Is dócha go gceapann sé go bhfuil na bunscileanna acu agus nach bhfuil ag teastáil ach na himreoirí a bheith aclaí agus in ann imirt ar a lándícheall ar feadh seachtó nóiméad. Ní thuigeann sé gur gá na bunscileanna a chleachtadh arís agus arís eile go dtí go mbíonn siad chomh nádúrtha acu agus atá tarraingt na hanála.'

Cúpla oíche ina dhiaidh sin, chuaigh Aindí go dtí Cill Mocheallóg agus bhuail le Aoife nuair a scoir sí dá cuid oibre sa siopa. Chuadar go dtí an t-óstán i Ráth Luirc chun béile a chaitheamh i dteannta a chéile. Bhíodar ina suí go sócúil compordach ag bord in aice fuinneoige. 'Aon scéal nua agat?' arsa Aoife.

'Faic,' arsa Aindí. 'Bhfuil agatsa?'

'Ní mór é, ach bhí an Sagairtín Gleoite, mar a thug Daid air, againn aréir go dtí a haon a chlog ar maidin.'

'Cad a choimeád ann é go dtí an t-am sin?'

'Bhíomar ag imirt cártaí agus níor bhraitheamar an t-am ag imeacht.'

'Cé a bhí ag imirt?'

'Seisear againn ar fad. Cúig is Fiche a bhí á imirt againn, páirtnéirí: Mic le Mam, Cáit le Daid agus mise leis an Athair Seán. Cáit agus Daid a bhuaigh, ach ní raibh mórán airgid i gceist. Ní rabhamar ag imirt ach ar dhá phingin an cluiche.'

'An raibh sé go maith ag na cártaí?'

'Ní dóigh liom é. Ní raibh sé leath chomh maith le Mic nó Daid. Ba chuma faoi sin, ar shlí. Cheapfá nach raibh suim ró-mhór aige sna cártaí ach sa chomhluadar. Caithfidh mé a rá gur fear deas é, comhluadar lách taitneamhach. Caitheann sé uaidh na gothaí sagartúla nuair a théann sé i dtaithí ar dhaoine, agus ní bhíonn ann ach mar ghnáthdhuine.'

'Conas sin? Cad é an difríocht a bhíonn idir é mar shagart agus mar ghnáthdhuine?'

'A, tá a fhios agat. Déanann daoine rudaí nach ndéanfadh sagart, agus ní dhéanann sagart roinnt de na rudaí a dhéanfadh gnáthdhuine. An dtuigeann tú?'

'Ní thuigim.'

'*OK*. Aréir, mar shampla, bhí tine mhór ar lasadh sa seomra againn agus d'éirigh sé an-te. Chaith sé de an bóna crua sin a chaitheann siad agus dúirt, "Gabh mo leithscéal, a dhaoine córa. Caithfidh mé díom an crios geanmnaíochta seo."'

'Bhí sé sin suimiúil,' arsa Aindí. 'Ní fheadar an raibh suntas diamhrach éigin leis an sceitheadh sin?'

'Is gránna an chiall atá faoi cheilt sa chaint sin agat,' arsa Aoife de ghuth searbh. 'Tá an fhéith sin ionat, agus ní maith liom é. Tá an claonadh céanna sa mháistreás, Eibhlín Uí Chléirigh.'

'Gabh mo leithscéal,' arsa Aindí láithreach. 'Níor cheart dom aon ní fabhtach a chur i leith an tsagairt, gan amhras. Ag magadh a bhí sé, gan dabht.'

'Tá sin ceart go leor,' arsa Aoife. 'Dá mbeadh aithne cheart agat air, bheadh a fhios agat gur duine simplí neamhurchóideach é. Bheadh sórt trua agat dó, é chomh saonta le páiste i measc intleachtóirí móra an cheantair seo.'

Ba léir drochmheas a bheith aici ar na hintleachtóirí céanna. Thuig Aindí go raibh a dtuairimí féin ag muintir na háite ar an saol agus ar na daoine a mhaireann ann. Bhí a gcóras luachála féin acu, agus ní raibh an chlisteacht ná an éirim go mór chun tosaigh ar an liosta. Ba mhó go mór an cumas chun airgead a dhéanamh is a charnadh dóibh féin, agus a bheith in ann réiteach lena gcomharsana sa chaidreamh a bhíonn acu leo, fiú mura mbeadh meas madra acu orthu faoi rún.

Chríochnaigh an bheirt an béile gan a thuilleadh argóna, agus níor luadh an sagairtín gleoite arís. Bhí sé mar ábhar cainte ag a lán eile, áfach, de réir mar a thuairiscigh Maitiú dóibh. Bhíothas á mholadh go hard i ngach aon chúinne, ach amháin ag corrchinicí nótáilte anseo agus ansiúd.

Cúpla lá ina dhiaidh sin, shiúil an fear féin isteach sa scoil go seomra Aindí. Bhí a bhéal ar leathadh ó chluais go cluais ag aoibh gheanúil mhuinteartha. Murach an fhéith chiniciúil sin i meon Aindí, mheasfadh sé go mba é féin an buachaill bán i gcroí an tsagairtín ghleoite. Níor bheannaigh sé don sagart chomh croíúil agus a bheannaigh seisean dó féin. 'Ag deireadh thiar thall,' arsa an sagart go hard is go maorga, 'tá an seans agam bualadh leis an múinteoir is fearr i gContae Luimnigh agus taobh amuigh de!' Chas sé agus thug aghaidh ar na páistí agus lean air ag caint. 'B'fhéidir nach bhfuil a fhios agaibh, a dhaoine óga,' ar seisean, 'go bhfuil an t-ádh chomh mór sin oraibh agus a bheith ag fáil bhur gcuid oideachais ó dhuine de na muinteoirí is fearr in Éirinn, rud a raghaidh chun fónaimh daoibh ar feadh bhur saoil. Anois, ba mhaith liom a bheith ag caint leis an Máistir Ó Maonaigh ar feadh tamaill. Ar mhiste libh a bheith ag obair daoibh féin ansin?'

'Leabhar leitheoireachta Gaeilge,' arsa Aindí leo.

D'ísligh an sagart a ghuth agus thosaigh ag caint le Aindí. 'Áthas orm an seans a bheith agam labhairt leat,' ar seisean. 'Tá rúibricí na searmanas eaglasta fágtha faoi mo chúramsa ag an gCanónach, agus ní mór dom an rud ar fad a atheagrú. De réir dealraimh, deineadh faillí iontu le déanaí.'

Níor labhair Aindí. Scaoil sé leis an bhfear eile pé rud a bhí le rá aige a rá. Bhí tuairim mhaith aige faoi cad a bhí i gceist. Bhí an ceart aige. D'iarr an sagart air cúram chór an tséipéil a ghlacadh chuige féin agus iomainn is ceol eaglasta de gach sórt a ullmhú leo go gcuirfidís barr feabhais ar na deasghnátha eaglasta. Raghadh sé chun tairbhe an phobail, agus bheadh grásta ó Dhia ag sileadh anuas orthu go léir dá bharr.

D'fhan Aindí ina thost.

Dúirt an sagart go raibh traidisiún ag dul siar go dtí aimsir na bpéindlithe gurb é an máistir scoile sa cheantar a dheineadh na rudaí sin agus go raibh meas agus gean air ag na daoine dá bharr.

Arís choimeád an máistir a bhéal dúnta.

'Táimid ag súil leis,' arsa an sagart, 'go leanfaidh tú leis an traidisiún breá ársa sin agus go ndéanfaidh tú an beart dúinn.'

Labhair Aindí ag deireadh: dhá fhocal. 'Ní dhéanfad.'

'Arú, déanfaidh!' arsa an sagart. 'Ní chuirfidh sé as duit in aon chor, fear chomh cumasach agus chomh heolgaiseach leat féin. Ní bhfaighfeá aon dua ann.'

D'fhéach Aindí idir an dá shúil ar an bhfear eile, ach níor fhreagair sé é. Chas an sagart timpeall agus scaimh air, agus shiúil amach an doras gan a thuilleadh a rá.

14

Márta 1979

Bhíodh an Sagart Seán Ó Corráin mar ábhar cainte ag gach crosbhóthar sa cheantar, ag gach teaghlach, agus in aon áit eile a dtagadh daoine le chéile. Seans nach mar sin a bheadh an scéal dá mba dhuine cúthail é, nó dá mbeadh sé coimeádach maidir le creideamh agus leis an saol Críostaí. A mhalairt ar fad a bhí ann. Bhí sé sáiteach ceanndána, agus de shíor i mbun gnímh ag iarraidh an saol a athrú agus a thabhairt chun foirfeachta.

Domhnach amháin ag aifreann, níor bhac sé leis an ngnáth-sheanmóir. 'Ba mhaith liom inniu,' ar seisean, 'labhairt libh ar ábhar nach bhfuil aon bhaint aige le diagacht. Is é an t-áras ina gcomóraimid deasghnátha ár gcreidimh ionúin a bheidh faoi chaibidil againn. Tagaimid isteach sa séipéal seo chun aifrinn, chun a bheith i láthair ag beannacht na Sacramainte Rónaofa, chun pósta, chun faoistine, chun leanbh a bhaisteadh, agus nuair a bhímíd ag streachailt le crá is le hanbhroidí an tsaoil, chun faoiseamh a fháil sa chiúnas diamhair faoi shíocháin ár dTiarna.'

Ansin chuir sé i gcuimhne do na daoine go raibh costas ag baint leis an áit a choimeád slán mar fhoirgneamh, í a ghlanadh is a phéinteáil anois is arís, agus go raibh an paróiste i bhfiacha, ag brath ar dhea-mhéin an bhainc. 'Chuamar i bhfiacha mar gheall ar dheisiúchán a deineadh ar an díon, agus níor díoladh fós as an gcóras cumarsáide a cuireadh isteach anuraidh. Agus tá sé ar intinn ag an sagart paróiste Stáisiúin na Croise d'athrú agus pictiúir nua-aimseartha a chur in áit na seanphictiúir atá ann leis na cianta.' Ghabh sé buíochas leis na daoine a dheineadh obair dheonach chun an áit a ghlanadh, an altóir a mhaisiú agus bláthanna a sholáthar di.

Thóg sé tamall air an méid sin a rá, agus tháinig sé ansin go smior an aithisc. Mhol sé dóibh go ndéanfaí iarracht na fiacha ar fad a bhí ar an bparóiste a ghlanadh taobh istigh d'aon bhliain amháin. Dhéanfaí é ach breis a thabhairt ag an mbailiúchán ag ofráil aifreann an Domhnaigh uair sa mhí ar feadh na bliana sin. 'Ar an gcéad Domhnach de gach aon mhí ar feadh bliana,' ar seisean, 'bíodh bailiúchán balbh againn. Ná bíodh an chleatráil agus an chlingireacht a dheineann boinn airgid ag titim isteach i mboscaí le cloisint in aon chor an Domhnach sin, ach siosarnach is sifearnaíl billí páipéir á leagan go bog anuas ar a chéile. Is ionann sin agus a rá go mbeadh coinne againn le hofráil cúig phunt ar a laghad ó gach aon duine gur féidir leis an méid sin a spáráil. Dá bhféadfadh aon duine níos mó ná cúig phunt a thabhairt dúinn, bheadh fáilte roimhe sin, gan amhras.'

Chríochnaigh sé an tseanmóir, ag moladh na ndaoine as a bheith chomh garach agus chomh flaithiúil leis an Eaglais agus le sagairt an pharóiste. Ag críoch an aifrinn, mhol sé arís iad agus an creideamh láidir a bhí acu is an dílseacht a léirigh siad do thraidisiún a sinsear i gCnoc na Coille, agus chuir ag canadh iad: 'A Chreidimh Athardha, Taoi-se Beo'.

Chan siad le gus agus le spiorad 'D'ainneoin priosúin, claímh is dó'. Thug Aindí faoi deara nár chan Eibhlín in aon chor, ach bhí Maitiú ag géimneach leis go rábach.

Cúpla mí ina dhiaidh sin, tháinig an Canónach isteach sa scoil díreach nuair a bhí na páistí chun lón a thógaint. 'Gabh mo leithscéal as a bheith ag teacht isteach chugat ag am chomh ciotrúnta,' ar seisean le Aindí, 'ach níor theastaigh uaim a bheith ag cur isteach oraibh tráth an teagaisc.'

'Ná bíodh ceist ort,' arsa Aindí. 'Is breá linn do theacht.'

Bhí aoibh ar aghaidh an tsagairt ón nóiméad a tháinig sé isteach an doras. Bhí a aghaidh rocach mar a bheadh solas ar lasadh taobh istigh de. Bhí sé soiléir go raibh scéal éigin aige gur theastaigh uaidh é a raideadh amach agus a roinnt le Aindí is a raibh sa seomra. Bhí na páistí ag caint is ag gluaiseacht timpeall sa seomra, agus b'éigean don Chanónach a ghuth a ardú beagán chun go gcloisfí é. 'Tá na fiacha glanta cheana féin,' ar seisean.

'Na fiacha?' arsa Aindí.

'Sea. Fiacha an pharóiste. An bailiúchán balbh sin. Dhá mhí, agus gach aon phingin d'fhiacha glanta! Focal molta tagtha ón Easpag. Nach iontach an fear é an tAthair Seán? Cé a chuimhneodh ar bhailiúchán balbh? Dochreidte!' Dhein sé gáire croíúil in ómós don chlisteacht agus an éirim a chuimhnigh ar bhailiúchán balbh.

'Gabh mo leithscéal, a Chanónaigh,' arsa Aindí, 'ach caithfidh mé an dream seo a scaoileadh amach sa chlós agus a bheith ann ag feitheoireacht orthu.'

'Mura miste leat é,' arsa an canónach, 'raghaidh mé amach i do theannta, mar ní bheidh seans agam labhairt leat go ceann tamaill arís. Bead ag dul ar chúrsa spioradálta amárach.'

Bhí an muinteoir agus an seanshagart amuigh sa chlós ina seasamh agus a gcúil le balla. Bhí páistí ag rith i ngach treo, ag léimt, ag rith ar thóir a chéile is ag iomrascáil, agus bhí an gleo is an chipeadraíl ardghlórach le spleodar na hóige. Níorbh aon mhaith don chanónach a bheith ag labhairt, mar ní chloisfí é. Tháinig Eibhlín amach, agus dúirt leo dul isteach sa seomra, go bhfanfadh sise i bhfeighil sa chlós.

Dhún Aindí na fuinneoga sa seomra, agus maolaíodh ar an gcallán ón gclós. Ghlan an canónach an miongháire dá bheal agus chuir draid dáiríreachta air féin. 'D'iarr an tAthair Seán ort cór an tséipéil a stiúrú?' arsa an canónach.

'D'iarr.'

'Agus dhiúltaís dó?'

'Dheineas. An raibh sé ag gearán fúm?'

'Ní thabharfainn gearán air. Bhí díomá air.'

'Is oth liom sin, ach—'

'Dúras leis nach raibh aon dualgas ortsa an cór a stiúrú ná aon ghnó eile a dhéanamh sa pharóiste seo taobh amuigh de na páistí a mhúineadh sa scoil. D'aontaigh sé liom gur mar sin a bhí an scéal, ach go raibh sé ag súil leis go ndéanfadh daoine a gcion féin mar Chaitlicigh chun obair an pharóiste a chur chun cinn.'

'Tá a fhios agam go bhfuil daoine ann go mba bhreá leo na rudaí sin a dhéanamh,' arsa Aindí, 'ach nílimse ar dhuine acu.'

'Tá a fhios sin agamsa, agus dúras leis é. Dúras leis go bhfuil daoine ann atá seachantach cúthail príobháideach, gur gráin leo a bheith feiceálach os comhair an tsaoil. Dála gach éinne eile, ní mór meas agus aitheantas cuí a thabhairt do na daoine sin agus ligint dóibh a saol a chaitheamh mar ba mhaith leo féin é. Déarfainn gur bhaineas preab as an bhfear bocht nuair a dúras gur duine díobh sin mé féin.'

'Go raibh míle maith agat, a Chanónaigh,' arsa Aindí. 'Níor mhaith liom a bheith in achrann leis an sagart.'

'Sea,' arsa an canónach. 'Ba bhreá liom dá mbeadh an bheirt agaibh cairdiúil le chéile. Tá díograis agus dea-mhéin ag gabháil libh beirt, agus ba mhór an ní é dá mbeadh sibh ag obair as láimh a chéile. Nuair a bheidh aithne cheart agat ar Sheán, feicfidh tú gur geall le garsún óg spioradúil é, saonta agus gan urchóid ar bith ann.' Stad sé ar feadh meandair agus d'fhéach ar Aindí. 'Cosúil leat féin,' ar seisean go bog, faoi mar a bheadh sé á choimeád mar rún idir an bheirt acu. Chas sé timpeall ansin agus dúirt, 'Slán leat go fóill. Go gcumhdaí Dia thú.'

Nuair a d'imigh an canónach, chuaigh Aindí amach go dtí an clós chun an scéal a phlé le Eibhlín. Ach ní raibh deis aige é sin a dhéanamh, mar bhí ciúnas ann agus na páisti ina seasamh i línte tostacha ag Eibhlín chun iad a sheoladh isteach.

Lean an saol ar aghaidh díreach mar a bhí roimhe sin, áfach. Ní raibh aon teagmháil ag an mbeirt le chéile, an múinteoir agus an sagart. Ní raibh ceachtar acu ag iarraidh an duine eile a sheachaint, ach níor tharla aon ní a thabharfadh le chéile iad. Ní fheicidís a chéile ach amháin ag aifreann an Domhnaigh, an sagart ar an altóir agus Aindí thíos i measc an phobail i lár an tséipéil.

Tharla cúpla uair go raibh an bheirt acu i gclubtheach an chumann iománaíochta ag an am céanna, ach ní bheannaidís dá chéile, fiú amháin. Théadh an sagart timpeall ag déanamh comhrá le daoine, go háirithe iad siúd a raibh baint acu leis an gcumann, le himreoirí nó iadsan a bhí ar an gcoiste. Bhíodh Aindí agus Aoife i dteannta a chéile. Théadh sise chun cainte leis an Athair Seán, agus bhídís gealgháireach, ag gáirí is ag cadráil, ach ní bhíodh aon bhaint ag Aindí leis an gceiliúr sin.

Um an dtaca sin, bhuaileadh Aindí agus Aoife le chéile gach oíche. Ba mhinic a théadh Aindí chun an tí chuici, agus bhí na daoine eile sa teaghlach chomh cleachtaithe ar é a bheith ina bhfochair sa tigh gur minic nach labhraíodh sé le Aoife in aon chor, ach é ag seanchas le Jeaic nó duine de na deartháireacha nó na deirfiúracha. Bhí an scéal amuigh go raibh sé éirithe as an iománaíocht, agus bhíodh Jeaic is na fir ag iarraidh a áiteamh air gan é a dhéanamh ach leanúint ar aghaidh ag imirt leis an bhfoireann.

Bhí bac air, áfach, dul go dtí an tigh ar an gCéadaoin. Aoife a chuir an cosc air. 'Tá a fhios againn,' ar sise leis, 'nach bhfuil aon suim agat i gcártaí, agus nach réitíonn tú leis an Sagart Ó Corráin. An fad agus atá an scéal ar an gcuma sin, b'fhéidir go mb'fhearr dá mbeifeá in áit éigin eile seachas sa tigh againne an oíche sin, mar tá sé seanbhunaithe anois againn go mbíonn cluiche cártaí againn ar an gCéadaoin agus go mbíonn an tAthair Ó Corráin páirteach ann.'

'Tá go maith,' arsa Aindí. 'Ní chuirfidh sé as dom gan an

sagairtín gleoite sin a fheiscint, agus ní thabharfainn dhá bhrobh féir duit ar chluiche cártaí.'

Nuair a bhuailidís le chéile an oíche i ndiaidh oíche na gcártaí, bhíodh cuntas ag Aoife ar gach cor a chuireadar díobh, na cluichí a bhuaigh sí féin agus an sagart—mar bhídís i gcónaí mar pháirtithe. Jeaic is Tomás an bheirt ba chliste, agus Mic is a máthair i leataobh beagáinín mar nach mbainidís ach corrchluiche. 'Ní chreidfeá an difríocht atá idir an tAthair Seán, an sagart sa séipéal ar an Domhnach. agus Seán an cearrbhach, sa tigh againne oíche Dé Céadaoin,' ar sise le Aindí oíche amháin. 'Is geall le beirt é in aon chorp amháin.'

'Bheadh trua agat dó nuair a chuimhneofá air,' arsa Aindí. 'Fear mór gnímh é, fear spórtúil spioradúil agus é teanntaithe taobh istigh d'éide sin na cléire agus an tsriantacht a ghabhann lena ghairm bheatha. Mheasfá go mbeadh fear mar é de shíor ag iarraidh na laincisí a bhriseadh agus éalú.'

'Sea,' arsa Aoife. 'Bhain sé an bóna de aris aréir, agus an t-ionar dubh sin a chaitheann sé. "Is breá liom an seans a bheith agam na balcaisí seo a bhaint díom," ar seisean, agus shuigh sé ansin ina léine gan bhóna, agus na muinchillí fillte aníos go dtí na huillinneacha aige. Bhí dealramh scológ feirme air agus é ag baint sásaimh as an tsaoirse.'

Bhí Aindí ina thost ar feadh tamaill, ag machnamh. 'Bhí an ceart agat nuair a dúrais gur geall le duine eile i gcorp an tsagairt é,' ar seisean ansin. 'Ní mé an raibh ciall ar leith ag baint leis an tsaoirse sin a bhí á lorg aige?'

'Dhera, ná bí ag iarraidh rud mór a dhéanamh de phíosa beag spallaíochta. Ag magadh a bhí an fear,' arsa Aoife.

'Sea, gan amhras,' arsa Aindí, nuair a thug sé faoi deara an díocas i nguth Aoife agus í á rá sin.

D'fhág Aindí tigh na bhFaolárach go luath an oíche sin. Nuair a chuaigh sé isteach abhaile, bhí Eibhlín fós ina suí agus thairg sí cupán tae dó. Thóg an bheirt acu tae i dteannta a chéile. Bhí Maitiú imithe chun na leapa cheana féin, agus bhí caoi ag an mbeirt eile dreas comhrá a bheith acu, don chéad uair le tamall maith. 'Conas tá cursaí agatsa?' d'fhiafraigh Eibhlín.

Ní raibh ann, cheap Aindí, ach ceist chun an comhrá a chur sa siúl. Bhí amhras air gurb é a bhí ar aigne aici ná mionchúrsaí faoin gcaidreamh agus an comhluadar a bhí aige le Aoife a chur in iúl di. Ní déarfadh sí amach go hoscailte é, ach phiocfadh sí uaidh an t-eolas a bheadh faoi cheilt aige trí chiall d'fháisceadh as na rudaí a déarfadh sé agus fiú amháin as na tostanna idir cainteanna. Bhí sé de nós aige, nuair a bhíodh sé ag caint léi, pé eolas a mheasfadh sé a bheadh uaithi a sceitheadh amach chuici lom díreach mar go raibh sé siúráilte go bhfaigheadh sí ar aon nós é. Chomh maith leis sin, bhí muinín aige aisti nach scaoilfeadh sí an t-eolas sin le héinne eile. Ba í a rúnchara í.

'Tá cúrsaí agamsa,' arsa Aindí, 'díreach mar a bhíodar an uair dheireanach a labhraíomar fúthu.'

'Tuigim,' arsa Eibhlín. 'Tá a fhios agam gur chaith sibh deireadh seachtaine sa Ghaillimh agus ceann eile i mBaile Átha Cliath, agus oíche nó dhó i gCill Airne.'

'Chaith,' arsa Aindí, 'agus maidir leis an gceist nár chuiris orm: dheineamar, má thuigeann tú mé.'

'Tuigim,' ar sise.

'Teastaíonn uaithi i gcónaí go raghaimis in aontíos, ach níl sí sásta pósadh. Tá sé deacair é a thuiscint. Cad a déarfása? Dá mbeifeá ina cás siúd, cad a dhéanfá? An bpósfá mé?'

'Phósfainn,' arsa Eibhlín ar an toirt, ach chuir sí leis an bhfocal sin láithreach. 'Is é sin le rá, dá mbeinn i ngrá leat, phósfainn. Táim ag glacadh leis go bhfuil sí i ngrá leat.'

'Sin ceist eile,' arsa Aindí.

15

Bhí an bheirt, Aindí agus Aoife, dulta go mór i dtaithí ar a chéile le himeacht aimsire, agus dá bhrí sin ní raibh aon deacracht ag Aindí diúltú di nuair a theastaigh uaithi go raghadh sé ina teannta go seisiún ceoil in óstán Uí Dhubhlaí i Luimneach. Chuaigh a deirfiúracha, Síle is Sorcha, agus beirt bhan eile ina teannta. Dá thoradh sin ar fad, bhí Aindí sa bheár sa chlubtheach, é ina aonar ag bord in aice an bhalla. Thagadh duine chuige anois agus arís agus bheannaíodh dó, agus labhraídís cúpla focal le chéile. Imreoirí ar an bhfoireann iománaíochta bá mhó a bhí iontu sin, agus bhídís ag tathant air gan dul ar scor den bhfoireann. Ní fhanadh na daoine sin i bhfad ag caint leis, áfach, agus bhíodh sé ina aonar ar an mór-chuid. Bhí an chuma air go raibh sé ar a shuaimhneas, go raibh sé sásta a bheith leis féin, nó fiú ag baint taitnimh as. Bhí gloine oráiste ar an mbord os a chomhair, agus d'óladh sé bolgam as anois agus arís.

'Tann tú leat féin,' arsa guth taobh leis. An Sagairtín Gleoite a bhí ann. Shuigh sé ar chathaoir trasna an bhoird ó Aindí.

'Táim,' arsa Aindí, 'agus is maith liom sin.'

'Agus cad faoin sean-nath sin: ar scáth a chéile a mhaireann na daoine?'

'Cosuil le gach aon sean-nath eile, tá roinnt den bhfírinne ann, ach sin an méid.'

Dhein an sagart gáire beag éadrom agus shín sé lamh trasna

chuig Aindí. 'Síocháin agus caradas eadrainn, tá súil agam,' ar seisean.

'Níl aon ní agam ina choinne sin,' arsa Aindí. 'Cad a ólfaidh tú?'

Cupán tae a bhí ag teastáil ón sagart, agus fuair Aindí dó é. Chaith siad tamall ag caint le chéile fad a bhí sé á ól. Dhein an sagart iarracht ar scagadh a dhéanamh ar an toil a bhí ag Aindí chun a bheith leis féin.

Mhínigh Aindí dó nach raibh an claonadh sin chun aonaránachais aige i gcónaí, ach gurb amhlaidh nach raghadh sé ag lorg comhluadair d'aon ghnó. Ní bheadh aon chol aige le comhluadar dá dtarlódh sé go nádúrtha, áfach, gan aon duine ag iarraidh é a bhrú ar dhuine eile.

Dúirt an sagart gur thuig sé dó, ach go raibh ionadh air go mbeadh leisce ar dhuine mar é a bheith gníomhach le grúpaí de dhaoine fásta. Ba é a thuairim go mb'in an fáth gur dhiúltaigh sé an choróin Mhuire a rá go poiblí sa séipéal agus nar mhaith leis an cór a stiúrú.

Dúirt Aindí leis go raibh mearbhall air. Cheap sé go mba rud príobháideach an caidreamh a bhíonn ag duine le Dia, agus nach raibh sna searmanais agus na deasghnátha a chuireann na sagairt ar fáil ach seifteanna chun daoine a dhaingniú is a bhuanú ina mballraíocht de shainseict na sagart. 'I ndeireadh na dala, ní mheánn na searmanais sin brobh, seachas an creideamh agus an urraim a bhíonn i gcroí an duine,' ar seisean.

D'aontaigh an sagart leis go raibh tús áite ag na rudaí sin, ceart go leor, ach go raibh éifeacht chomh maith leis an seanrá nach neart go cur le chéile.

Ba dhóigh le Aindí go raibh an plámás agus an iarracht ar bheith istigh leis féin caite uaidh ag an bhfear eile. Bhí sé sásta, de réir dealraimh, gnáthchomhrá a sheoladh gan cuspóir rúnda éigin a bheith taobh thiar de.

Bhí breall ar Aindí, áfach, agus soiléiríodh sin dó nuair a chas an sagart ar ábhar eile. 'Beidh cruinniú cinn bhliana an chumainn seo ar siúl sul i bhfad,' arsa an sagart.

Bhíog Aindí. 'Beidh,' ar seisean. 'Bhfuil suim agat ann?'

'Tá. Is dóigh liom go mba mhaith an rud é an sagart a bheith i gcumann dá leithéid sin, ar mhaithe leis an gcumann agus leis an sagart chomh maith.'

'Conas sin?' arsa Aindí. Níor thuig sé cad é an buntáiste a bheadh ann don chumann ná don sagart, ach ba léir gur mheas an sagart go mbeadh tairbhe éigin le baint aige as.

'An Eaglais agus Cumann Lúthchleas Gael an dá eagras is fairsinge agus is tábhachtaí sa dúthaigh seo,' arsa an sagart. 'Baineann sé le ciall agus le stuaim go mbeidís ag obair as láimh a chéile.'

'Ní fheadar faoi sin,' arsa Aindí. 'Baineann siad le réimsí éagsúla de shaol an phobail. B'fhearr iad a bheith neamh-spleách ar a chéile, a déarfainnse.'

Lean an sagart air ag áiteamh ar Aindí go mba mhaith an rud é dá mbeadh sé féin ina oifigeach sa chumann, go ndéanfadh sé dícheall chun rath an chumainn agus na foirne a chur chun cinn.

'Cén oifig ar mhaith leat a bheith agat?' d'fhiafraigh Aindí de.

'Aon oifig in aon chor, is dócha, ach ní bheadh cisteoir ná rúnaí ró-oiriúnach do shagart.'

'Níl ann ach cathaoirleach, mar sin,' arsa Aindí.

'Sin é agat é,' arsa an sagart. 'Tá a fhios agam go n-ainmneofar mé ag an gcruinniú, agus ba mhór agam é dá ndéanfása cuidiú leis an ainmniúchán sin ar mo shon.'

'Dar ndoigh, níor mhór dom machnamh a dhéanamh air sin,' arsa Aindí. 'Tá ardmheas agam ar Thomás Mac Aodha. Fear uasal, agus tá sé ar fheabhas mar chathaoirleach.'

'Ní dhéanfaidh tú é, mar sin?'

'Ag an nóiméad seo, ní heol dom aon chúis go ndéanfainn.'

'Tá go maith. Táim buíoch díot as a bheith macánta agus fírinneach liom ina thaobh.'

114

Bhí súil ag Aindí ansin go mbuailfeadh sé leis go háit éigin eile, ach níor dhein. D'fhan sé ann, agus bhí sé le feiscint go raibh rud éigin eile ag cur as dó. Thosaigh sé ag caint faoin gcór sa séipéal. Dúirt sé go raibh sé féin á stiúrú anois agus nach raibh sé rómhaith chuige. Cheap sé go mb'fhéidir go mbeadh nios mó suime ag Aindí ann anois mar go raibh sé tar éis Aoife Ní Fhaoláir d'earcú mar dhuine de na hamhránaithe. Bhí a fhios aige go raibh an bheirt acu cairdiúil le chéile. 'Nílim ag iarraidh ort an cór a stiúrú ná aon rud den sórt sin,' ar seisean. 'Ach ba mhór agam é, agus ag na baill eile den chór chomh maith liom, dá mbeifeá linn.'

'Níor chualais riamh ag canadh mé,' arsa Aindí. 'Préachán ceart atá ionam.'

'Dhéanfá go breá dá mbeifeá ag canadh i dteannta leis an gcuid eile, agus táim cinnte go bhféadfá na nótaí a aimsiú go cruinn.'

'Ní dóigh liom é,' arsa Aindí. 'Mar a mhínigh mé duit cheana, cloífidh mé leis an obair scoile amháin. Ní bheidh baint agam le haon ghnó eile sa cheantar.'

Nuair a chuaigh Aindí thar n-ais chun an tí, bhí Maitiú imithe a chodladh agus Eibhlín ina haonar sa seomra suite. Chuaigh Aindí isteach ann agus shuigh síos. D'inis sé di faoina chomhrá leis an sagart.

'Tá deireadh le Tomás uasal Mac Aodha mar chathaoirleach, más ea,' arsa Eibhlín.

'Ní fheadar,' arsa Aindí. 'Níl an sagart tofa mar chathaoirleach fós.'

'Toghfar é.'

'Ach tá seans nach dtoghfar,' arsa Aindí

'Tá dearmad ort, a Aindí, a chroí. Bíodh ciall agat. An dóigh leat go n-inseodh sé duitse go mbeadh sé ag cur isteach ar an bpost gan a bheith cinnte dearfa go n-éireodh leis? Um an dtaca seo, tá teagmháil déanta aige le gach duine go bhfuil vóta aige agus geallúint faighte aige óna bhformhór.'

'Cá bhfios sin duit?'

'Mar tá a fhios agam cén sórt é, agus conas a chuirfeadh sé chuige. Tá trua agam do Thomás bocht Mac Aodha mar, cosúil le fear an tí anseo, tá a chroí agus a anam go hiomlán sa chumann sin.'

'Ba cheart feachtas a chur ar bun chun Tomás d'ath-thoghadh. Cuirfidh mé féin ar bun é.'

'Ná dein, a Aindí. Ar an gcéad dul síos, ní éireodh leat. Chomh maith leis sin, tá an-chuid daoine ann fós a mbeadh drochmheas acu ort as cur i gcoinne an tsagairt agus gan ar aigne ag an bhfear bocht ach fónamh do na daoine.'

'Fónamh dó féin, ba cheart duit a rá.'

D'fhéach sí air agus aoibh ceana ar a haghaidh. 'Tá a fhios ag an mbeirt againne sin,' ar sise, 'agus ag cúpla bligeaird eile, is dócha. Ach coimeádaimis faoi rún é, mar is mionlach an-bheag sinn.'

Níor inis sé d'Aoife faoin gcomhrá sin a bhí aige leis an sagart nuair a bhuaileadar le chéile an oíche ina dhiaidh sin. Chuadar go dtí an beár in Óstán na Ríochta i Ráth Luirc. Níor theastaigh ó Aindí dul go dtí an clubtheach, mar bhraith sé go raibh comhcheilg de shórt éigin ar siúl ann chun coiste an chumainn a athrú ar mhaithe leis an sagart. Bheadh daoine ag cogarnach is ag monabhar os íseal lena chéile, agus ba ghráin leis é.

Bhí Aoife gealgháireach agus bríomhar ag insint dó faoin spórt a bhí aici féin agus na mná eile an oíche roimhe sin. De réir dealraimh, ba é an Sagart Ó Corráin ba mhó a bhí faoi chaibidil acu. D'éirigh an chlabaireacht gáirsiúil de réir cosúlachta, iad ag cur síos ar conas a chaithfidis leis an sagartín gleoite dá mbeadh an seans acu. Níor dhein Aindí ach suí ann ina staic gan aon ní a rá, ná fiú scige bheag gháire a ligean thar a bhéal faoi na heachtraí samhailteacha úd a bhí á n-insint aici dó.

Dúirt Aoife leis ansin go raibh sí tar éis dul isteach sa chór

116

sa séipéal agus go mbeadh sí gafa leis ar an Aoine, gach Aoine óna hocht go dtí a leath i ndiaidh a naoi, agus go gcaithfeadh sí a bheith ag aifreann an mheán lae ar an Domhnach, agus ag beannacht na Sacramainte Rónaofa ar a seacht an oíche sin. Dheineadar socrú go mbuailfeadh Aindí léi i ndiaidh na gcleachtaí sin, go raghadh sé go dtí an séipéal chun dul ina teannta go háit éigin eile.

Bhí sé de nós aige ansin dul go dtí an séipéal agus freastal ar na searmanais ag a mbíodh an cór ag canadh. Théadh sé isteach agus shuíodh ar shuíochán ag bun an tséipéil deich nóiméad sula mbeadh deireadh leis an gcleachtadh ar an Aoine.

Domhnach amháin, bhí an cór ag canadh an iomainn dheireanaigh agus an pobal ina seasamh ag éisteacht leis. Bhí an sagart agus na freastalaithe ar an tsiúlóid shollúnta amach ón altóir. Chríochnaigh an cór, agus thosaigh na daoine ag druidim isteach sa phasáiste idir na suíocháin is ag sleamhnú amach i dtreo an dorais. Bhí Aindí i measc na ndaoine a bhí ar chúl na paráide, gan ach beagán taobh thiar de. Tháinig an sagart amach ón eardhamh agus bhí ag siúl leis amach taobh thiar de na daoine.

D'fheach Aindí suas ar an áiléar mar a raibh na córchantairí ina seasamh taobh thiar den ráille agus iad ag breathnú síos uathu ar na daoine ag siúl amach. Bhí Aoife ina measc, agus níor fhéad sé gan suntas a dhéanamh di agus den dreach a bhí ar a haghaidh. Ba thaitneamhach an t-amharc a bhí á chaitheamh aici anuas ar na daoine a bhí ag siúl amach, a béal ar sceabha ag aoibh cheanúil, agus a súile ag spréacharnach le meidhir is sástacht. Cheap Aindí ar dtús gur air féin a bhí sí ag féachaint, ach níorbh ea. Tuigeadh dó gan mhoill gur ar dhuine nó rud éigin taobh thiar de a bhí sí ag breathnú. Chas sé timpeall agus chonaic sé na daoine ansin agus gan aird ar bith acu ar an áiléar ach iad ag féachaint rompu is ag cadráil lena chéile. An sagart an t-aon duine amháin a bhí ag féachaint in airde i dtreo an áiléir, agus dreach aoibhnis ar a aghaidh mar fhreagairt ar na gothaí aitheantais ag an mbean thuas.

D'ísligh Aindí a shúile ar eagla go mbéarfadh Aoife air ag spiaireacht uirthi, agus bhí rabharta smaointe ag tuile isteach ina cheann. Níor chuir sé isteach in aon chor air go raibh muintearas idir Aoife agus an sagairtín. Ba chara le muintir a teaghlaigh é, agus ní raibh aon ní cearr leis sin. Ach bhraith sé go raibh leithcheal á dhéanamh air féin, nach raibh aon bhaint aige leo, sonc tugtha dó amach chun an imill, nach raibh ann ach strainséir ina measc. Agus bhí sciatháin ag fás ar na smaointe sin a chuir ag eitilt soir is siar ina cheann iad.

Arbh é sin an chúis nach raibh sí sásta é a phósadh? Murar theastaigh uaithi é a phósadh, cén fáth go raibh sí ag iarraidh go raghaidis in aontíos le chéile? Arbh amhlaidh, dá bhrí sin, go raibh sé ar intinn aici bata is bóthar a thabhairt dó féin nuair a d'éireodh sí cortha den socrú sin? Agus cad faoin gcaradas a bhí ag fás idir é agus a deartháireacha? An raibh rud éigin bréagach ansin chomh maith? Agus cad faoina stádas mar mhúinteoir sa cheantar?

Nuair a tháinig sé amach as an séipéal, chas sé ar a sháil agus thug aghaidh ar an mbóthar abhaile. Bhí sé mar a bheadh duine ag siúl trína chodladh, dearmad glan déanta aige go raibh sé de nós aige fanúint go dtagadh Aoife amach agus go mbíodh dreas comhrá acu ansin i gclós an tséipéil sula dtéidís abhaile.

Labhair guth taobh leis: 'Cad é an fuadar atá fútsa?' Eibhlín a bhí ann, í ina suí ina carr agus ag caint leis amach an fhuinneog.

'Ní fheadar,' ar seisean léi. 'Bhíos ag dul abhaile, agus bhí rudaí ag rith trí mo cheann.'

'Suigh isteach, agus bímis beirt ag dul abhaile, más ea.'

Chuaigh sé isteach sa charr.

'Sea!' arsa Eibhlín nuair a stad sí an carr os comhair an tí. 'Nach ndéarfá rud éigin faoin aimsir nó faoin tírdhreach nó faoin bpolaitíocht, nó rud éigin? Aon rud in aon chor seachas an tost diamhrach a bhí sa charr ar feadh an ama.'

'Gabh mo leithscéal, a Eibhlín. Bhíos gafa le smaointe atá beagán cancrach.'

'Cad faoi?'

'Faoin saol anseo timpeall agus an áit atá agam féin ann.'

'Ar mhaith leat iad a roinnt liom?

'Níor mhaith liom tú a bhuaireamh leo.'

'Tá go maith.'

'Ní hea. Ní fíor sin. Thar aon duine eile ar domhan, ba mhaith liom iad a phlé leat féin. Tánn tú mar rúnchara agam. Nuair a bhíonn cinneadh le déanamh agam faoin rud is ceart dom a dhéanamh i gcásanna áirithe, cuirim an cheist orm féin: Cad a déarfadh Eibhlín faoi sin?'

'Eist. Tann tú ag magadh fúm. Tánn tú lánábalta do bhreithiúnas féin a thabhairt ar na rudaí sin.'

'Tá, is dócha, ach is mór an chabhair dom do stuamachtsa a bheith ag streachailt leis chomh maith liom.'

'Caith uait an raiméis, a Aindí, agus abair liom cad tá ag déanamh tinnis duit.'

16

Nóta chuig Aindí ó Aoife: *Cad tá ar bun? Bhfuil aon ní cearr?* Níor chuir sé freagra chuici. Bhí trí lá ann ó bhí aon teagmháil aige léi.

Ar an gCéadaoin, buaileadh cnag ar dhoras a sheomra ranga sa scoil cúig nóiméad roimh am scoir. Aoife a bhí ina seasamh ann. D'fhan sí ag féachaint idir an dá shúil air, gan oiread is focal a rá. Bhí a súile ag stánadh air chomh geal le diamaint, ag iarraidh spléachadh a fháil ar pé cúis a bhí aige len í a sheachaint, is dócha. 'Nach bhfuil aon rud le rá agat liom?' ar sise go cásmhar.

'Níl,' ar seisean.

'Teatsaíonn uaim labhairt leat,' ar sise. 'Silim go bhfuil an méid sin ar a laghad ag dul dom.'

'*OK*,' ar seisean. 'Raghaidh mé suas chun an tí chugat ar a seacht, agus má thagann tú amach chun an chairr chugam beidh mé ag caint leat.'

'Nach dtíocfá isteach? Tá a fhios agat go mbeidh fáilte romhat. Bhí riamh.'

'Ní raghaidh mé isteach.'

Stad Aindí an carr ar an ngairbhéal os comhair an phríomh-dhorais. Díreach tar éis dó an t-inneall a mhúchadh, gheal an feanléas os cionn an dorais. Osclaíodh an doras agus rith Aoife amach go dtí an carr. Shuigh sí isteach taobh le Aindí. 'Cá raghaimid?' ar sise.

'B'fhearr liom go bhfanfaimis anseo sa charr go fóill,' arsa Aindí. 'Tá rud le rá agam leat.'

'Ó, a Mhuire! Rud éigin tromchúiseach, ní foláir, nó ní chaithfeá trí lá agus trí oíche ag machnamh air.'

Cheap Aindí go mb'fhearr é a rá amach lom díreach, gan a bheith ag fústráil timpeall leis an scéal. 'Ba mhaith liom an cumann atá eadrainn a bhriseadh,' ar seisean go ciúin staidéartha.

Bhí tost an tuama sa charr ar feadh tamaill an-fhada. Chas Aindí a cheann agus d'fhéach trasna uirthi, féachaint an raibh sí fós ina beatha, mar ní raibh gíoc le cloisint uaithi. Ar éigin a chuala sé ag análú í i gciúnas marbhánta na hoíche. Bhí na fuinneoga ar an dá thaobh íslithe thart ar cheithre orlaí aige, agus bhí an síorshioscadh a bhíonn ag aer oíche na tuaithe le mothú acu. Thosaigh gadhar ag amhastrach ag tigh éigin tamall uathu, agus briseadh ar an seal ciúnais.

'Sin uile atá le rá agat, an ea?' arsa Aoife ar ball. 'Tá deireadh leis: faic eile. Ar mhiste dom a fhiafraí díot, a dhuine uasail, cén fáth? Déarfainn, agus an méid a ghabhamarna beirt tríd, go bhfuil freagra macánta tuillte agam uait, ar a laghad.'

'Tá. Admhaím sin. Ach tá sé deacair é a mhíniú. Tá sé deacair an rud atá i mo chroí a thuiscint, gan bacaint len é a chur i bhfocail.'

'Bain triail as.'

'OK. Déanfad iarracht. Is é bun agus barr an scéil ná gur dóigh liom nach bhfuil aon áit agam i measc na ndaoine san áit seo.'

'Cén áit í sin?' d'fhiafraigh Aoife. Ceist nach raibh mórán céille leis, ach seans nach raibh sí ach ag iarraidh moill a chur ar an gcomhrá fad a bheadh sí ag machnamh ar an straitéis argóna a ghlacfadh sí chuici féin.

'An áit seo,' ar seisean. 'Cnoc na Coille. An paróiste seo. Braithim nach den áit seo mé. Ní duine den phobal mé. Níl aon bhaint agam leis an bpór a shealbhaíonn an dúthaigh seo.'

'Tá sin ait,' arsa Aoife. 'Nach tú ár máistir scoile, ár laoch ar pháirc na hiomána, agus mo dhilchara féin?'

'Sea. Is mar mhúinteoir scoile agus mar iománaí a aithnítear mé. Níl aon seasamh ag Aindí Ó Maonaigh san áit mar dhuine ann féin, áfach. Maidir le do dhilcharadas, nílim siúráilte faoi sin ach an oiread.'

'Ní gá duit aon amhras a bheith ort faoi sin,' ar sise go teanntásach. 'Ba chóir go mbeadh a fhios agat go maith faoin am seo go bhfuilimse lándáiríre faoin gcumann agus faoin gcaidreamh atá eadrainn.'

'Ní fheadar,' ar seisean, ag géilleadh don leisce a bhí air leanúint ar aghaidh leis an allagar a bhí ar siúl acu. Bhí an méid a bhí le rá aige ráite, agus b'in tús is deireadh an scéil chomh fada agus a bhain sé leis féin. 'Tá cúrsaí mar atáid,' ar seisean, 'agus níl aon leigheas agamsa air sin. Tá cathú orm má tá sé ag cur isteach go mór ort.'

'Má tá sé ag cur isteach go mór orm?' ar sise, ag fonóid faoin rud a dúirt sé, a caincín casta in airde le drochmheas. 'Tá a fhios agat go maith go bhfuil sé ag cur isteach go mór orm. In ainm Dé, cad a spreag an gealtachas seo ionat?'

D'imigh tamaillín thart sular thug sé freagra uirthi. Agus nuair a thug, bhí miongháire saonta ar a bhéal agus labhair sé go bog séimh, ag léiriú go raibh sé cúthaileach agus nár mhaith leis in aon chor a bheith ag ligint air go mb'fhéidir go raibh iarracht d'éad leis an Sagairtín Gleoite ag séideadh faoi. 'Ní chreidfeá cad a chuir an teaspach seo orm,' ar seisean, 'agus tá sé deacair go leor orm a rá gurb é sin an truicear a chuir sa siúl é. Tusa agus an tAthair Ó Corráin ag breathnú ar a chéile Dé Domhnaigh sa séipéal a chuir na smaointe seo ag coipeadh i mo cheann.'

'Cuir uait, a Aindí! Cén fáth go gcuirfeadh sin isteach ort? Ní raibh aon urchóid in aon fhéachaint a thugamar ar a chéile, mise agus an sagart: geallaimse duit an méid sin. Ní bheadh rud ar bith ann ach sinn ag beannú go sibhialta dá chéile. Beirt chomharsa go bhfuil caradas simplí idir é agus an teaghlach seo againne.'

'Tá a fhios sin agam, agus ní haon ní den chineál sin a bhí i gceist agam. Is amhlaidh go mba léir dom go raibh mo dhuine, an Sagairtín Gleoite, tagtha isteach sa cheantar seo le fíordhéanaí, agus tá áit mar shagart agus mar dhuine den phobal daingnithe aige cheana féin, agus féach ormsa atá ag druidim le dhá bhliain san áit agus is strainséir fós mé.'

Bhí Aoife ag iarraidh a áiteamh air go raibh dearmad air sa mhéid sin, go raibh glactha go hiomlán leis,agus go raibh meas air mar dhuine chomh maith le múinteoir ag muintir na háite.

Lean siad orthu ag cur is ag cúiteamh ar feadh dhá uair an chloig, agus níor éirigh leo teacht ar réiteach ar an bhfadhb. I ndeireadh na dála, bhí ar Aoife géilleadh go raibh deireadh lena leannántacht, agus d'fhág sí an carr. Chuaigh Aindí amach, leis, agus shiúil sé léi chomh fada le doras an tí. Thug sé lámh di le craitheadh. D'fhan Aoife ag an doras ag breathnú air ag siúl go dtí an carr, ag suí isteach ann, ag múscailt an innill agus ag imeacht síos ar feadh an aibhinne go dtí an geata. Shéid sé an bonnán agus scal sé na soilse rabhaidh dhá uair, ag fágaint slán aici. Chonaic sé sa scáthán cúlradhairc an solas sa bhfeanléas á mhúchadh, agus bádh an tigh agus a raibh timpeall air i ndorchadas na hoíche.

Nuair a chuaigh Aindí isteach abhaile, d'inis sé an scéal d'Eibhlín. Ní raibh puinn le rá aici sin. Níor chuir sí aon cheist air ach d'fhan ina suí go ciúin tostach. Níor mhol sí ná níor cháin sí é.

'A chríoch sin,' arsa Aindí ag deireadh.

'Níl aithne cheart agat ar na Faoláraigh,' ar sise. 'Mar, chomh siúráilte is go n-éireoidh an ghrian ar maidin, ní hé sin a chríoch.'

D'imigh coicíos thart, agus bhí Aindí ag ceapadh go raibh dearmad ar Eibhlín. Ansin dhein Aoife teagmháil leis. Nóta tugtha isteach ag duine de na páistí scoile: *An mbuailfeá liom?*

Tá sé práinneach. Níor chuir sé freagra chuici go dtí an lá ina dhiaidh sin. Chaith sé an oíche ag machnamh air, ag iarraidh a dhéanamh amach cad é an phráinn a fhéadfadh a bheith ann. Ag deireadh, mheas sé go mb'fhearr bualadh léi, mar níor mhaith leis go mbeidís deighilte ar fad óna chéile ach go bhféadfaidís beannú dá chéile aon uair a chasfaidís ar a chéile mar a dhéanfadh comharsana. Chuir sé scéala chuici go mbuailfeadh sé léi ag an gclubtheach an oíche dár gcionn. D'fhéadfaidís suí i dteannta a chéile ag bord agus ní chuirfeadh éinne isteach orthu, mar ba ghnách.

Bhí sé ina shuí leis féin ag bord in aice an bhalla ar feadh uair an chloig sular tháinig sí isteach. Bhí daoine ag siúl thairis anois agus arís agus bheannaídís dó, 'Haigh, Aindí!' ag a bhformhór agus 'Haigh!' aige sin á bhfreagairt.

Dá mbeadh duine dá lucht aitheantais ag faire orthu, d'fheicfeadh sé nach raibh an aoibh fháiltiúil ar aghaidh Aoife ba ghnách a bheith ann. Shiuil sí sall chuige agus shuigh síos trasna uaidh ag an mbord. Bhí a súile casta síos, agus níor fhéach sí air nuair a labhair sí leis go leamh gan spiorad. 'Táim tar éis cúpla seachtain a chaitheamh faoi sceimhle agus faoi ionsaí acu sin sa bhaile,' ar sise.

'Cán fáth?' arsa Aindí.

'Bhí sé de mhí-ádh orm a rá leo go raibh deireadh leis an gcaradas eadrainn beirt. Chuireadar an milleán ormsa. Bhí sé dona go maith nuair nach raibh ach Mam agus na cailíní ag tabhairt fúm, ach bhí sé fíochmhar ar fad nuair a thosaigh na leaideanna. Ansin cúpla lá o shin, d'inis Mic an scéal do Dhaid agus chloisfeá ag liúrach é istigh i Ráth Luirc, sruth d'eascaini á raideadh aige fúmsa.'

'Níl aon dealramh leis sin,' arsa Aindí. 'Mise a bhris an ceangaltas eadrainn. Ní raibh aon locht ortsa faoi.'

'Tá a fhios sin agam agus dúras leo é, ach dúradar sin nach ndeanfása é murach go raibh cúis mhaith agat leis, agus gur ormsa a bhí an locht.'

'B'fhéidir go bhféadfainn labhairt leo agus an scéal a mhíniú dóibh,' arsa Aindí.

D'impigh sí air gan é sin a dhéanamh, go háirithe má bhí sé ar intinn aige a rá leo gur dhiúltaigh sí don iarratas ar phósadh a dhein sé léi. Gheall sé di nach ndéanfadh sé tagairt ar bith dó. Bhí eagla uirthi, áfach, go sleamhnódh focal éigin uaidh a sceithfeadh an scéal chucu, agus bheadh an praiseach ar fud na mias. D'iarr sí air athmhachnamh a dhéanamh ar chúrsaí agus an seanchaidreamh a bhí eatarthu d'athnuachan, ach choimeád sé siúd leis. I ndeireadh dála, dúirt sé go ndéanfadh sé machnamh air. Shocraigh siad ar bhualadh le chéile i gceann míosa. Cheap sé go dteastódh an méid sin ama ar a laghad uaidh chun teacht ar chinneadh ciallmhar. Rud a bhí ann a mbeadh tábhacht ag baint leis ar feadh a shaoil.

Chuaigh sé i gcomhairle le Eibhlín. Níor dhein sé aon chíoradh ar an gceist léi roimhe sin, mar ba é a chúram féin é, agus air féin amháin a bheadh an fhreagracht faoi pé rud a thiocfadh as. B'fhearr le Eibhlín nach mbeadh sí ag labhairt in aon chor leis faoina chaidreamh le Aoife. Dúirt sí an méid sin leis. Go minic cheana, bhíodh rudaí eile faoi chaibidil acu agus ní bhíodh aon leisce uirthi a bheith ag caint fúthu is ag cur comhairle air. Rudaí pearsanta agus príobháideacha a bhíodh iontu sin uaireanta. D'fhiafraigh sé di cad faoi deara an leisce a bhí uirthi sa chás a bhí i gceist an uair sin aige.

'Dá mbeadh críonnacht agat,' ar sise, 'nó clisteacht, nó fiú amháin gliocas, níor ghá duit an cheist sin a chur orm. Is é an freagra a thabharfaidh mé duit anois, áfach, gur leasc liom comhairle a chur ar éinne a fhéadfadh a bheith ina chúis aithreachais aige ar ball.'

'Tá sin ceart go leor,' ar seisean. 'Tuigim duit. Tá rud eile ag déanamh buartha dom chomh maith. Cén fáth go raibh clann sin na bhFaolárach chomh feargach agus chomh dian sin uirthi?'

'Ní fheadar,' arsa Eibhlín, agus meangadh ar a béal. 'Tá an

125

oiread sin díobh ann go mbíonn siad sa tslí ar a chéile. Bhí seans ag Aoife a bheith glanta léi as an áit agus dhiultaigh sí dó.'

'Ní dóigh liom gurb é sin é,' arsa Aindí. 'Tá ceist eile a chuirim orm féin, leis, agus níl freagra agam uirthi. Is dóigh liom go bhfuil cearta áirithe ag Aoife, agus go bhfuilimse faoi chomaoin aici. Táimid ag suirí le chéile anois ar feadh tamaill mhaith, agus tá aithne curtha againn ar a chéile, má thuigeann tú mé, agus is dóigh liom go bhfuil oibleagáidí ormsa dá bharr sin.'

'Sa lá atá inniu ann,' arsa Eibhlín, 'ní bheinn róshiúráilte de sin. Bhíodh cúrsaí mar sin sa tseanaimsir, ach de réir mar a chloisim, sna laethanta seo bíonn siad ag cur aithne ar a chéile go rábach i ngach aon áit.'

'Tá tú ag magadh fúm anois, a Eibhlín, agus táimse lándáiríre.'

'Agus táimse, leis. Táim ag rá leat nach gá duit a bheith buartha faoi sin. Bí cinnte nach bhfuil sé ag cur as d'Aoife Ní Fhaoláir beag ná mór.'

'Níl a fhios sin againn.'

'Bí deimhneach faoi. Ar aon nós, caithfidh tú féin an cinneadh a dhéanamh, agus tá rud amháin nár luaigh tú in aon chor.'

'Cad é sin?'

'Grá. Bhfuilir i ngrá léi, agus ise leatsa?'

'Níl a fhios agam. Cad é an rud é an grá seo? Mínigh dom é.'

'Cuir cúpla ceist ort féin faoin ngaolmhaireacht atá eadraibh beirt. An bhfuil cion agat uirthi, nó gean, nó searc, nó spéis agat inti?'

'Níl sna rudaí sin ar fad ach focail,' arsa Aindí. 'Ní heol dom aon mhíniú ceart a bheith orthu ach daoine á spalpadh gan stad.'

'Tá go maith, mar sin,' arsa Eibhlín. 'Cuirimis i dtéarmaí praiticiúla é. An maith leat í?'

'Is maith.'

'An fearr leat í ná aon bhean eile ar chlár na cruinne?'

Thóg sé tamall uaidh freagra a thabhairt air sin. 'Ní fearr,' ar seisean go bog.

'Mar sin, agus dá bhrí sin, tá bean éigin eile ann go mb'fhearr leat agus go mb'fhearr duit í a phósadh?'

Arís thóg sé tamall air freagra a thabhairt. 'Ní féidir liom an bhean eile sin a phósadh,' ar seisean. 'Tá sí pósta cheana féin.'

'*OK*,' ar sise, agus thug féachaint fhada cheisteach air. 'Caithfimid ár scóip a chúngú, más mar sin atá an scéal. An mbeifeá sásta a bheith pósta le Aoife agus ag maireachtaint in aontíos léi agus í a bheith mar bhuanchompánach agat?'

'Bheinn sásta, is dócha, ach ní bheinn ag pocléimneach timpeall le teaspach agus giodam mar gheall uirthi.'

'Níor ghá duit a bheith ag pocléimneach. Ach tá ceist amháin eile agam,' ar sise, 'agus tá sí tábhachtach. Bhfuil sí tarraingteach mar bhean i do thuairim? Tuigeann tú cad tá i gceist agam?'

'Tuigim, agus tá.'

'Bhuel, sin iad na rudaí atá le cur san áireamh agat, i mo thuairimse. Fút féin atá sé anois an cinneadh a dhéanamh. Ní feidir liomsa ná le héinne eile é a dhéanamh duit.'

17

Bhuail Aindí agus Aoife le chéile ag deireadh na míosa, mí an mhachnaimh agus an chinnte. Shocraíodar go raghadh Aindí go dtí an tigh chuici agus go raghaidís go dtí Óstán na Ríochta i Rath Luirc chun a gcomhrá a dhéanamh.

Bhí Aindí sasta ina aigne cad é a déarfadh sé léi agus cad a dhéanfadh sé. Ní raibh a fhios ag Aoife cad a bhí ar intinn aige, dar ndóigh, agus bhí a rian sin uirthi. Bhí sé soiléir go raibh amhras agus sceitimíní uirthi, ceal eolais agus de thoradh an bhrú óna tuismitheoiri is an dream eile ag baile. Níor fhéad sí a lámha a choimeád socair, ach iad ag ceartú dlaoithe a bhí ar crochadh anuas os comhair a súl, agus cnaipí a blúis á n-oscailt agus á ndúnadh aris. Ansin chuir sí na lámha le chéile agus leag sí go socair iad ar a hucht ar feadh leathshoicind sular ísligh sí arís iad chun a sciorta a tharraingt síos thar a glúine.

Bhí Aindí ag tiomáint ar aghaidh gan aon aird aige ar an gcorraíl a bhí ar siúl taobh leis. Bhí sé ag caint faoin aimsir agus faoi dhúnmharú a tharla i nDún na nGall a raibh tagairt dó ar nuacht an raidió.

Níor thug sise mar fhreagra dó ach gnusacht nó osna, mar go raibh rudaí eile ag déanamh tinnis di. Ní raibh aon ionadh uirthi nach raibh Aindí ag caint faoin rud a bhí ag cur as dóibh beirt, mar go raibh a fhios aici gur duine a bhí tugtha do bheachtas agus baileachas a bhí ann. Má bhí cruinniú le bheith acu i Ráth Luirc chun tosca a gcáis a phlé, níor bhaol go ndéanfadh sé tagairt dó go dtí go mbeadh an cruinniú sin ar siúl. Tréith ab ea é a thaitníodh le daoine áirithe, mar go bhféadfaí brath air go ndéanfadh sé de réir mar a déarfadh sé i gcónaí. Bhí daoine eile ann, áfach, agus bheadh gráin acu air mar go ruaigfeadh sé éideimhne agus rómánsaíocht den saol.

Bhíodar sa bhialann san óstán agus béile ordaithe acu. D'ordaigh Aindí deochanna dóibh, seiris d'Aoife agus braon fuisce dó féin. B'in iad na deochanna a bhíodh ag a mhuintir féin sa bhaile ar ócáidí móra mar chleamhnais agus tórraimh agus baisteadh leanaí. Ní raibh a fhios sin ag Aoife, ach bhraith sí, ar an tslí ar ordaigh sé iad gan a rogha féin a thabhairt di, go raibh sollúntacht de chineál éigin ag gabháil leis. D'aithin sí, leis, ar an ngeáitsíocht a bhí air, go raibh tábhacht mhór ag baint leis an ócáid, nó níor bhlais sé aon bhraon dá dheoch féin. Níor dhein sé ach an gloine a chur lena bhéal gan aon bholgam a thógaint as sular labhair sé.

'Tá sé ar intinn agam,' ar seisean, 'an caradas a bhíodh eadrainn d'athbheochan.'

'Buíochas mór le Dia!' ar sise. Shín sí lámh trasna an bhoird agus rug ar a láimh sin.

'Ach…!' ar seisean, agus stad sé.

'Cad é?' ar sise.

'Tá coinníoll ag gabháil leis.'

Níor labhair sí. D'fhan sí ag feitheamh leis chun an coinníoll, pé coinníoll é, a lua. Lig sí dó é a dhéanamh ar a chaoithiúlacht féin.

'Má tá tú sásta,' ar seisean, 'leanfaimid orainn mar a bhíodh againn ar choinníoll amháin: go mbeirse sásta mé a phósadh agus go ndéanfaimid é chomh luath agus is féidir linn.'

'Pósfaidh mé tú,' ar sise. 'Beidh síocháin agam sa bhaile ón mbrú a bhí á chur orm ag an gcuid eile, tuismitheoirí agus deartháireacha agus deirfiúracha. Gach aon diabhal duine acu!'

Bhí sé chun a fhiafraí di cén fáth gur dhiúltaigh sí é a phósadh roimhe sin, ach níor dhein. Bheadh an seans ann nach n-inseodh sí an fhírinne dó. B'fhéidir nach raibh a fhios aici i gceart cad é an fhírinne, nó má bhí, b'fhéidir go mb'fhearr léi í a choimeád faoi cheilt.

Ar aon nós, tháinig claochlú ar an ngiúmar a bhí uirthi. D'éirigh sí gealgháireach anamúil, agus rilleadh cainte ag teacht uaithi. B'iontach an t-athrú é, agus í ag cabaireacht gan stad faoin bpleanáil a bheadh le déanamh maidir leis an bpósadh. Bhí sí cinnte go mbeadh cóisir geallltanais ag a muintir agus go gcaithfidís cuirí a thabhairt dó seo agus di siúd. Ach roimhe sin, chaithfidís an fáinne gealltanais a cheannach. Chuirfidís ceist ar a mam faoi sin, mar bhí eolas agus tuiscint mhaith aici ar na cursaí sin.

Lig Aindí di a bheith ag gabháil dá cuid fantaisíochta, ach i ngan fhios di, bhí sé féin ag coimhlint le smaointe eile, a bhí ábhairín níos praiticiúla. Cá gcuirfidís fúthu, agus cad a déarfadh an tseanbheirt sa bhaile thuas i mbarr an aird in aice le hÁth an tSléibhe nuair a bhéarfadh sé an scéala chucu? Bhí an ghráin dhearg ag a athair ar lucht an Mhachaire Mhéith. Bhraith sé go mbídís ag féachaint anuas orthu siúd thuas agus droch-mheas acu ar an gcineál feirmeoireachta a chleachtaídís.

An oíche ina dhiaidh sin, chuaigh Aindí suas go tigh na bhFaolárach, mar ba ghnách leis a dhéanamh cheana. Chuaigh sé timpeall an tí agus isteach an cúldoras sa chistin. Cistin mhór a bhí acu, agus bhí bean an tí féin ann is a hiníonacha, chomh maith le Mic agus Cathal. Bhí na mná ag fuadráil timpeall agus an bheirt fhear ag seanchas le chéile ar dhá chathaoir ag an mbord mór fada i lár baill. Thógadar go léir gáir mholta nuair a tháinig Aindí isteach. Chuaigh Siobhán, bean an ti, chuige láithreach agus chuir a lámha timpeall ar a mhuineál agus d'fháisc chuici féin é. Bhí na cailíní á phógadh, agus chraith Cathal lámh leis. Sheas Mic agus ghuigh sé saol fada sona sásta ar an mbeirt. Bhí Mic ag brú deoch air, ach ní ghlacfadh sé uaidh é.

Shuíodar ar na cathaoireacha a bhíodh timpeall an bhoird i gcónaí. Bhí an bord sin lárnach sa tigh. Ba ann a d'ithidís a mbéilí i dteannta a chéile. Ba ann, leis, a shuídís nuair a bhíodh rud éigin go mbíodh tábhacht leis le plé acu. Níor fhan Mic, ach bhí an chuid eile ar fad ann. Nuair a bhíodar socraithe síos agus focail chomhghairdis ráite ag a bhformhór, thug Aoife mion-scéala dóibh.

'Gheobhaimid an fáinne Dé Sathairn,' ar sise.

'Ó!' arsa Sorcha. 'Cá bhfaighidh sibh é?'

'Níl a fhios agam,' arsa Aindí. 'Is é an chéad uair agamsa a leithéid a dhéanamh.'

Dheineadar go léir gáire faoin nath leathmhagúil sin.

'Is cuimhin liom go maith an lá a fuaireas-sa mo cheann féin,' arsa Siobhán. 'Thug Jeaic go dtí an Caisleán Nua mé, agus ní raghadh sé isteach chun an tsiopa seódóra i mo theannta.'

'Mo cheol thú, a Dhaid!' arsa Máire. 'Níor chaillis riamh é.'

Bhí Cáit, agus a ceann fúithi, ag méirínteacht lena fáinne féin. 'Cathain a phósfaidh sibh?' ar sise.

'Chomh luath agus is féidir,' arsa Aindí. 'Raghaimid go dtí an Canónach an tseachtain seo chugainn.'

'An t-ádh libh,' arsa Cáit.

Chaitheadar an oíche ag caint ar phóstaí agus ag déanamh socruithe do chóisir a bheadh acu chun an gealltanas a cheiliúradh. Thosaigh Sorcha agus Síle ag scríobh amach liosta de na daoine a gheobhadh cuireadh chun na cóisire, Máire agus Aoife ag ceapadh biachlár don bhféasta. Dheineadar an-chuid cainte faoi cá bhfaighidís an fáinne, agus i ndeireadh báire ghlacadar le comhairle Shiobháin: 'Ní dóigh liom gur gá daoibh dul go dtí an chathair nó síos go Corcaigh. Tá siopa Mhic an Ridire thall sa Chaisleán Nua i gcónaí agus tá rogha d'fháinní acu chomh fairsing is atá in aon cheann de na háiteanna sna cathracha, agus i bhfad níos saoire, déarfainn.'

Bhí an méid sin socair nuair a d'fhág Aindí an tigh thart ar mheán oíche. Ní raibh le déanamh ansin aige ach dul abhaile go dtí a mhuintir féin agus an scéal a bhreith chucu. D'iarr sé ar Aoife dul siar ina theannta, ach dúirt sí go mb'fhearr léi gan dul. Cheap sí go mb'fhearr dá mbuailfeadh sí leo ag an gcóisir. Bhí Aindí ag tathant uirthi, ag rá go mba mhaith leis go bhfeicfidís í agus go mbeadh a fhios acu go raibh bean bhreá á fáil aige mar chéile. 'Ná bí ag cur brú orm mar sin, a Aindí,' ar sise. 'Dá raghainn suas leat, táim cinnte go mbeidís ag faire orm an fad a bheinn ann, ag déanamh mionscrudú orm, agus níor mhaith liom sin.'

Cheannaíodar an fáinne sa Chaisleán Nua ar an Satharn, agus chuaigh Aindí suas go dtí a bhaile féin ag Tobar an Iarainn ar an Domhnach. D'ith sé dinnéar lena mháthair Íde agus a athair Pacó, agus d'inis sé scéal a ghealltanas pósta dóibh. Ghlacadar leis an sceal go ciúin réidh, agus bhí díomá air nár dheineadar iontas níos mó de. Níor dheineadar ach ceisteanna a chur air faoin mbean agus na socruithe a bhí déanta nó le déanamh acu chun maireachtaint mar lánúin nuaphósta. Íde a bhí ag cur na gceisteanna. Cá mbeadh siad ag cur fúthu? Cad ab aois di? Cén jab a bhí aici? Cén sórt í? An mbeadh sí ag obair nuair a phósfaidís, nó an mbeadh sí mar bhean tí lán-aimseartha? Thug sé cuireadh dóibh teacht chun na cóisire i gceann coicíse. Dhiúltaigh siad dó. Ní fhéadfadh siad dul ann san oíche, mar bheadh sé ródhéanach nuair a bheadh na ba crúite, agus níor thaitin sé le Pacó a bheith ag tiomáint sa dorchadas, ag bualadh le carranna ag teacht ina choinne agus na soilse móra ardaithe acu á dhalladh. Thug Aindí lámh chúnta dóibh leis na ba sular fhág sé chun dul thar n-ais go Cnoc na Coille.

Ag dul thar n-ais dó sa charr, bhraith sé ciontach ar chuma éigin nach raibh teagmháil níos minicí agus caidreamh níos dlúithe aige leo. Chaitheadar leis mar a dhéanfaidís le haon duine de na comharsana a bhuailfeadh isteach chucu ag airneán. Mheas sé gur air féin a bhí an milleán faoi sin. Bhí díomá ar an mbeirt acu nach raibh ceachtar mac, é féin nó Seán, sásta fanúint sa bhaile agus cúram na feirme a ghlacadh orthu féin. Is docha gurb é sin an chúis nach rabhadar róghliondrach nuair a thug sé an scéala dóibh mar gheall ar an bpósadh. Bhí sé ag súil go mbeidís sásta, áfach, nuair a bhuailfidís le Aoife.

Coicíos ina dhiaidh sin, bhí an chóisir acu tigh na bhFaolárach. Bhí slua mor ann: rómhór don spás a bhí acu, b'fhéidir. Bhí na Faoláraigh ar fad ann: iad sin a chónaigh i gCnoc na Coille, colceathracha agus eile, uncail, aintín, daoine ón gceantar, iománaithe, cairde na gcailíní, cairde na dtuismitheoirí, agus daoine mór le rá, an TD is a mhac, an Canónach is an Sagairtín Gleoite.

Tháinig Seán, deartháir Aindí, ó Chill Dara, agus a dheirfiúr is a fear céile, Máiréad agus Peaidí, ó Inis. I dteannta le Seán bhí seanfhear a raibh spéaclaí dubha, spéaclaí gréine, air agus maide bán á iompar aige is é ag cniogadh roimhe ag cur eolas na slí. Tugadh cathaoir dó sin, agus bhí Seán ag freastal air, ag breith sólaistí chuige ón mbord mór agus ón gcornchlár ag taobh an tseomra. Fear é a raibh Seán ag maireachtaint ina thigh ar chíos an-bheag in aisíoc ar an bhfreastal a dheineadh sé air.

Bhí an oiread sin daoine ann nach bhféadfaí iad a chur ina suí ag an mbord. Chuireadar é sin san áireamh nuair a bhí an bia á ullmhú acu, agus chinneadar go mbeadh buifé acu, goblaigh bhia ar an mbord is deochanna ar an gcornchlár. Tugadh deoch do gach éinne ar theacht isteach dóibh, agus bhí cead a gcinn acu ansin idir bhord agus chornchlár.

Iognáid Ó Flannagáin ab ainm don bhfear dall, agus bhí a chathaoir in aice le ceann an Chanónaigh. Cathaoir ab ea é a bhí tugtha uaidh ag an sagairtín gleoite. Chuaigh sé siúd ag fánaíocht i measc na n-aíonna. Bhíodar ina seasamh ina mbeirteanna agus ina ngrúpaí beaga eile anseo agus ansiúd sa seomra suite, sa seomra bia, agus fiú sa chistin, gloine i láimh gach duine, iad ag mungailt leo ar na sólaistí, ag fáil bolgam as an ngloine anois agus arís, agus bús mór caidreála ag dul i neart go dtí go raibh an ruabhéic ag líonadh an tí. Ba dheacair dóibh a chéile a chloisint ag an ngleo. An t-aon duine amháin a bhí in ann an chaint a thuiscint ná an fear dall, Iognáid Ó Flannagáin. Chaill sé sin a radharc fiche bliain roimhe sin, agus bhí an acmhainn éisteachta forbartha aige go dtí go raibh sé ar fheabhas: d'fhéadfadh sé guth duine a dheighilt amach ó na fuaimeanna eile a bheadh ag brú ar a chluasa agus é a chloisint chomh soiléir agus dá mba nach raibh aon fhuaim eile ann. Shuigh sé siar agus lig do na guthanna sruthú chuige thar thonnchreathanna an chlampair:

'…Nach bhfuil fear deas á fháil aici?'

'Abair é! Ní fheadar an bhfuil aon tuairim aige cén sórt striapaí í?'

'Ar éigin é…'

'…Tóg bog é ar an bhfuisce…'

'…Féach Jeaic ag caint le Aindí.'

'Beag an meas a bhí riamh aige ar mhúinteoirí.'

'De réir dealraimh, tá sé sásta le mo dhuine.'

'Cén fath nach mbeadh? Nach bhfuil sé ag breith duine den scata iníonacha sin uaidh…?'

'…Bhfuil na vótaí againn?'

'Tá, agus fuíollach…'

'…Comhghairdeas ó chroí leat, a Aoife. Beimid go léir in éad leat…'

'…Sa Chaisleán Nua a fuaireadar é. Is dóigh liomsa go bhfuil sé go deas. Agus buíochas le Dia, níor chuadar thar fóir. Ceann deas réasúnta gan mustar…'

'…Bhfuil d'athair agus do mhathair ag teacht, a Aindí?'

'Ní féidir leo. Ní raibh éinne acu a thabharfadh aire do na ba…'

'…Ba mhaith liom a bheith ag caint leat, a Aindí. Uair éigin eile. Amárach, abair.'

'*OK*, a Jeaic. Aon uair in aon chor a bheadh oiriúnach duit…'

Agus mar sin de. Gach duine agus a chúram féin ag cur air. Chuala an dall cheana féin iad ag cóisirí eile, áiteanna a dtagadh daoine le chéile chun eachtra a cheiliúradh agus comhghairdeas a dhéanamh. Ach taobh thiar den chaint agus na deabhéasa agus an chúirtéis a thaispeánaidis dá chéile, d'airíodh sé claonta saofa an daonnaí, rudaí mar uabhar agus saint agus drúis agus formad. Bhídís sin faoi cheilt acu ag a mbinnbhriathra agus an dreach shuáilceach a shamhlaíodh sé ar a n-aghaidheanna.

18

Bealtaine 1980

Ní raibh sa chistin tigh na bhFaolárach ach Siobhán, Jeaic, agus Aoife nuair a bhuail Aindí isteach chucu dhá lá i ndiaidh na cóisire. 'Seo leat amach go dtí an seomra eile liom go ndéanfaimid beagán cainte,' arsa Jeaic le Aindí.

'Cad faoi Aoife agus Bean Uí Fhaoláir?' arsa Aindí. 'Nach mbeadh suim acu sin in aon rud a bheadh le rá againn faoin bpósadh, mas é sin an t-ábhar a bheidh faoi chaibidil againn?'

'Is leor an bheirt againn,' arsa Jeaic.

'Seo leat isteach ina theannta,' arsa Siobhán. 'Ná bac linne.'

Shuigh an bheirt ar aghaidh a chéile ag an mbord sa seomra bia. 'Cá mbeidh sibh ag cur fúibh?' d'fhiafraigh Jeaic, lom díreach gan réamhrá ná seans a thabhairt d'Aindí chun anáil a tharraingt.

'Níl a fhios againn,' arsa Aindí. 'Is dócha go gcaithfimid áit éigin a fháil ar cíos i dtosach. Feicfimid ina dhiaidh sin an mbeimid in ann áit dár gcuid féin a bheith againn.'

'Ag cur airgid agus ama amú a bheadh sibh i dtigh ar cíos.'

'Tá sin fíor, gan dabht,' arsa Aindí, 'ach níl dul as againn. Ní bheadh an t-airgead againn chun tigh a cheannach chomh luath sin.'

'B'in é a bhíos ag ceapadh. Ní bhfaigheann sibhse múinteoirí ach pinginí suaracha mar phá, de réir mar a chloisim.'

'Níl an ceart ar fad agat ansin,' arsa Aindí, 'ach geall leis.'

'Nílim ag fáil locht ortsa mar gheall air sin, a Aindí. Sin

136

mar atá an scéal agus níl leigheas ag éinne againne air.'

Níor labhair Aindí. Bhí sé ag faire ar an bhfear eile. Bhí sé siúd ag faire ar Aindí, a aghaidh calctha righin mar a bheadh nuair a bhíodh margadh á dhéanamh aige le ceannaitheoir stoic ag an marglann. D'fhan Aindí ina thost. Ba é Jeaic a chuir an cruinniú ar bun, agus ba air a bhí an fhreagracht na comhráite a thosú. Chomh fada agus a bhain an scéal le Aindí, níor ghá aon phlé a bheith acu faoin bpósadh mar ní raibh aon bhaint aige leo. Níor theastaigh uaidh go mbeadh aon duine eile ag cur a ladar sa scéal ach go bhfágfaidís na socruithe faoi Aindí féin agus Aoife.

'Iníon liomsa a bheidh á pósadh agat,' arsa Jeaic. 'Na déan dearmad air sin.'

'Tá an ceart agat. Ach ise atá á pósadh agam. Eadrainn beirt a bheidh sé. Ní bheidh aon bhaint agatsa leis.'

Tháinig athrú ar dhreach Jeaic. Ní fhéadfaí a rá gur tháinig fearg air, ach lúb a bhéal i ngramhas magaidh a léirigh an drochmheas a bhí aige ar Aindí agus a leithéidí nach bhféadfadh tigh a chur ar fáil dá bhean. 'Sea,' ar seisean. 'D'fhéadfadh an ceart a bheith agat nach mbaineann sé liomsa, ach tuig an méid seo, a Aindí, a gharsúin: ní thabharfaidh mé an sásamh d'éinne go bhféadfadh sé a rá go raibh iníon le Jeaic Ó Faoláir ina cónaí i mbotháinín beag suarach ar thaobh an bhóthair in áit éigin.'

'D'fhéadfadh sé an rud céanna a rá fúmsa, ach ní chuirfeadh sé isteach orm ar chor ar bith.'

'Ní chuirfeadh, a déarfainn, d'éinne a thiocfadh amach as bothán thuas ar an gcnoc fiáin ocrach scéirdiuil sin as ar thángais-se, áit nach gcaitheann na bundúchasaigh treabhsar sa samhradh.'

'Mearbhall ort, a Jeaic. Ní mór trua a bheith againn d'aineolas atá chomh domhain agus chomh háiféiseach sin.' Sheas Aindí agus thosaigh ag siúl i dtreo an dorais.

'Fan nóiméad,' arsa Jeaic. 'Ná bí chomh *shaggin'* tógálach sin! Tá rud le moladh agam duit.'

Stad Aindí agus sheas mar a raibh sé. Bhí sé ag féachaint anuas ar Jeaic, ag feitheamh leis an moladh a chloisint uaidh.

'Tabharfaidh mé laithreán daoibh chun tigh a thógaint.'

'Go raibh míle maith agat,' arsa Aindí. 'Is iontach an tairiscint í sin uait. Ní bheadh le déanamh againn ansin ach iasacht a fháil ón mbanc nó dream eigin chun an tigh a thógaint, agus ina dhiaidh sin troscán is fearaistí a cheannach. Ní fheadar an bhféadfaimis é sin a dhéanamh go fóill. Beidh breis á cur le mo thuarastal in aghaidh na bliana, agus b'fhéidir go—'

'Cabhróidh mé libh.'

Chuaigh Aindí thar n-ais agus shuigh síos arís. 'Cad tá i gceist agat?' ar seisean.

Mhínigh Jeaic dó cad a bhí i gceist aige, agus bhí sé chomh dearfa sin ina aigne agus sa chuntas a thug sé ar an bplean a bhí aige go mba léir go raibh machnamh fada déanta aige air, agus b'fhéidir comhairle faighte aige in áit éigin. Chuirfeadh sé falla timpeall ar an láithreán, a bheadh amuigh ar imeall na feirme, thart ar dheich nóiméad siúil ó thigh na feirme, a thigh féin. Chuirfeadh Jeaic féin an foirgneoir isteach agus dhíolfadh sé costas iomlán na tógála. Ligfeadh sé d'Aindí agus Aoife an tigh a dhearadh maidir le méid, ach gan níos mó ná ceithre sheomra leapa ann. Fúthu a bheadh leagan amach na seomraí, leis, agus an maisiú a dhéanfaí orthu. 'Agus,' arsa Jeaic, 'nuair a bheidh na rudaí sin á n-oibriú amach agaibh, ba mhaith liom dá ligfeadh sibh do Shiobhán a bheith ag cabhrú libh. Bheadh suim mhór aici sna rudaí sin, agus tá sí críonna is stuama timpeall ar a leithéidí.' Jeaic a dhíolfadh gach costas.

Ní raibh aon deacracht ag Aindí leis an méid sin, ach niorbh amhlaidh don chuid eile a bhí le rá aige. Chaithfidis conradh a shíniú maidir le húinéireacht agus sealbhaíocht an tí. Bheadh an tigh in ainm Jeaic is Shiobháin mar úinéirí, ach bheadh cearta ag Aindí is Aoife, agus aon chlann a bheadh acu, cónaí sa tigh fad a bheadh an bheirt acu pósta le chéile. Dá mbrisfí ar an bpósadh nó dá bhfaigheadh Aoife bás roimh Aindí, bheadh an ceart cónaithe sa tigh ag brath ar dheoin Jeaic nó a oidhre: Mic, is dócha.

Níor aontaigh Aindí leis na socruithe sin ná níor dhiúltaigh sé dóibh. 'Caithfidh mé machnamh a dhéanamh air sin,' ar seisean. 'Táim an-bhuíoch díot as an tairiscint a dhéanamh dúinn, ach caithfidh mé mionscagadh a dhéanamh uirthi agus ar gach a éiríonn aisti, agus dul i gcomhairle le daoine eile fúithi, sula n-aontóinn léi.'

Níor tháinig aon athru ar aghaidh Jeaic a thabharfadh nod d'Aindí faoi cad a bhí ag rith trína cheann. Bhí an dreach neodrach sin fós air, ach é ag stánadh díreach amach roimhe ar rud éigin ar an mballa taobh thiar d'Aindí. Ach bhí sé ina thost, agus uaidh sin amháin cheap Aindí nach raibh coinne aige leis an tslí ar ghlac sé féin leis an tairiscint. 'Tá go maith,' arsa Jeaic i ndeireadh báire, agus d'eirigh is chuaigh isteach sa chistin gan a thuilleadh a rá.

Lean Aindí isteach é. Bhí an bheirt bhan ann agus iad ag féachaint go grinn géar ar Jeaic ar dtús agus ansin ar Aindí, ceisteanna móra ar bhruacha a mbéal ag an mbeirt acu, ach d'fhanadar na dtost. 'Fágfaidh mé slán agaibh go fóill,' arsa Aindí, agus d'fhéach an bheirt bhan air faoi mar nár thuigeadar a chaint, ach níor labhraíodar focal.

Chuaigh sé thar n-ais go dtí a bhaile, b'in tigh Eibhlín agus Mhaitiú. Chuala sé fuaim na teilifíse ón seomra suite nuair a bhí sé ag gluaiseacht ar a bharraicíní tríd an halla. Bhí a fhios aige go raibh an bheirt istigh ag faire ar chlár éigin. Ba ghnách leis bualadh isteach chucu agus beannú dóibh dá mbeidís ina suí nuair a thagadh sé isteach istoíche, ach an oíche seo bhí sé gafa ag crá agus buairt faoin scéim a bhí á beartú ag Jeaic dó féin agus Aoife. Ach chomh luath agus a leag sé cos ar an gcéad chéim den staighre, thosaigh an t-adhmad ag díoscadh.

'An tú atá ann, a Aindí?' ghlaoigh Maitiú amach, ach níor chuala Aindí é.

Bhí sé thuas ina sheomra ar feadh fiche nóiméad nó mar sin, ina shuí ar an gcathaoir, a uilleacha ar an mbord agus a dhá lámh faoina ghialla mar thacaíocht dá cheann. Chuala sé céimeanna an staighre ag díoscadh arís, agus ansin cnag éadrom ar an doras. 'Sea!' ar seisean, agus osclaíodh an doras.

Maitiú a bhí ann. 'Cheapas gur chuala thú ag teacht isteach,' arsa Maitiú. 'Dúras le Eibhlín, "Tá duine éigin tar éis dul suas an staighre."'

'Gabhaim pardún agaibh,' arsa Aindí. 'Ba cheart dom dul isteach agus beannú daoibh.'

'Ná bac sin,' arsa Maitiú. 'Tá sé ceart go leor. Ní rabhas ach ag deimhniú gur tú féin a bhí ann.'

'Raghaidh mé síos chugaibh anois,' arsa Aindí, 'murar mhiste libh é.'

'Beidh fáilte romhat,' arsa Maitiú. 'Ní rabhamar ach ag faire ar thruflais éigin ar an mbosca.'

Mhúch Eibhlín an teilifíseán nuair a tháinig an bheirt fhear isteach sa seomra. Chas sí timpeall agus bhí ag féachaint ar Aindí ar feadh tamaill. 'Thángais abhaile go luath,' ar sise.

'Thángas,' ar seisean.

Bhris Maitiú isteach orthu: 'Cuirfidh mé an citeal ag beiriú,' ar seisean, agus d'imigh sé amach go dtí an chistin.

'Is seod an fear sin,' arsa Eibhlín. 'Níl a shárú le fáil ar an ngiúmar a thomhas, ar thuiscint agus ar thráthúlacht. Ach chomh beag liom féin, bhraith sé go raibh rud éigin ag cur as duit. Cad é?'

'Faic.'

'Aindí!'

'*OK*. Tairiscint a fuaireas ó Jeaic.' D'inis sé di gach ar tharla agus gach mionsionra faoin tairiscint.

'Nach bhfuilir sásta leis sin?' ar sise nuair a bhí críochnaithe aige.

Níor thug sé freagra di ar feadh tamaill, ach shuigh mar a raibh sé gan bogadh. Ar ball, labhair sé: 'Ar chóir dom a bheith sásta leis?' d'fhiafraigh sé.

'Ní fúmsa atá sé breith a thabhairt air sin,' arsa Eibhlín. 'Fút féin atá sé an rud a mheas chomh fada agus a bhaineann sé leat féin.'

Bhí air glacadh leis sin. Pé rud a dhéanfadh sé, ba air féin a bheadh sé déileáil lena dtiocfadh as. Ní fhéadfadh Eibhlín aon pháirt a ghlacadh sa chinneadh a dhéanfadh sé. B'fhíor go raibh gaol speisialta eatarthu, go raibh sí níos cóngaraí dó mar rúnchara ná a lán eile, agus Aoife san áireamh. Ach ní fhéadfadh sé an deacracht a bhí aige ina chroí leis an tairiscint sin a roinnt le héinne. Níorbh fhíor sin: bhí beirt thuas i dTobar an Iarainn taobh thuaidh d'Áth an tSléibhe a thuigfeadh dó agus nach mbeadh aon leisce orthu comhairle a chur air.

An lá ina dhiaidh sin, níor fhan sé le dinnéar a ithe i ndiaidh na scoile, ach d'fhág Eibhlín ag a baile agus dhein ceann ar aghaidh i dtreo Áth an tSléibhe. Cheannaigh sé ceapaire i gCill Mocheallóg agus chuaigh an timpeall trí Ráth Luirc, Droim Collachair, Áth Leathan agus taobh le Tuar na Fola go Mainistir na Féile, agus ansin chas ó thuaidh go hÁth an tSléibhe. Ghabh sé an bealach sin mar go raibh fógra ar an raidió ag rá go raibh moill leathuair an chloig ar a laghad sa Chaisleán Nua ag oibreacha bóthair de shórt éigin a bhí ar siúl ann.

Bhí sé ag druidim lena cúig a chlog nuair a chas sé isteach an geata agus a stad an carr taobh amuigh de chúldoras an tí. Seantigh fada bán ceann slinne a bhí ann. D'fhan sé tamall sa charr ag féachaint air, agus bhuail tocht aithreachais é mar bhraith sé, níos mó ná riamh, go raibh sé ag teacht mar strainséir. Tháinig an mothúchan seo aniar aduaidh air. Le tamall anuas bhí sé gafa go huile agus go hiomlán le Aoife agus an saol thíos i gCnoc na Coille, agus anois bhuail an smaoineamh é go raibh sé tar éis an áit seo a thréigint. Thar aon áit eile ar domhan, bhí dílseacht agus bá ag dul don áit seo uaidh. Faoi dhíon an tí sin a tháinig sé ar an saol an chéad lá, agus bhí sé mar thearmann aige go dtí gur fhág sé an áit chun dul go dtí an coláiste oiliúna muinteoirí.

Nuair a chuaigh sé isteach, bhí a mháthair ag an sorn cócaireachta, ag féachaint isteach i gcorcán a raibh rud éigin ar fiuchadh ann. Chas sí timpeall, clúdach an chorcáin ina láimh, agus leathnaigh a súile ag cur fáilte roimh a mac. Ba bheag an t-athrú a bhí tagtha uirthi leis na blianta. Bhí sí fós breá láidir, ag fuirseadh timpeall an tí agus naprún uirthi. Bhí a gruaig níos giorra ná mar a bhíodh, éirithe donn agus catach ag an ngruaig-eadóir i Mainistir na Féile. Bhí cuntanós laidir pusach uirthi, a snua glan sláintiuil, agus na súile liatha aici chomh géar agus chomh geal is a bhí riamh. 'Cad a thug anseo tú inniu, lár na seachtaine?' d'fhiafraigh sí. 'Bhfuil rud éigin cearr leat?'

'Níl, ach comhairle á lorg agam uaibh. Cá bhfuil sé féin?'

'Tá sé imithe amach chun na ba a thabhairt isteach.'

'Raghaidh mé amach agus tabharfaidh mé lámh chúnta dó. Beidh mé ag caint leat arís ar ball.'

Bhí na ba ag teacht aníos an bóithrín nuair a chuaigh Aindí amach, agus sheas sé ag an ngeata chun iad a threorú isteach sa chlós. Bhí a athair ag fámaireacht ina ndiaidh agus an madra, Fuiscí, taobh leis, an bheirt acu ar a sáimhín só. Fear gan a bheith ró-ard ab ea a athair, fear caol láidir, aghaidh ghrian-dóite, agus an craiceann teann thar na cnámha. Bhí a ghruaig liath bearrtha chomh lom sin go mbíodh sí ina colgsheasamh ar a cheann nuair a bhaineadh sé an caipín de. Ní bhíodh aon deabhadh air ag timireacht timpeall na feirme, ach bhíodh gach cúinne slachtmhar aige. 'Cad a thug abhaile tú?' d'fhiafraigh sé nuair a chonaic sé Aindí.

'Ceist agam le cur oraibh: comhairle ag teastáil uaim.'

'Seo leat isteach sa bhleánlann liom,' arsa a athair. 'Bímis ag caint.'

Níor chuir an obair isteach ar an gcaint acu. Bhí a athair

seanchleachtaithe ar an ngnó, agus bhí sé ag caint fad a bhí sé ag ceangal bó sa stalla, ag ní na siní agus á gcur i gcupáin an mheaisín crúite. Sheas sé ansin, agus bhí an bheirt ag caint is ag éisteacht, agus an mianán bog ag an inneall mar chúlra lena gcomhrá.

'Bastairt glic an t-athair céile sin a bheidh agat,' arsa Pacó nuair a bhí a scéal inste ag Aindí dó.

'Tá a fhios agam go bhfuil an ceart agat. An bhfuilir ag rá liom gan glacadh leis an tairiscint a dhein sé?'

'Nílim á rá sin. Táim ag rá go gcaithfidh tú gliocas de do chuid féin a bheith agat.'

'Conas?'

'Glac leis an tairiscint a dhein sé, agus déan do chuid féin di. Bheadh tigh saor in aisce agat, pé acu fada gearr a leanfadh sé, agus d'fhéadfá a bheith ag cnuasach duit féin go dtí go mbeadh dóthain agat chun díon de do chuid féin a chur os do chionn. Téadh a thigh sin in ainm an diabhail ansin.'

Leanadar orthu ag caint, ag cur is ag cúiteamh fad a bhí na ba á gcrú, agus nuair a bhí an bheirt acu á dtíomáint thar n-ais go dtí an pháirc, chas Pacó arís ar an seanscéal a bhíodh aige: go raibh sé ag súil leis i gcónaí go dtíocfadh Aindí thar n-ais go Tobar an Iarainn ag deireadh thiar thall. Cé nár bhuail an cailín Aoife leis go fóill agus nach raibh d'aithne aige uirthi ach an méid a d'inis Aindí dó fúithi, bhí sé ag ceapadh nach bhfanfaidis i bhfad pósta le chéile. 'Níl seans ar bith ann go bhfillfidh Seán,' ar seisean. 'Tá sé tógtha leis an bhfear dall sin Iognáid Ó Flannagáin thuas i gCill Dara, agus tá a chuid airgid sin is a shiopa geallta do Sheán. Níl againn ach tú féin chun an áit seo a choimeád i seilbh chlann Ui Mhaonaigh inár ndiaidh.'

Dúirt Aindí go raibh an saol ag athrú d'fheirmeacha beaga, nach mbeadh slí bheatha le dealramh le tuilleamh iontu sa saol a bhí le teacht. Chuir Pacó i gcuimhne dó go raibh post eile aige féin a bheadh mar thaca aige a thabharfadh teacht isteach sa bhreis dó in aghaidh na míosa. 'Beidh an máistir i dTobar an

Iarainn ag éirí as taobh istigh de dheich mbliana ar a mhéid,' ar seisean, 'agus beidh postanna eile ar fáil gairid go leor dúinn, in Áth an tSléibhe féin, i Mainistir na Féile, in Ardachadh, nó sa Chaisleán Nua.'

Níor bhog Aindí. B'fhéidir go dtitfeadh sé amach uair éigin mar a theastaigh óna athair, ach go fóill, ní raibh aon ní dá shórt i gceist aige.

'Caithimis uainn mar scéal é anois, ar aon nós,' arsa Pacó. 'Beimid ag caint faoi arís uair éigin. B'fhearr dúinn dul isteach chuici féin. Cathain a bheir ag dul soir?'

'D'fhanfainn thar oíche dá bhféadfainn.'

'D'fheadfá go breá. Fuíollach slí ann duit.'

Chuadar isteach sa chistin agus shuíodar chun béile a bhí ullamh ag Íde dóibh. D'inis Pacó di an scéal faoi thairiscint Jeaic d'Aindí, agus mar a mhol sé féin dó. Níor labhair Íde. Lean sí léi ag ithe faoi mar nár chuala sí in aon chor é.

Chaith an triúr acu an oíche ag caint faoi na seanlaethanta agus na laethanta a bhí le teacht, ach níor dhein aon duine acu tagairt do thairiscint Jeaic. Bhí a fhios ag Aindí cad a cheap Pacó faoi, agus bhí tuairim aige faoin dearcadh a bhí ag Íde air. Ba chosúil ar a béal tostach nar thaitin sé léi.

An mhaidin ina dhiaidh sin, fuair sé deimhniú ar an tuairim sin. Thug sé isteach go Lios Tuathail í chun siopadóireacht a dhéanamh, agus ar an turas sa charr scaoileadh an ceangal a bhí ar a teanga. 'Bhfuilir chun glacadh leis an tairiscint sin a thug an fear thall duit?' d'fhiafraigh sí nuair a chuir Aindí an carr ag gluaiseacht amach as an gclós agus a thóg an bóthar go Lios Tuathail air féin.

'Seans go ndéanfainn,' arsa Aindí.

'Mo náire thú má dheinir.'

'Cén fáth?'

'Mar thug sé masla duit agus do do mhuintir. Tá an sleamhnánaí sin chun ligint duit maireachtaint ina thigh nua chomh fada agus a bheir mar mhaidrín lathaí ag an mBanphrionsa Aoife. Cad é an chiall atá le socrú go mbainfí cead cónaithe sa tigh díot dá mbrisfí ar an bpósadh agaibh? Bhfuil sé ar intinn acu cheana féin an ruaig a chur ort uair éigin? Chomh luath agus a bheidh deireadh aici siúd leat, gheobhair bata is bóthar. Cén sórt pósadh é sin? Nach eol duit an tarcaisne atá á thabhairt acu duit? Is dóigh leo nach bhféadfása áit chónaithe a chur ar fáil as do stuaim féin?'

'B'fhéidir go mb'fhearr dom aon tairbhe is féidir liom a bhaint as chomh fada agus a mhaireann sé. Tháinig mé féin is Daid ar an gcinneadh sin nuair a bhíomar ag caint faoi inné.'

'Ó, a Aindí, a ghrá, an amhlaidh nach bhfuil aon mheas agat ort féin?'

'An té a bhíonn ag plé le cladhaire cosúil le Jeaic Ó Faoláir, ní foláir dó a bheith glic.'

'Agus a bheith ar aon dul leis, an ea?'

'Sea, is dócha.'

'Go bhfóire Dia orainn!' Bhí sí ina tost ar feadh tamaill, agus nuair a labhair arís, bhí a guth socair agus ciúnaithe. 'Bhíos féin agus d'athair ag caint faoi sa leaba aréir,' ar sise, 'agus chinneamar go dtabharfaimis cúnamh duit dá mba mhian leat tigh a thógaint anseo timpeall in áit éigin, fiú láithreán tí a thabhairt duit ar an bhfeirm seo againne. Níor ghá ach tigh beag a thógaint, dhá sheomra leapa ann b'fhéidir, tigh a bheadh oiriúnach dúinne beirt nuair a d'éireoimis as an bhfeirmeoir- eacht agus go bhféadfása teacht isteach sa seantigh, tú féin agus éinne a bheadh i do theannta an uair sin. Sin mar atá an saol i láthair na huaire. Tá buaine agus dílseacht seanfhaiseanta anois. Aithnímid gur mar sin atá.'

'Táim an-bhuíoch díbh, a Mham. Níl a leithéid i gceist anois, ar aon nós. Dá mbeadh, nílim cinnte go mbeadh slí bheatha le tuilleamh ar fheirm mar an gceann seo. Chaithfinn mo phost mar mhúinteoir a choimeád, agus ní fhéadfainn an dá thrá a fhreastal, na ba a chrú roimh dhul ar scoil ar maidin agus luí isteach air arís tamaillín tar éis teacht abhaile tráthnóna.'

'Níor ghá duit dul le déiríocht. D'fhéadfá casadh ar an mairteoil agus tréad diúil a bheith agat.'

'Amach anseo uair éigin, b'fhéidir go mbeadh orm smaoineamh ar rud éigin den chineál sin, ach anois leanfaidh mé ar aghaidh leis an rud atá beartaithe agam.'

'Maith dom é, ach beidh mé ag paidreoireacht go gcaithfidh siad amach tú.'

Dhein an bheirt acu gáire agus thiomáineadar ar aghaidh isteach go Lios Tuathail go gealgháireach. Bhí an imní a bhí ar Aindí agus é ag teacht aníos maolaithe go mór, mar bhí a fhios aige go mbeadh leigheas aige ar aon tubaist a bhuailfeadh leis ina shaol pósta.

Amuigh sa tráthnóna nuair a bhí Aindí chun fágaint agus dul ar ais go Cnoc na Coille, ghlaoigh Pacó air ón scióból. Chuaigh Aindí amach chuige. 'An ndúirt sí féin leat go mbeimis sásta lámh chúnta a thabhairt duit má bhíonn sí uait?' arsa Pacó leis.

'Dúirt, agus táim fíorbhuíoch díbh.'

'Seo,' arsa Pacó, 'bíodh braon beag agat sula gcuirfidh tú chun bóthair.'

Níor theastaigh ó Aindí aon deoch a thógaint uaidh, ach chuaigh Pacó go dtí an balla, áit a raibh almóir ionsáite idir blocanna stroighne. D'oscail sé an doras, agus istigh ann bhí buidéal uisce beatha is dhá ghloine. Thug sé gloine amháin d'Aindí agus choimeád sé an ceann eile ina láimh féin. Thóg sé barr an bhuidéil idir a fhiacla, agus chas sé timpeall an buidéal go dtí go raibh an barr bainte de. Dhoirt sé beagán isteach sa dá ghloine. Ghlac Aindí uaidh é, mar thuig sé gur nós a bhí ann braon a ól nuair a dhéantaí margadh. B'ionann é agus d'ainm a shíniú ar phár. 'Sláinte agus fad saoil!' arsa a athair, agus chaith sé siar an t-uisce beatha. Thóg Aindí bolgam beag as a cheann féin agus dhoirt sé an chuid eile isteach sa bhuidéal a bhí fós i láimh Phacó.

'Coimeádaim an buidéal anseo,' arsa Pacó. 'Is gráin léi féin istigh é, agus tá srón mar shrón cú uirthi. Ba chuma cá gcuirfeá é sa tigh, d'aimseodh sí é.'

Tháinig an bheirt acu amach go dtí an geata chun slán a fhágaint leis nuair a bhí sé ag dul ar ais go Cnoc na Coille.

Chaith Aindí cúpla lá gan bualadh le Aoife. Bhí sé fós ag machnamh ar a ndúirt a athair agus a mháthair leis, agus anois agus arís bhíodh sé á chur trí chéile le Eibhlín. Níor thaitin sé leis go mbeadh uisce faoi thalamh ar siúl aige, ag ligint air gur ghlac sé go fonnmhar leis an tairiscint a dhein Jeaic agus ag an am céanna go mbeadh sé ag ullmhú don saol a bheadh ann nuair a bhrisfí col an phósta lena iníon. Bhí sé sásta gurb é sin a bhí ar intinn acu, mar ní raibh aon mhíniú eile aige ar na coinníollacha a leag Jeaic síos don chonradh a bheadh le síniú acu.

Chuir na Faoláraigh fáilte mhór roimhe nuair a bhuail sé isteach sa tigh chucu ag deireadh. Uaidh sin amach, bhraith sé go raibh athrú beag sa tslí ar chaith siad leis. Bhí sé mar dhuine den teaghlach. Ní labhraídís leis ach amháin nuair a bhíodh gá leis. Roimhe sin dheinidís iarracht a bheith ag comhrá leis i gcónaí, agus bheannaídís dó nuair a thagadh sé isteach, agus chuiridís ceisteanna air faoi rudaí nach raibh suim ar bith acu iontu, díreach chun deimhin a dhéanamh de go dtuigfeadh sé gur ghlac siad leis mar dhuine den chomhluadar. Ba mhinic go gcaithfeadh sé trí nó ceithre uair an chloig sa tigh agus nach mbíodh aon chaidreamh aige le Aoife. Nuair a bhíodh sé chun dul abhaile, áfach, théadh sí amach leis go dtí a charr agus shuíodh sí isteach ann agus chaithidís tamall ann ag comhrá agus a leithéid.

Thugadar faoin tigh nua a thógaint, ach cuireadh moill orthu. Dúirt an tógálaí, cara le Jeaic, go ndéanfadh sé an obair taobh istigh de sé mhí, ach chun an bunchló a bheith deartha ag an ailtire, Aoife agus Aindí agus Siobhán a bheith sásta leis, agus cead pleanála a bheith faighte acu, thógfadh sé an chuid is mó de dhá bhliain orthu. Ní aontódh Aoife ná a máthair ná a deirfiúracha leis an bpósadh a bheith ann sula mbeadh an tigh ann don bheirt. Dá bhrí sin, lean Aindí agus Aoife orthu ag bualadh le chéile ina tigh siúd agus ag dul amach lena chéile go cóisirí agus coirmeacha agus céilithe. B'annamh dóibh dul amach, áfach, agus de réir a chéile d'imíodh roinnt mhaith laethanta thart agus ní bhuailidís le chéile in aon chor.

'Bhfuil a fhios agat,' arsa Aoife le Aindí oíche amháin agus an bheirt acu ina suí sa charr taobh amuigh den tigh, 'tá deich lá ann ó bhuaileamar le chéile cheana?'

'Bhfuil an fad sin ann?' arsa Aindí.

'Tá, agus má leanaimid orainn mar sin, is ar éigean a bheidh aithne againn ar a chéile nuair a bheimid ag pósadh.'

'Sin mar a bhíodh sé fadó,' arsa Aindí, 'nuair a bhíodh na cleamhnais ann.'

'B'fhéidir go mb'fhearr dá mbeadh na cleamhnais sin ann i gcónaí. Tá sé le tuiscint go raghadh beirt i dtaithí ar a chéile nuair a bheidís in aontíos tamall, ach tá an bhail sin orainne cheana féin.'

'Is fíor duit,' arsa Aindí. 'Ach níl leigheas air.'

'Dearmad ort, a chroí,' arsa Aoife. 'Tá leigheas ar an scéal. Tá aithne agat ar chailín Thomáis, Méiní Ní Cheallacháin? Tá árasán aici siúd i gCill Mocheallóg. Tá sí ann ina haonar, agus bíonn sé díomhaoin ag an deireadh seachtaine mar téann sí siar go dtí a baile féin i gCeann Tuirc. Ba bhreá léi dá bhfanfaimis-ne ann gach deireadh seachtaine. Bíonn imní uirthi i gcónaí go mbrisfeadh bligeaird isteach ann.'

'Agus cé mhéid a chosnódh sé sin?' arsa Aindí. Bhí airgead á choigilt aige go tiubh ag an am sin in aghaidh am an ghátair a cheap sé a bheadh chuige ar ball.

'Faic,' arsa Aoife. 'Bheadh sí faoi chomaoin againn, a dúirt sí. Agus tá leaba dhúbailte aici. Fanann Tomás ann anois agus arís.'

Ghlacadar leis an tabhartas sin, agus uaidh sin amach chaithidís an deireadh seachtaine in aontíos san árasán i gCill

Mocheallóg agus laethanta eile na seachtaine i gCnoc na Coille. Theastaigh ó Mhaitiú go n-ísleodh sé an cíos a bhí á dhíol ag Aindí leis, ach ní aontódh Aindí leis sin. Dúirt sé go bhfanfadh a sheomra in áirithe dó ag an deireadh seachtaine agus go raibh sé de réir cirt go ndíolfadh sé as. Maidir leis an árasán, cheannaídís sólaistí de shórt eigin agus d'fhágaidís ann ina ndiaidh iad sa chuisneoir nó sna cófraí mar bhronntanaisí do Mhéiní.

Ba mhór an t-athrú a bhí tagtha ar a saol. Bhíodar mar a bheidís pósta ag an deireadh seachtaine agus neamhphósta taobh amuigh de sin. Bhraith Aindí go raibh athrú tagtha ina shaol tigh Mhaitiú agus Eibhlín chomh maith. Bhí Maitiú mar a bhí sé riamh, ach bhí Eibhlín tarraingthe siar uaidh ar chuma éigin. Théidís ar scoil le chéile i gcarr Aindí agus thugadh sin deis dóibh comhrá caidreamhach pearsanta a dhéanamh, ach ní dheinidís. Ní labhraíodh Eibhlín faoi aon ní ach an scoil agus scéal an pharóiste, nó abhar a bhíodh ar nuacht an raidió nó sna páipéirí. Sa tigh féin ní thagaidís le chéile ach ag na béilí, agus bhíodh Maitiú ann ina dteannta. Má bhí rud éigin ag déanamh buartha d'Aindí, ní raibh seans aige é a roinnt le Eibhlín agus comhairle a fháil uaithi mar a dheineadh roimhe sin. Ní bhíodh sí ach fuarchúiseach agus seachantach nuair a dheineadh sé iarracht ar labhairt léi faoi rud éigin ina shaol pearsanta. Níor thuig sé i gceart cad ba chúis leis an athrú, ach bhí sé ag suil leis go mbogfadh sí agus go dtíocfaidís thar n-ais ar a seanrith arís.

Rud eile a bhí ag déanamh buartha dó ná go raibh ar intinn aige a bheith ag carnadh airgid don lá a gcuirfidís an ruaig air as an tigh agus as an bpósadh má b'fhíor don mhíniú a thug a athair agus a mháthair ar an socrú a dhein Jeaic faoin tigh nua. Chreid sé go raibh an ceart ag a athair, ach b'fhearr leis go mór dá mbeadh sé macánta le Aoife agus nach mbeadh sé ag coimeád aon ní ina rún uaithi, go háirithe aon rud a bhain leis an mbeirt acu.

An t-athrú ba shuntasaí a tháinig ar a shaol ná go raibh air brath ar a stuaim agus a thuiscint phearsanta féin chun a chuid fadhbanna a réiteach. Tharlaíodh go mbíodh sé ina dhúiseacht cuid mhaith oícheanta ina leaba, ag iarraidh teacht ar chinneadh faoi cheisteanna i gcás cúrsaí sa scoil agus taobh amuigh de. Ní raibh sé cinnte go raibh sé ag fáil máistreachta ar a shaol ach, i ngan fhios dó féin, b'fhéidir go raibh sé ag druidim chun críonnachta.

Bhí Aoife chomh ciúin agus chomh foighneach gur cheap sé go raibh an uain tráthúil chun í a thabhairt suas go Tobar an Iarainn chun bualadh leis an tseanbheirt thuas ann. Ní raibh aon dúil rómhór ag Aoife an turas a dhéanamh, ach bhí Aindí ag tathant uirthi, agus ghéill sí dó. Chuir sé glaoch ar a mháthair, ag rá léi go mbeidís chuici ar an Aoine.

19

Mhoilligh Aindí an carr. Bhíog Aoife agus shuigh suas ag féachaint timpeall uirthi, a súile ag bogadh ó thaobh go taobh ag iarraidh an pictiúr a thaisceadh ina haigne. 'An í seo an áit?' d'fhiafraigh sí.

'Is í,' arsa Aindí.

Seantigh aon urláir a chonaic sí, tigh fada bán, doras a raibh dhá fhuinneog ar a thaobh clé agus trí cinn ar a thaobh deas. Bhí cosán cúng ón doras go dtí céim sa chlaí, déanta de chlocha, ag an mbóthar. Aghaidh an tí ag breathnú soir i dtreo éirí na gréine, agus a chúl leis an ngaoth aniar is an drochaimsir a bheireann sí siúd léi. Taobh thiar den tigh bhí líne de chrainn feá, cúig cinn acu mar gharda ag tabhairt fothaine. Cé go raibh na crainn sin lánfhásta, bhíodar i bhfad níos lú ná na crainn mhóra a bhí thall is abhus sa bhfeirm thíos i gCnoc na Coille. Ag an nóimead sin bhí duilliúr na gcrann sin ag creathadh agus ag drithliú faoi anáil leoithne bige aniar aneas, agus ba ghlinn is ba ghlan an radharc í. D'fhan Aoife ag breathnú air, a béal agus a súile ar dianleathadh agus gan focal aisti.

'Sin é agat é,' arsa Aindí, 'mo bhaile dúchais, an áit ar fáisceadh is ar fuineadh mé.'

'Níl sé cosúil in aon chor leis an áit a raibh coinne agam leis,' arsa Aoife. 'Mheasas go mbeadh an tigh cosúil leis an tigh againne sa bhaile, ach níos lú. Agus an amhlaidh nach bhfuil de bhealach isteach ach an cosán sin suas go dtí an doras?'

'Seo,' arsa Aindí, 'raghaimid isteach agus feicfidh tú.'
Chuir sé an carr tamaillín síos an bóthar agus chas isteach ar
bhóithrín a bhí ag lúbadh isteach taobh thiar den tigh cónaithe.
Chuadar isteach i gclós fairsing feirme ag cúl an tí. Bhí an
scioból mór féir ann agus na foirgnimh eile. Ina measc sin, bhí
an bhleánlann. Thaispeáin Aindí d'Aoife í agus mhínigh sé
conas mar a sheasadh an duine a bheadh ag crú sa phasáiste
íseal idir an dá líne de stallaí na mbó, agus an t-innealra crúite,
agus na píobáin ann a thug an bainne amach go dtí an taiscumar
sa seomra fuar taobh leis.

'Tá céad míle fáilte romhaibh,' arsa Íde leo nuair a chuadar
isteach sa tigh, agus rug sí barróg ar Aoife. 'Suígí síos ansin ag
an mbord, agus beidh cupán tae againn. Tá sé féin imithe síos
chun na ba a thabhairt isteach. Beidh sé chugainn sul i bhfad.'

Shuíodar, agus thosaigh Aoife ag féachaint timpeall ar an
troscán agus na pictiúir ar an mballa agus an sorn leictreach
agus an tinteán agus an matal, agus ar gach aon ní ach amháin
díreach ar bhean an ti.

Bhí Aindí ag faire orthu, agus thug sé faoi deara mar a
bhíodh spléachadh gasta á thabhairt acu ar a chéile aon seans a
bhuaileadh leo. Ba léir dó go raibh fiosracht orthu araon faoin
duine eile. Ní raibh a fhios acu i gceart conas a chaithfidís lena
chéile. Mheas sé go mb'fhearr dó dul in ait éigin agus iad a
fhágaint leo féin ar feadh tamaill go dtí go leáfaí an leac oighir
a bhí sa chaidreamh eatarthu. 'Tabharfaidh mé isteach na
málaí,' ar seisean, agus sheas sé is d'imigh amach. Níor
chuaigh sé i ngar ná i ngaobhar don charr, ach bhuail amach
tríd an mbearna idir an scioból agus an bhleánlann, agus shiúil
sios an bóithrín cúng gairbhéil idir na páirceanna i dtreo an
tréad bó a bhí ag teacht go breá malltriallach ina threo.
D'fhéadfadh sé ceann a athar a fheiscint taobh thiar díobh agus
chuala a ghuth á dtíomáint—'Habha! Habha!'—agus corr-
sceamh ag Fuiscí á thionlacan.

152

'Tánn tú anseo cheana féin,' arsa Pacó nuair a bhuaileadar le chéile. 'Ar rugais an cailín leat?'

'Rug,' arsa Aindí. 'D'fhágas istigh an bheirt acu. Beidh siad ag dul in aithne ar a chéile go ceann tamaill.'

Dhein Pacó gáire. 'Tá súil agam nach ag pleancadh a chéile a bheidh siad!' ar seisean agus gáire croíúil ag an mbeirt acu. Bhí an bheirt acu ag cadráil leo fad a bhí na ba á gcrú agus á gcur thar n-ais i bpáirc nua don oíche.

Ansin thóg Aindí na málaí ón gcarr agus thug isteach sa tigh iad. 'Gabh mo leithscéal,' ar seisean leis an mbeirt bhan. 'Bhí na ba ag teacht isteach nuair a chuas amach, agus d'fhanas ann go dtí go raibh siad ag dul amach arís.'

'Ba chuma dá bhfanfá amuigh go ham codlata,' arsa Íde. 'Bhí ag éirí go breá leis an mbeirt againn anseo istigh.'

'Bhí,' arsa Aoife agus straois ghealgháireach ar a béal, ach d'aithin Aindí an strus a bhí taobh thiar den mheangadh sin.

Chraith Pacó lámh le Aoife agus bhí ag caint léi, á ceistiú faoi conas a thaitin an áit léi, agus an éagsúlacht idir feirm Thobar an Iarainn agus an fheirm ag a muintir thíos i Machaire Méith na Mumhan.

'Suígi chun boird anois,' arsa Íde.

Bhí plátaí móra de shailéad mairteola ar an mbord aici agus corcán tae agus gach aon rud eile ba ghá chun béile breá a bheith acu. Bhíodar ag geabaireacht leo fad a bhíodar ag ithe, ag tagairt do scéalta a bhí ar nuacht an raidió, do rud éigin a chuala duine acu ó dhuine éigin eile, ach gan aon fhocal in aon chor fúthu féin nó faoi phósadh nó faoi thithe nua nó aon rud a fhéadfadh a bheith ina chnámh spairne eatarthu. Bhraith Aoife go raibh an triúr eile bogásach mar go raibh eolas agus intinn de chineál éigin roinnte eatarthu nach raibh sí féin páirteach ann. Chaith sí an-chuid ama ag faire ar Aindí, mar cheap sí go mbeadh seans níos fearr aici an t-eolas rúnda a bhí acu a léamh ar a chuntanós siúd ná mar a dhéanfadh sí ar na sean-shaighdiúirí eile.

Tar éis an tae, nigh Aoife agus Aindí na gréithe agus chuaigh an bheirt eile isteach sa seomra suite agus chuir an teilifís ar siúl. 'Tá sé chomh maith againn na málaí a chur sa seomra leapa,' arsa Aoife.

Chuaigh Aindí go dtí doras an tseomra suite agus d'fhiafraigh, 'Cén seomra leapa a bheidh againn, a Mham?'

'Fan nóiméad,' arsa Íde agus tháinig sí amach chucu.

'Táirse, a Aindí, thíos i do sheansheomra i dtóin an tí. Tar liom, a Aoife, agus taispeánfaidh mé do sheomra féin duit.'

D'fhéach Aoife agus Aindí ar a chéile gan faic a rá. D'ardaigh Aindí a ghuaillí, ag cur in iúl nach raibh aon leigheas acu ar an scéal ach déanamh de réir mar a d'ordaigh a mháthair. Thóg sé a mhála féin agus chuaigh thar dhoras an tseomra suite agus go ceann an phasáiste ar an taobh sin den tigh, agus bhain amach ansiúd an seomra leapa a bhí aige i rith a shaoil go dtí gur fhág sé an nead agus gur chuaigh go Luimneach ag obair i Scoil Chaitríona.

D'imigh Íde síos an pasáiste sa leath eile den tigh, agus lean Aoife í go dtí seomra leapa a bhí ag ceann eile an tí. 'Tig leat do chuid éadaigh a chur san almóir ansin,' arsa Íde, 'agus d'fhéadfá an fhuinneog a fhágaint ar oscailt. Ní baol duit san áit seo, agus choimeádfadh sé an seomra go deas fionnuar agus compordach.' D'fhág sí Aoife léi féin sa seomra agus chuaigh thar n-ais go dtí an seomra suite.

Chuaigh an bheirt óg thar n-ais go dtí an seomra suite nuair a bhí na málaí fágtha acu sna seomraí leapa. Bhí an teilifís ag obair, ach bhí an fhuaim múchta ag Íde mar theastaigh uaithi a bheith ag caint. Ba bheag an chaint a dheineadar ach corrcheist ag duine de na seanóirí agus freagra gearr dea-bhéasach ó Aoife, mar ba uirthi a bhíodh na ceisteanna dírithe.

'Bhfuil aon rud beartaithe agaibh don lá amárach?' d'fhiafraigh Pacó.

'Bhíos ag ceapadh go dtabharfainn Aoife isteach go Lios Tuathail. Ní raibh sí riamh ann,' arsa Aindí.

'Murar mhiste libh é,' arsa Íde, 'raghad in bhur dteannta. Tá cúpla rud le déanamh agam ann, agus d'oirfeadh dom é a dhéanamh amárach.'

'Ba bhreá linn tú a bheith linn,' arsa Aoife.

'Bheadh cúpla uair an chloig ag teastáil uaim, agus d'fhéadfadh sibhse bhur rogha rud a dhéanamh. An mbeadh sin ceart go leor, a Aindí?'

'Bheadh,' arsa Aindí. 'D'fhéadfadh Aoife spléachadh a fháil ar na siopaí, agus b'fhéidir go ndéanfaimis sciúrd i dtreo Bhaile an Bhuinneánaigh go bhfaigheadh sí radharc ar an Atlantach.'

'Tá sibh tamall ón bhfarraige ansin thíos,' arsa Pacó.

'Is fíor sin,' arsa Aoife.

D'imigh an oíche thart sa dóigh sin, caint neamhurchóideach don chuid ba mhó, ach anois agus aris saighdeadh géar faoi cheilt sna rudaí a bhí á rá ag Íde. Níor lig Aoife uirthi gur thug sí aon aird orthu. I ndeireadh báire, thart ar a leathuair i ndiaidh a haon déag, d'imigh an tseanbheirt a chodladh agus fágadh Aindí is Aoife leo féin sa seomra suite.

'Is deas an bheirt iad,' arsa Aoife, 'go hairithe d'athair, ach níor mhaith liom an oíche amárach a chaitheamh mar a dheineamar anocht.'

'Ní dhéanfaimid,' arsa Aindí. 'Raghaimid go dtí an tábhairne in Áth an tSléibhe. Bíonn craic mhaith ann de ghnáth, a deirtear.'

An lá dár gcionn, chuaigh siad isteach go Lios Tuathail. D'fhág Íde an bheirt eile ag fámaireacht timpeall ar na siopaí agus d'imigh sí féin áit éigin. Ní dúirt sí leo cén áit. 'Tá sí ag dul go dtí an banc nó an dlíodóir,' arsa Aindí.

'Tuigim go mbeadh sí ag dul go dtí an banc,' arsa Aoife, 'ach cén gnó a bheadh aici de dhlíodóir?'

'Ní fheadar,' arsa Aindí, 'ach d'fhéadfainn buille faoi thuairim a thabhairt.'

'Cad é?'

'Ní déarfaidh mé, mar nílim cinnte cad é.'

Níor labhair Aoife, ach thuig Aindí ón tost go raibh ábhar machnaimh aici.

Chuadar amach go Baile an Bhuinneánaigh, agus chaitheadar dhá uair an chloig ar an ardán idir an dá thrá ag breathnú ar an bhfarraige ag rolladh cuilithíní isteach ar an ngaineamh.

'Is maith an rud é dul go dtí an tábhairne,' arsa Pacó nuair a dúradar leis cad a bhí ar intinn acu. 'Bíonn comhluadar aoibhinn ann.'

'Agus,' arsa Íde, 'thabharfadh sé caoi d'Aoife bualadh le roinnt de na daoine anseo timpeall. B'fhéidir go bhfaigheadh sí amach nach bhfuil mórán de dhifríocht eatarthu agus na daoine sin thíos ina háit féinig.'

Chaith Aoife tamall maith á dreachadh féin ag ullmhú chun teacht i láthair na leábharaicí áitiúla sa tábhairne. Bhí sí gléasta agus feistithe go hiontach chun aghaidh a thabhairt ar an saol mór ar a leathuair tar éis a hocht, agus nuair a shiúil sí isteach sa seomra suite, mar a raibh an triúr eile, bhí barr loinnear-thachta bainte amach aici mar a bheadh ar réaltóg scannán. Chuaigh sí i bhfeidhm chomh mór sin ar na fir gur éirigh an bheirt acu ina seasamh de gheit. D'fhan Íde ina suí.

'Nílir ullamh fós,' arsa Aoife le Aindí, mar bhí sé fós sna seanbhalcaisí a bhí air ó mhaidin.

'Tá sé beagáinín luath go fóill,' ar seisean. 'Ní théann siad isteach ansin go dtí a deich a chlog nó thart air.'

'B'fhearr liom a bheith ann go luath go mbeadh áit mhaith faighte againn agus go mbeimis inár suí ann sula dtagann an brú.'

'Tá go maith,' arsa Aindí, agus d'imigh go dtí an seomra folctha chun é féin a bhearradh.

D'óladar roinnt mhaith sa bheár, mar bhí daoine a bhí ar aithne ag Aindí á bhrú orthu ar feadh na hoíche. Bhíodar bog go leor nuair a shroicheadar an tigh uair éigin i ndiaidh a haon a chlog. Dheineadar iarracht gan fothram a dhéanamh ag dul isteach abhaile dóibh, chun nach ndúiseoidís an tseanbheirt. Bhí an deoch agus pléaráca na hoíche sa bheár ag séideadh fúthu i gcónaí, áfach, agus bhí Aoife ag cogarnach sa phasáiste taobh amuigh de dhoras sheomra na seandaoine. Bhí Aindí ag iarraidh í a chiúnú, ach bhí ag teip air. 'Ar mhaith leat tamall a chaitheamh i mo theannta?' ar sise.

Leag Aindí méar ar a beola agus labhair isteach ina cluais. 'Labhair níos boige,' ar seisean. 'Tá sé féin ina chodladh, ach tá sise ina lánduiseacht. Chloisfeadh sí mé ag dul isteach i do sheomra agus bheadh an praiseach ar fud na mias. Tá a fhios agat cén sórt í.'

'Tánn tú in aois fir, a Aindí, a ghrá ghil,' ar sise agus labhair sí os ard.

Bhéic Íde sa seomra leapa: 'Tá sibh déanach go maith ag teacht abhaile.'

'Tá,' arsa Aindí, agus níorbh fholáir nó thug an deoch misneach dó. 'Beimid ag caint leat ar maidin,' ar seisean go gaisciúil. Rug sé ar láimh ar Aoife agus shiúil go teanntásach in éineacht léi go dtí an seomra codlata. Chualadar srann trom srónach ag Pacó, ach bhí Aindí cinnte gur chuala sé scige bheag gháire ag a mháthair.

An mhaidin dár gcionn, chuir Pacó agus Íde ceisteanna orthu faoin oíche sa bheár, agus bhí comhrá acu faoi ag an mbricfeasta. Níor deineadh tagairt in aon chor don mhéid a dúradh sa phasáiste ar theacht isteach dóibh, agus bhí gach aon ní go sibhialta agus go sócúil.

D'fhág Aindí agus Aoife an áit anonn sa tráthnóna agus thug aghaidh ar Chnoc na Coille. Shiúil an tseanbheirt amach go dtí an bóthar agus d'fhág slán acu. Nuair a bhíodar imithe tamall síos an bóthar, d'fhéach Aoife siar. 'Táid amuigh ar an mbóthar i gcónaí, ag féachaint i ndiaidh an chairr,' ar sise.

'Tá a fhios agam,' arsa Aindí gan féachaint siar in aon chor. Bhraith sé mar a bheadh deireadh ré ann. Bhí sé ag fágaint na háite agus ag fágaint an tseanshaoil ina dhiaidh. Bheadh air cloí le muintir an Mhachaire Mhéith sa saol a bhí le teacht. Mar strainséir a fhillfeadh sé ar a sheanbhaile ón lá sin amach.

Ar theacht anuas ón gcnoc don bheirt, bhraith Aindí mar a bheadh athrú tagtha ar a aigne agus ar a mheon, ar an gciall a bhí aige dá áit dhúchais agus don mhuintir ar díobh é. Níor chnocánach a thuilleadh é. Bhraith sé go raibh sé tar éis iad sin thuas a thréigint, feall déanta aige orthu. Bhí a fhios go maith aige nach mar sin a bhí an scéal dáiríre, dar ndóigh, ach aon uair a léimfeadh pictiúr isteach ina aigne d'Íde nó de Phacó, bhuailfeadh míshástacht é. Bhí a bheag déanta aige den réimeas morálta a bhí i bhfeidhm acu ina dtigh. Bhí aiféaltas air nár fhéad sé an mothúchán sin a lua le Eibhlín agus a chur trí chéile léi. Bhíodar fuarchúiseach agus foirmeálta lena chéile le tamall. Níorbh aon mhaith é a rá le Aoife. Cheap sé nach mbeadh tuiscint aici do rudaí den sórt sin.

20

Bealtaine 1981

Shleamhnaigh an saol thart. Bhí Aindí ina sheomra thuas staighre oíche amháin, ag léamh dó féin roimh dhul a chodladh. Chuala sé Maitiú ag teacht isteach, agus b'ionadh leis go raibh sé amuigh chomh déanach sin san oíche. Chuala sé é ag rá rud éigin le Eibhlín agus ansin é ag teacht aníos an staighre. Bhuail sé cnag ar dhoras Aindí agus tháinig isteach gan chuireadh. 'Beidh an cruinniú cinn bhliana ann ar an Satharn,' arsa Maitiú.

'Cheapas nach mbeadh sé sin ann go dtí an fómhar,' arsa Aindí.

'Ní bhíodh, leis, ach tá deabhadh ar dhaoine áirithe. Roinnt de na leaideanna óga, iad sin a bhíonn i gcomhluadar an tsagairt óig thuas sa chlubtheach. Mhol Peaidí Mac an tSaoi ag an gcruinniú anocht é, agus glacadh leis.'

'Nach cuma?' arsa Aindí. 'Cén difríocht a dhéanfaidh sé?'

'Ní thuigfeása é, a Aindí, ach sinne a bhíonn i measc na ndaoine atá sa chumann, ag éisteacht leo agus ag faire ar a mbíonn ar siúl, tá a fhios againn go bhfuil an gort treafa agus an síol curtha ag lucht tacaíochta an tsagairt agus go mbainfidh sé an chathaoirleacht amach sa toghchán.'

'Ach nach bhféadfadh sibhse a bheadh ina choinne sin bhur stocaireacht féin a dhéanamh?'

'D'fhéadfadh, ach níor dhein, agus tá sé ródhéanach anois. Nil dóthain ama againn.'

'Caithfidh sibh glacadh leis, mar sin.'

Stad Maitiú agus d'fhéach sé isteach sna súile ar Aindí. 'An

159

t-aon seans amháin atá againn ná iarracht a dhéanamh ar an slua a thabhairt linn ag an gcruinniú Dé Sathairn.' D'fhan Maitiú ag féachaint ar Aindí gan aon rud eile a rá. Bhí sé cosúil le gadhar a bheadh ag impí ar a mháistir é a thabhairt ar siúlóid nó greim a thabhairt dó le n-ithe.

'Ní dhéanfad,' arsa Aindí sula raibh deis ag Maitiú an t-iarratas a dhéanamh os ard.

Lean Maitiú air, áfach, ag tathant air agus á mholadh, agus ag cur ina luí air go mba é an t-aon duine amháin a fhéadfadh an beart a dhéanamh. Ghéill Aindí ag deireadh, agus thug geallúint go molfadh sé Tomás Mac Aodha is go ndéarfadh sé cúpla focal ar a shon ag an gcruinniú.

Chuaigh sé go dtí an t-árasán i gCill Mocheallóg le Aoife ar an Aoine, agus chaith sé roinnt mhaith ama ar an Satharn ag scríobh amach an chaint a dhéanfadh sé an oíche sin ag an gcruinniú i gCnoc na Coille. Dúirt Aoife nach mbeadh aon bhaint aici leis agus nach raghadh sí ina theannta go Cnoc na Coille don chruinniú an oíche sin. Dúirt sí nach raghadh sí go dtí an beár sa chlubtheach, fiú amháin, rud a chuir ionadh ar Aindí.

Bhí slua mór ag an gcruinniú, níos mó ná mar a bhíodh de ghnáth. Bhí coinne ag a lán le corraíl de shórt éigin mar bhí a fhios go forleathan go mbeadh coimhlint ann don chathaoirleacht. Nuair a d'fhógair Tomás Mac Aodha go mba é an chéad ghnó eile ná cathaoirleach a thoghadh, thit ciúnas iomlán ar an áit faoi mar a bheadh gach éinne tite a chodladh. Níor chorraigh éinne. 'Ainmniúcháin?'

Sheas Aindí. 'Gabhaim pardún agaibh go léir,' ar seisean, 'mar gheall ar a bheith ag moladh duine go bhfuil aithne i bhfad níos fearr ag an gcuid is mó agaibh air na mar atá agamsa. Is fíor gur strainséir mé anseo go fóill, ach tá taithí agam ar bheith ag plé le cumainn agus an t-eagrú a ghabhann leo in áiteanna eile seachas an áit seo. Is féidir liom a rá libh gan aon agó go bhfuil barr cumais is feabhais agus barr maisiúlachta ar obair an choiste anseo thar mar a chonac in aon áit eile. Ní tharlaíonn a leithéid sin trí thionóisc. Tá a fhios agam gur mór an chabhair an obair a dheánann gach éinne, idir óg agus aosta, idir fhir agus mhná agus dhaoine óga, chun cuspóirí agus obair an chumainn a chur ar aghaidh. Ach tá rud amháin thar aon rud eile a chuireann críoch fhónta ar an obair, agus sin an cheannas-aíocht a spreagann agus a dhíríonn an saothar sin. Tá sé sin le fáil agaibh le tréimhse fhada ón gcathaoirleach atá anois ann agus, má tá ciall agaibh, a bheidh ann go ceann i bhfad. Ní raibh aithne agam ar Thomás Mac Aodha go dtí gur tháinig mé anseo trí bliana ó shin nó mar sin, ach idir an dá linn tá aithne curtha agam ar fhear atá cumasach fadradharcach gaoismhear seiftiúil ionraic uasal. Is dó atá an chreidiúint ag dul as an seod glórmhar atá ar an bhfód anseo againn mar chumann iomanaíochta. Is mór an phribhléid agamsa é a mholadh mar chathaoirleach ar an gcumann seo.' Shuigh sé síos, agus tugadh bualadh bos mór dó.

'Bhfuil cuiditheoir leis an moladh sin?' d'fhiafraigh an cathaoirleach.

Sheas Marcus Ó Maolmhuaidh agus chuidigh leis an rún molta. Bhí sé ag labhairt mar bhall den bhfoireann sinsir: ghabh sé buíochas leis an gcathaoirleach as an gcóir a cuireadh orthu agus mhol sé é as an mbaint a bhí aige leis sin.

'Aon ainmniúchán eile?' arsa an cathaoirleach.

Sheas Jeaic Ó Faoláir. 'Nílimse ró-oilte ar phlámás agus caint shiúcruil,' ar seisean, 'mar atá daoine eile—agus ní dearfaidh mé libh cé hiad: tá aithne mhaith agaibh orthu. Tá an áit seo agus an paróiste seo faoi chomaoin mhór riamh ag fir chalma na hEaglaise, cosantóirí ár gcreidimh, agus laochra na ndaoine in aon phráinn a bhéarfadh orthu. Tá sé thar am againn duine acu d'earcú chun a bheith linn san am atá le teacht. Molaimse an tAthair Seán Ó Corráin. Ní gá dom aon chur síos a dhéanamh air. Tá aithne agaibh go léir air.' Shuigh sé síos agus fuair bualadh bos is liú fiáin ó bhun an halla.

Ní raibh aon ionadh ar Aindí gurb é Jeaic a mhol an sagart. Bhídís ag imirt cártaí is bhíodar mór le chéile, agus bhí coimhlint de shórt idir é féin agus Tomás Mac Aodha ag cruinniú. Ní raibh ionadh air ach chomh beag gurb é Peaidí Mac an tSaoi a chuidigh leis an moladh, mar tharla achrann idir é agus an cathaoirleach chomh maith.

'Tá go maith,' arsa an cathaoirleach, 'Tá páipéar votála ag gach duine agaibh atá cáilithe chun vótála. Scríobhadh gach éinne a—'

Bhris Jeaic Ó Faoláir isteach air ag an bpointe sin: 'Cuirigí uaibh an bhaothaireacht! Cuirimis ár lámha in airde chun vótála, agus bíodh sé le feiscint ag gach éinne cé atá i bhfábhar na n-iarrthóirí agus cé atá ina gcoinne.'

Chuir Maitiú Ó Cléirigh ina choinne sin. Dúirt sé go raibh sé de nós riamh acu na toghcháin sin a dhéanamh faoi rún.

Chuir an cathaoirleach ceist ar an rúnaí, Micheál Ó Saoraí, ag fiafraí an raibh riail ann do thoghcháin.

'Ní heol dom aon riail a bheith ag an gCumann náisiúnta do thoghadh chathaoirligh clubanna, is é sin le rá, go sainiúil,' arsa an rúnaí, 'ach tá an nós seanbhunaithe ag an gclub seo go ndéanfaí faoi rún é ar pháipéirí vótála. Le sé bliana anuas ní raibh aon toghchán ann, mar nach raibh ann gach bliain ach an t-aon ainmniúchán amháin. Roimhe sin, áfach, bhíodh toghchán rúnda ann.'

'Tá go maith, mar sin. Téigí ar aghaidh agus cuirigí síos bhur rogha den dá ainm ar an bpáipéar vótála, agus baileofar uaibh iad.'

Nuair a deineadh é sin agus a thug na háiritheoirí na huimhreacha don chathaoirleach, sheas sé agus d'fhógair an toradh: 'An tAthair Seán Ó Corráin: fiche a dó. Tomás Mac Aodha: a haon déag.' Tugadh bualadh bos agus tógadh liú lag ag an dream ag bun an halla.

Nuair a scoireadh an cruinniú, bhailigh an chuid ba mhó de bhaill an chumainn isteach sa bheár. Bhí bús mór cainte ann, daoine i ngrúpaí beaga ag cur síos ar ar tharla ag an gcruinniú, agus roinnt mhaith acu ag iarraidh a dhéanamh amach conas mar a bheadh ag an gcumann faoi chúram an tsagairt. Bhí Aindí ann, ag caint le Neid Puirséal agus beirt imreoir eile.

Tháinig Jeaic i leith chucu, deoch ina láimh agus straois mhagaidh ar a aghaidh. 'Bhuamar oraibh,' ar seisean, 'agus ba mhaith an rud é. Bhí spreasán fir gan mhisneach gan bhrí ann rófhada, agus bhí a rian ar an bhfoireann. Níor bhuadar faic riamh. Níorbh aon ionadh go mbeadh meatachán ag imirt dúinn a d'éirigh as ar fad nuair a buaileadh cnagadh bog éadrom ar a chlogad i gcluiche mor na bliana seo a d'imigh thart.'

Chas Aindí timpeall agus thosaigh ag siúl i dtreo an dorais.

Lean Jeaic é agus rug ar uillinn air agus bhí ag labhairt isteach ina chluais. 'Tá amhras orm fútsa,' ar seisean. 'Ní fheadar cad tá ar an iníon sin agam go dteastaíonn uaithi a bheith pósta leat. Ach más é sin a rogha, bíodh aici! Fuaireas scéala ón bhfoirgneoir. Beidh an tigh sin ullamh daoibh i gceann sé mhí. Bíodh an pósadh agaibh roimhe sin, nó is féidir libh dul in ainm an diabhail!'

'Scaoil le m'uillinn,' arsa Aindí, 'nó buailfidh mé clabhta sa phus ort!'

D'fhéach Jeaic go marfach isteach ina shúile ar feadh nóiméid, agus ansin scaoil leis.

D'fhág Aindí an beár gan aon rud eile a rá. Bhí doras an halla ar oscailt nuair a bhí sé ag dul thairis, agus chonaic sé Tomás Mac Aodha is Maitiú istigh ag caint le chéile agus le triúr den bhfoireann iománaíochta. Chonaic Tomás Aindí ag dul thart agus ghlaoigh sé amach chuige, 'Míle buíochas, a Aindí!'

'Bhfuilir ag dul abhaile?' d'fhiafraigh Maitiú.

'Táim.'

'Fan nóiméad, agus beidh mé leat.'

Nuair a chuadar isteach sa tigh, chuaigh Aindí suas an staighre go dtí a sheomra, agus chuaigh Maitiú isteach sa seomra suite chuig Eibhlín. Níor las Aindí an solas, ach shuigh ar an gcathaoir uilleach ag féachaint amach an fhuinneog ar an dorchadas amuigh. Níor theastaigh uaidh dul thar n-ais go Cill Mocheallóg go fóill. Bhí a fhios aige ón taithí a bhí aige ar an radharc go raibh réimse fairsing de thalamh féarach crannach faoi mhogalra de chlaíocha ann, radharc a bhí chomh lom, chomh ciúin, chomh síochánta sin go gcuireadh sé suaimhneas agus sáimhe ar a anam féin.

Ní raibh a fhios aige cén fhad a chaith sé ann. Chuala sé duine éigin ag teacht aníos an staighre agus ag dul isteach i seomra codlata na beirte. Mheas sé, ar an gcoiscéim throm a leagadh ar chéimeanna an staighre, gurb é Maitiú a bhí ann.

Tamall ina dhiaidh sin, chuaigh sé síos an staighre chun dul thar n-ais go dtí an t-árasán i gCill Mocheallóg. Chuaigh sé isteach sa seomra suite chun a rá le Eibhlín go raibh se ag imeacht. Bhí sise ina seasamh os comhair na tine, agus cuma bhuartha ar a haghaidh, rian deor ina súile. 'Cén bhuairt sin ort?' d'fhiafraigh Aindí.

Níor fhéad sí freagra a thabhairt air. D'fhan sí ag féachaint air agus a béal ag bogadh faoi mar a bheadh sí chun tosú ag gol. Shiúil Aindí cúpla céim ina treo agus chuir a lámha thart uirthi. Chuir sí a lámha féin thart ar a mhuineál agus sheas siad mar sin ar feadh tamaill gan aon rud a rá. Thóg sí anuas a lámha de gheit ansin agus thug sonc dó, á bhrú siar uaithi. 'Gabh mo leithscéal,' ar sise. 'Ní fheadar cad a bhí á dhéanamh agam. Táim corraithe, tá's agat.'

'Cad tá ag cur isteach ort?'

'Maitiú. D'inis sé dom cad a tharla ag an gcruinniú. Níl a fhios agam cad a dhéanfaidh Tomás Mac Aodha, nó conas a chaithfidh sé leis an maslú agus an scrios a deineadh air ag an gcruinniú. Tá a fhios agam, áfach, go ndéanfaidh sé slad ar Mhaitiú nuair a bhrisfear as a phost mar chisteoir é.'

'Níor deineadh sin. Tá sé ceaptha don bhliain atá romhainn.'

'Déan machnamh air, a Aindí. Tá a fhios agatsa agus agamsa conas a chuireann an sagart bradach sin chun oibre, cad a dhéanfaidh sé i rith na bliana, ag éileamh cuntais air seo agus air siúd ó Mhaitiú. Déanfaidh sé mioncheistiú air faoin tuairisc ar an gcaiteachas a thugann sé ag na cruinnithe. Déanfaidh sé gach aon iarracht is féidir leis chun an fear bocht a chur i bponc. Agus éireoidh leis, mar tá an fear sin agamsa chomh soineanta agus chomh neamhchlaonta le páiste beag neamhurchóideach.'

'Seans nach n-éireodh leis, mar tá meas ag gach éinne ar Mhaitiú.'

'Nach bhfuil a fhios agat, a Aindí, go bhfuilir ag caint faoi dhuine de shaighdiúirí an Tiarna, agus é sároilte ar chamastaíl agus lúbaireacht mar atá a chomhbhádóirí naofa ar fud an domhain?'

'A Eibhlín, a chroí, tánn tú go mór trí chéile ag rud nár tharla fós, agus nach dtarlóidh in aon chor, b'fhéidir.'

Bhí sé ag druidim le meán oíche nuair a shroich sé an t-árasán i gCill Mocheallóg. Bhí Aoife ag feitheamh leis agus aoibh áthais ar a haghaidh. 'Bhuaigh an sagart,' ar sise.

'Bhuaigh,' arsa Aindí.

21

I mí na Samhna 1981 a pósadh iad, sa séipéal i gCnoc na Coille. Ba é an Canónach Ó Baoill a bhí i mbun an tsearmanais, agus an tAthair Seán Ó Corráin ag cabhrú leis. A deirfiúr Sorcha a sheas le Aoife, agus a dhearbháir Seán le Aindí. Chuadar trasna na teorann go hóstán i nDún Droma i gContae Thiobraid Árann don chóisir.

Bhí slua maith mór sa séipéal, os cionn dhá chead duine. Ní raibh difríocht ar bith idir í agus na mílte bainis eile, gach péire súl den dá chéad ag gliúcaíl ar an mbeirt lárnach ag déanamh a ngeallúintí pósta dá chéile agus ag bronnadh fáinní ar a chéile. Ní raibh iontas ar bith ag baint leis na héadaí a bhí á gcaitheamh acu. Bhíodar de réir traidisiúin. Dhein an canónach caint a raibh meascán de dhiagacht agus fealsúnacht agus daonnachas ann, agus cúpla nathán magaidh caite isteach chun é a éadromú.

Tógadh na grianghrafanna agus ghlan na haíonna leo as carrchlós an tséipéil. D'imigh líne de na carranna síos trid an sráidbhaile, a mbonnáin ag séideadh go tarbhánta buacach, agus iad siúd nach raibh cuireadh chun na bainise faighte acu ina seasamh ag na doirse ag faire ar an bparáid challánach ag dul thar bráid.

Nuair a shroich siad an t-óstán, ní raibh an béile ullamh dóibh. Bhíodar ann róluath, i bhfad níos luaithe ná mar a chinneadar nuair a deineadh na socruithe. Bhí na mná, deirfiúracha Aoife, ag fústráil timpeall ag iarraidh ar lucht an óstáin deabhadh a dhéanamh agus an béile a chur ar fáil láithreach. Shleamhnaigh formhór na ndaoine isteach sa bheár agus tháinig amach ag iompar gloiní lána. Sheas siad i ngrúpaí beaga anseo is ansiúd ag ól agus ag comhrá. Cheana féin, bhí deighilt idir an dá chine le feiscint: na daoine ón gcnoc lena muintir féin, agus iad siúd ón machaire leo féin chomh maith. Bhí Aoife ag cadráil le triúr ban, cairde léi, agus bhí Aindí i gcomhluadar cúigear dá chomhaoisigh ón gcnoc, daoine a bhí ar scoil ina theannta nó ar an bhfoireann in Áth an tSléibhe. Thug a lán acu cúpla turas eile go dtí an beár, agus bhí roinnt mhaith acu ar bogmheisce nuair a glaodh orthu chun bia.

Nior deineadh aon rud ag an mbéile nár deineadh na mílte uair cheana. Óladh sláinte na lánúna, chualathas cúpla focal uaidh seo is uaidh siúd, agus ag deireadh, ón mbrídeog is ón ngrúm.

An rud ba shuimiúla ar fad ná na príomhaisteoirí ag an mbord mór ag barr an tseomra, líne díobh ag stánadh amach ar an tionól a bhí scaipthe timpeall ag na boird eile. Seans go raibh duine anseo agus ansiúd ag tabhairt airde orthu, ag iarraidh a thomhas cad iad na smaointe a bhí ag rith trína gcinn, cad é go díreach a bhí taobh thiar de na dreacha sioctha neodracha a thaispeáin siad don slua. Bhí Pacó ag cabaireacht le Siobhán anois agus arís, ach cadráil leanúnach ar siúl aige leis an gcanónach. Fear ab ea Pacó a raibh an bua aige caint an-shuimiúil fhadálach a dhéanamh ar faic.

Thall ar an leath eile den bhord bhí Íde, idir Jeaic agus a mac Seán. Bhí sí ag stánadh amach roimpi, ach í ina tost. D'aithin Aindí go raibh drochmheas aici ar an bhfuadráil a bhí ar siúl thart uirthi. Ba léir dó é ón teannas a bhí ar a béal agus an tseasmhacht ina súile is í ag breathnú ar faic in aon chor ach spota éigin ar an mballa os a comhair amach ar an taobh thall den seomra.

Ag Seán a bhí an focal deireanach. Ba é an reachtaire é. 'Ar mhiste libh, le bhur dtoil,' ar seisean, 'an halla seo a fhágaint ar feadh tamaill go gcuirfear i dtreo é don cheol agus don rince.'

Chuaigh an chuid ba mhó acu amach go dtí an beár agus na leithris agus amach faoin aer, ach d'fhan roinnt acu sa halla fad a bhí na giollaí ag tógaint amach na mbord agus ag cur na gcathaoireacha i leataobh. Tháinig an banna ceoil isteach agus bhíodar ag cur a ngléasra fuaime i bhfearas agus á thriail. Bhí tús oíche ann i dtaca an ama go raibh gach aon rud réidh acu. D'imigh uair an chloig eile thart sula raibh an ceol agus an rince faoi lánseol.

Dhein Aindí agus Aoife an chéad rince lena chéile, iad amuigh ar an urlár leo féin i dtosach, agus diaidh ar ndiaidh péirí eile ag dul amach ina dteannta go dtí go raibh an áit lán díobh, ag casadh agus ag lúbadh, ag creathadh agus ag greadadh, ag iomlat agus ag únfairt, ag síneadh agus ag searradh. Ní raibh aon ní le cloisint sa halla ach an ceol. Bhí sé chomh hard glórmhar sin nárbh fhéidir aon rud eile a chloisint, fiú amháin greadadh is scríobadh na mbróg ar an urlár agus na daoine ag liú ar a chéile ag iarraidh caint a dhéanamh. Daoine óga ba mhó a bhí amuigh ag rince, agus na seanóirí ina suí ag taobh an tseomra ag faire ar an ngothaíl áiféiseach a bhí ar siúl acu sin amuigh ar an urlár in ainm is a bheith ag rince.

Chuaigh Aindí ag rince le deirfiúracha Aoife agus le daoine eile a raibh aithne aige orthu. Bhí Aoife ag rince le fir óga, roinnt acu go raibh aithne ag Aindí orthu agus roinnt eile nach raibh. Anois agus arís, bhreathnaíodh Aindí ar Phacó is Íde agus iad ina suí ag cúl an tionóil. Gach aon duine eile a bhí i ngar dóibh, bhí iarracht de mheangadh ar a mbeola faoi mar a bheidís ag baint taithnimh as, ach bhí an tseanbheirt ina staiceanna, dúr agus deoranta. Aon uair a fhéachadh sé orthu, bhí sé mar a bheadh saighead ag dul trína chroí. Rith sean-nathanna samhlaoideacha isteach ina cheann: Ruth i measc an arbhair choimhthígh, agus Oisín i ndiaidh na Féinne. Bhraith sé arís go mba é féin a dhaor chun díbeartha iad, feall déanta aige orthu, cúl tugtha aige lena dhúchas. Bhí gráin aige ar an rí-rá agus an fústar a bhí ar siúl timpeall air mar cheiliúradh ar a phósadh. Ghoill sé chomh géar sin air gur shleamhnaigh sé amach go ciúin chun fionnuaire agus glaineacht aer na hoíche a bhlaiseadh dó féin.

Ar a shlí amach dó, bhraith sé fothram na círéibe istigh ag maolú de réir mar a bhí sé ag druidim amach uaidh. Ach thar an torranáil ar fad, chuala sé Aoife ag gáirí, seitreach ard gharbh raibiléireach, agus bhí guthanna fear á tionlacan. Ní raibh aon tuairim aige cén chúis gáire a bhí acu, ach chuir sé déistin air. Mhothaigh sé drabhlás agus graostacht sa gháire nár thaitin leis in aon chor. Bhuail smaoineamh uafásach é. Dearmad déanta aige. Ní raibh aon chosúlacht idir an daoscar rachmasach a raibh sé táite anois leo agus an dream lách ceansa ar an gcnoc ar díobh é. Daoradh é chun a shaol ar fad a chaitheamh i bhfarradh le bunadh an mhachaire, agus nior bhreá leis é.

D'imigh sé chomh fada ón ngleo agus ab fhéidir leis. Shiúil sé trasna ardáin phábháilte taobh amuigh den doras, síos thar thrí chéim cloiche go cosán a bhí ag dul síos tríd an ngairdin, agus ag a bhun bhí doirín beag de chrainn beithe. Sheas sé istigh i measc na gcrann, áit nach bhfeicfeadh éinne é a thiocfadh amach ón halla á lorg. Níorbh aon tairbhe dó a bheith ag machnamh ar an rud a bhí déanta aige. Deineadh é, agus chaithfeadh sé glacadh leis. D'fhéach sé suas ar an spéir, a bhí gan scamall agus breac le réaltaí. Chreid sé nár mhar a chéile an leagan amach a bhí orthu ansin agus an leagan amach a bheadh orthu ar an gcnoc.

Chonaic sé bean ag teacht amach an doras. Bhí sí rófhada uaidh chun í d'aithint. Shiúil sí ó thaobh go taobh agus d'fhéach timpeall uirthi, agus ansin d'aithin sé na gothaí is na geáitsí sainiúla a bhí aici. Bhí a fhios aige go mba í Eibhlín í. D'fhan sé gan chorraí, mar mheas sé nár theastaigh uaidh teagmháil a bheith aige le héinne ag an uair sin. Stad sí agus bhí sí tamall ag stánadh síos ina threo. Tháinig sí anuas thar na céimeanna cloiche agus thosaigh ag siúl síos an cosán. Bhí sí i ngiorracht cúpla méadar dó nuair a stad sí agus dúirt: 'Bhíos do do lorg. Tánn tú ansin. Bhí a fhios agam go mbeifeá i bhfolach in áit éigin.' Shiúil sí isteach chun a bheith leis i measc na gcrann. Chuireadar beirt a lámha thart ar a chéile. Dheineadar ar comhuain é, gan tosach ag aon duine acu ar an duine eile. Ba dheacair a rá cad a spreag iad chun é a dhéanamh: eisean ag ceapadh gurb í sin thar aon duine eile a thuigfeadh dó dá n-inseodh sé fáth a bhuartha di, agus ise a raibh éachtaint éigin aici ar cad é a chuir amach ina aonar é ón gcóisir. Sheasadar ann mar sin tamall fada i mbarróg a chéile, ag tabhairt fortachta agus sóláis dá chéile.

Labhair sí leis go ciúin socair: 'Is dóigh liom go gcaithfimid an greim seo a bhogadh,' agus dhein sí gáire. 'Ní bheadh aon seans againn fanúint ann go maidin.'

'An ceart agat,' ar seisean. 'Bheadh sé deacair d'éinne a thuiscint conas mar a thugann sé faoiseamh dom ó na diabhail atá do mo chiapadh.'

'Tuairim mhaith agam cad a bhí ag déanamh tinnis duit,' ar sise. 'Chonac an ceáfar a bhí ar siúl ag daoine áirithe, agus chonac an phian is an samhnas ar d'aghaidh féin.'

'Tusa amháin a chonaic é, tá súil agam,' ar seisean, agus d'fhéach sé i dtreo an dorais. Ansin chas sé thar n-ais agus d'fhéach sna suile uirthi. 'Ní fíor sin,' ar seisean. 'Is cuma liom sa donas cé a chíonn é. Agus níl aon dlí ná reacht i bhfeidhm a chuireann d'fhiacha orm dul ar aghaidh leis an bpósadh seo.'

'Tóg bog anois é, agus déan machnamh air,' arsa Eibhlín.

'Cén fáth? Cad é an machnamh atá le déanamh air?'

'Fág i leataobh go foill é. B'fhearr dúinn dul isteach sula dtugann éinne faoi deara go bhfuil an bheirt againn as láthair.'

'Is cuma faoi sin. Fanaimis anseo go fóill ag caint ar feadh tamaill. Tá an tuiscint a bhíonn agat ar chúrsaí, agus an stuaim atá agat, agus do shaoithiúlacht, ag teastáil go géar uaim anois má bhí riamh.'

'Ní fheadar. Cad í an fhadhb? Déarfainn go bhfuil a fhios agam cheana féin cad í.'

'An fhadhb atá ann ná go bhfuil an dearmad is mó dár dheineas i mo shaol go dtí an nóiméad seo déanta agam maidin inniu.'

'Beidh a fhios sin agat i gceann fiche éigin bliain. Ní feidir é a rá inniu.'

'Níl aon bhac orm a rá gur dóigh liom inniu go bhfuil dearmad mór déanta agam, agus go gcaithfidh mé rud éigin a dhéanamh chun an dearmad sin a cheartú.'

'Cad tá i gceist agat?'

'Bhíos ag smaoineamh ar dhul go Sasana, nó an Ghraonlainn, nó áit éigin.'

'Anois, a Aindí, a mhaoinigh, tá sé sin páistiúil.'

'B'fhéidir go dtaibhsíonn sé mar sin duitse, ach cad eile a dhéanfainn sa chás ina bhfuilim?'

'Cad a dheinis inniu? Déan machnamh air sin ar feadh tamaill. Inniu, ghlacais go sollúnta le Aoife Ní Fhaoláir mar bhean chéile. Thugais geallúintí di i bhfianaise an chomhluadair sin atá ag cur a mbundún amach ag rince istigh ansin chun an ocáid shonasach a cheiliúradh ar do shon. Tháinig d'athair agus do mháthair anuas ó Thobar an Iarainn chun a bheith ag tacú leat.'

'Sea,' arsa Aindí go searbhasach. 'Táim faoi chomaoin acu sin go léir mar gheall ar bheith anseo, ach cad fúm féin? Bhfuil aon dualgas orm i mo leith féin?'

'Tá, agus de réir gach dealraimh, tá na dualgaisi sin comhlíonta agat. Tusa a roghnaigh Aoife. Tusa a chinn ar í a phósadh. Chomh fada agus is cuimhin liom, b'fhearr léi sin dul in aontíos leat gan pósadh in aon chor.'

Thosaigh sí ag siúl i dtreo an halla agus chuaigh Aindí ag siúl taobh le taobh léi.

'Tá an ceart agat, a Eibhlín,' ar seisean. 'Tá a fhios agam go maith go bhfuil an ceart agat, ach is fíor gur tar éis a thuigtear gach beart. Táim cinnte anois go bhfuil dearmad déanta agam.'

Chuadar isteach sa halla. D'imigh Aindí isteach sa leithreas. Nuair a tháinig sé amach, bhí Eibhlín ag caint lena mháthair agus a athair. Bhí sí ag béiceadh chun go gcloisfidís í thar an ruabhéic a bhí á tógaint ag an mbanna agus na rinceoirí. Thug sé faoi deara go raibh an deighilt ann i gcónaí idir iartharaigh agus oirthearaigh. Bhíodar araon leo féin, pé acu ag rince dóibh nó ag caint.

Tháinig Eibhlín chuige. 'Tabhair amach ag rince mé,' ar sise, 'nuair a bheidh an chéad rince eile ann.'

Ceol mall a bhí ann don rince, agus bhí an bheirt acu istigh i lár an chomhluadair ag sní timpeall ar foluain idir na rinceoirí eile.

Bhí Eibhlín ag labhairt isteach ina chluais. 'Bain díot scaimh sin an dóláis,' ar sise. 'Ní bhfuair aon duine bás go foill.'

'Is geall le bás é.'

'In ainm Dé, bíodh ciall agat! Bhfuil a fhios agat gurb é seo an rince deireanach daoibhse, tú féin agus Aoife? Beidh sibh ag imeacht ar mhí na meala ina dhiaidh. Beidh saol nua ag tosú agaibh. Déan dearmad ar na pléaráca a bhí ar siúl ag an mbainis seo nár thaitin leat. Ní bhuailfidh a lán den ghramaisc seo leat go deo arís. Tabhair faoin saol nua sin go fonnmhar agus le dea-chroí agus le dóchas agus ardmheanma. Beidh sé mar a ordaíonn tú féin é. Bead uaigneach i do dhiaidh sa tigh, ach buailfimid le chéile go laethúil ar scoil, agus beidh tú mar chuid dár saol i gcónaí, mé féin agus Maitiú. Féach thall é ag caint le d'athair. Tá súil agam go mbeidh tú faoi rath agus faoi mhaise agus faoi áthas i gcónaí.'

22

Chuir Aindí agus Aoife fúthu sa tigh nua. Tigh breá scóipiúil a bhí ann, agus é maisithe is fearastaithe go flaithiúil ag Jeaic is Siobhán. Bhí sé deighilte amach ó thalamh na bhFaolárach ag sconsa a bhí déanta de chuaillí agus sreang. Ní raibh ann ach áis chun na ba a choimeád amach ón leathacra a bhí ag gabháil leis an tigh.

Níorbh aon rud nua an bheirt acu a bheith in aontíos. Bhí taithí acu air ó bheith le chéile san árasán i gCill Mocheallóg gach deireadh seachtaine le sé mhí. An t-athrú ba mhó ag Aindí ná gan Eibhlín a bheith ina theannta maidin agus tráthnóna ag dul chun na scoile is abhaile. De ghnáth thógadh sí a carr féin, agus dá mbeadh an carr ag teastáil ó Mhaitiú i rith an lae, d'fhágadh seisean ag an scoil í ar maidin agus bhailíodh arís í um thráthnóna.

Aon tráthnóna a théadh Maitiú chun na scoile, bhíodh dreas comhrá aige le Aindí. Nuair a théadh na páistí amach, théadh Maitiú isteach go seomra Aindí agus dheineadh comhrá leis ar feadh tamaill go dtí go gcuireadh Eibhlín a ceann isteach an doras chun a rá go raibh sí ullamh chun dul abhaile.

'Bhfuil a fhios agat,' ar seisean tráthnóna amháin le Aindí, 'tá píosa deas talún agat ansin leis an tigh. B'fhiú duit é a shaothrú chun prátaí agus glasraí a sholáthar daoibh féin. D'fhéadfá dóthain a bheith agat daoibh féin agus roinnt éigin le diol le Jeaic. Ní dóigh liom gur sháigh an fear sin rámhainn sa chré riamh ina shaol.' Dhein an bheirt acu gáire faoi sin. 'Dá

mba mhaith leat é,' arsa Maitiú, 'thabharfainn lámh chúnta
duit.'

Chuir Aindí chuige, agus bhain sé taitneamh is tairbhe as an
ngairneoireacht. D'imigh bliain thart agus leathbhliain eile,
agus bhí an bheirt acu socraithe síos sa tigh nua is sa saol nua a
bhí á dheilbhiú is a fhoirmiú acu dóibh féin. Bhí nósa agus
gnása á mbunú acu, agus cleachtaí caidrimh le gaolta is
comharsana acu, a dhein sainiú ar an saol sin.

Ar a shon sin féin, chuir rudaí áirithe díomá ar Aindí.
Cheap sé nuair a phósadar go gcuirfidís teaghlach ar bun a
bheadh neamhspleách ar an saol mór, a bheadh mar dhídean
agus tearmann aige féin agus Aoife agus aon pháiste a bheadh
acu, go mbeidís beag beann ar an domhan mór agus a raibh ann
de dhaoine, idir mhaith is olc. Cé go raibh amhras éigin faoi
Jeaic agus cad a dhéanfadh sé i dtaobh úinéireacht is sealbh-
aíocht an tí ar chúl a intinne, ní raibh aon imní air fad a bhí sé
féin agus Aoife ann. An rud a chuir imní air ná go raibh gach
cosúlacht ar an scéal nach raibh toil Aoife ar an aon dul lena
thoil féin.

De réir mar a bhí an t-am ag sleamhnú thart, bhí Aoife ag
éirí faillitheach in obair an tí. Bhí sí leisciúil, agus bhíodh ar
Aindí roinnt mhaith den ghlanadh is den slachtú a dhéanamh
taobh istigh chomh maith leis an taobh amuigh. B'fhéidir gur
chronaigh sí an caidreamh agus an comhluadar a bhíodh
aici nuair a bhíodh sí ag obair sa siopa i gCill Mocheallóg.
Chaitheadh sí an-chuid ama i dtigh na feirme i dteannta lena
máthair agus pé duine dá deirfiúracha a bhíodh ann. Bhíodh sí
ag poistíneacht timpeall dá máthair, rud a raibh taithí aici riamh
air, ach nuair a théadh sí abhaile go dtí a tigh nua féin ní
dheineadh sí faic. Ar chuma éigin, níor bhraith sí riamh go mba
léi féin an tigh nua, agus ní dheineadh sí aon iarracht lánúnas
ceart le Aindí a chur ar bun.

De réir dealraimh, ní raibh suim ar bith ag Aoife in airgead.
Ní luadh sí riamh é. Nuair a shocraigh Aindí go dtabharfadh sé

méid áirithe in aghaidh na seachtaine di don tíos, ghlac sí leis gan cheist. B'in rud a raibh seantaithí aici air chomh maith. Nuair a bhí sí ina cónaí sa bhaile, ní fhaigheadh sí ach pinginí fánacha óna hathair. Pinginí suaracha a bhí á fháil aici chomh maith sa siopa éadaigh, agus ba chosúil go raibh sí sásta leis.

Tharla sé, dá bhri sin, nuair a tháinig an bheirt nuaphósta le chéile in aontíos go raibh modh maireachtála agus córas feidhmiúcháin le hoibriú amach agus le leagadh síos acu dóibh féin. Ní raibh sé i gceist go scríobhfaí síos rialacha agus bun-reacht de shórt ar phár, dar ndóigh, ach go bhfásfadh nós-mhaireacht agus cleachtaí a bheadh intuigthe is inghlactha mar ghnása teaghlaigh. Níorbh fhurasta sin a dhéanamh, mar gur fáisceadh iad araon as traidisiúin éagsúla. Tógadh clann Fhaoláir faoi ghéarsmacht ag rúscaire de thíoránach, agus aon chineáltas nó aon gheanúlacht a fuaireadar, ba ó bhean chiúin fhaiteach é a raibh lé aici le gogaideacht agus ardnós. Ag clann Mhaonaigh, bhí bean an tí lárnach i ngach beart agus bhí sí stuama praiticiúil grámhar, cé go ndeineadh sí iarracht na tréithe sin a choimeád ceilte ar a clann chomh fada agus ab fhéidir léi.

D'éirigh Aoife as a post sa siopa nuair a pósadh í. Chaitheadh sí an lá ina haonar sa tigh ar feadh cúpla seachtain, go dtí gur chuaigh an t-uaigneas i gcion uirthi. Thosaigh sí ag dul siar go tigh a máthar ansin agus d'fhanadh ann go dtí go mbeadh Aindí ag teacht abhaile ón scoil. Diaidh ar ndiaidh, d'fhanadh sí thiar go dtí tús oíche, agus uaireanta go dtí go mbeadh sé ag druidim le ham codlata.

Chuir Jeaic deireadh leis sin. Tháinig sé isteach lá amháin agus chonaic ann í. 'An mbíonn tusa anseo gach aon lá?' d'fhiafraigh sé di.

'Bhuel,' ar sise, 'cuibheasach minic, ar aon nós.'

'Bí ag bailiú leat abhaile anois, agus gach aon lá eile feasta! Admhaím gur deacair an fear sin agat a sheasamh, ach tá an rogha déanta agat agus caithfidh tú cloí leis.'

Chuaigh sí thar n-ais ag obair sa siopa. Théadh sí chun oibre sa charr agus bhí ar Aindí dul ar scoil ar rothar. Nuair a bhíodh an mhaidin fliuch, chuireadh Maitiú glaoch air ag rá go raghadh sé an timpeall chun é a bhailiú agus a thógaint sa charr i dteannta le Eibhlín. Ní théadh Aoife go dtí a seanbhaile as sin amach ach amháin oíche Dé Céadaoin, an oíche a dtéadh an Sagairtín Gleoite chucu chun cluiche cártaí a imirt. Thugadh Aindí ann í sa charr, agus théadh sé féin ag airneán tigh Mhaitiú is Eibhlín. An sagairtín a thugadh abhaile í ina charr féin. De ghnáth, ní thagadh sí abhaile na hoícheanta sin go dtí a leathuair tar éis a haon nó a dó a chlog ar maidin. Leanadh na cártaí ar aghaidh, a deireadh sí le Aindí, nó bhídís ag caint agus ag ól tae i ndiaidh an chluiche.

Bhíodh leathlá saor ag Aoife ar an Satharn nuair a sheasadh iníon óg an tsiopadóra isteach ina háit. Dheineadh sí a cuid siopadóireachta i gCill Mocheallóg an tráthnóna sin i dteannta a máthar. Thugadh Tomás nó Mic isteach iad. Théadh Aindí suas go Tobar an Iarainn. Bhí fonn air an ghaolmhaireacht agus an dlúthchaidreamh a bhíodh aige lena thuismitheoirí d'athnuachan. Bhídís cairdiúil agus sibhialta agus suáilceach leis, faoi mar a bheidís le duine ar bith de na comharsana a thiocfadh isteach chucu, ach ní bhraitheadh sé an cumann domhain inteaghlaigh sin a bhíodh ann roimhe sin.

Lean an saol ar aghaidh, iad ag treabhadh leo sa chlais a réitigh siad dóibh féin. Ní mó ná sásta a bhí Aindí leis. Bhíodar mar bheirt strainséar ina gcónaí in aontíos, comhshocrú a bhí déanta acu ar a gcaoithiúlacht féin. Ní chloiseadh Aindí focal ó Aoife faoi na cuairteanna a thugadh sí ar a baile féin. Bhí sé mar a bheadh saol eile ann nach raibh aon bhaint aige leis beag ná mór. B'amhlaidh chomh maith do na turasanna a dheineadh Aindí abhaile go Tobar an Iarainn gach deireadh seachtaine. Bhíodh an scoil agus an siopa éadaigh agus na comharsana agus an saol neamhphearsanta mar ábhar cainte acu, ceart go leor, ach an dlúthchaidreamh a mbeadh coinne ag duine leis i dteaghlach ceart, ní raibh a leithéid ann in aon chor.

Phreab croí Aindí le háthas nuair a d'inis Aoife dó oíche amháin go raibh sí ag iompar clainne. Cheap sé go mb'in an rud a shnadhmfadh le chéile iad mar chlann dá gcuid féin, neamhspleách ar gach éinne eile. Bhí ardáthas ar chlann Fhaoláir, ar Shiobhán an mháthair, agus ar na deirfiúracha go háirithe, go raibh an chéad gharphaiste le bheith acu. Bhí na deartháireacha ar nós cuma liom. 'Cén mhaith a bheidh ann dúinne?' arsa Jeaic. 'Glúin úr curtha ar bun ag garmhac ar sloinne dó Ó Maonaigh.'

D'fhan Siobhán go dtí gur imigh sé amach, agus dúirt ansin: 'Ná bac leis. Is cuma leis siúd faoi aon ní ach an ceithre chéad acra atá ag na Faoláraigh agus an tréad atá ag innilt air.'

'Caithfidh tú aire a thabhairt duit féin,' arsa Máire le Aoife. 'Ní féidir leat a bheith ag dul isteach gach aon lá go dtí an siopa sin agus a bheith i do sheasamh ann taobh thiar den chuntar ar feadh an lae.'

'Tóg bog é,' arsa Aoife. 'Tá sé róluath chun a bheith ag caint mar sin.'

'Tá an ceart ag Máire,' arsa Siobhán. 'Caithfidh tú an post sin a thabhairt suas agus na laethanta a chaitheamh anseo sa tigh linn. Tabharfaimidne aire duit.'

'Ar ball, a Mham, ar ball.'

Ar an gCéadaoin chuaigh Aindí ag airneán tigh Mhaitiú agus Eibhlín. D'inis sé dóibh a scéal. 'Ó, th'anam ón diabhal!' arsa Maitiú. 'Comhghairdeas! Guím rath agus séan oraibh go léir, agus go háirithe ar an bpáiste a bheidh ag teacht ar an saol chugaibh sul i bhfad.'

'Comhghairdeas,' arsa Eibhlín, agus faic eile.

'Go raibh maith agaibh,' arsa Aindí, agus d'fhéach ar Eibhlín. Bhí deora ag glioscarnach i gcúinní a súl.

Dhein Maitiú iarracht an chaint a chasadh chun ábhair eile. 'An rabhais sa chlubtheach le déanaí?' d'fhiafraigh sé d'Aindí.

'Ní raibh.'

'Rialacha nua sa bheár. Níl cead ag éinne níos mó ná dhá dheoch a bheith aige. An coiste a leag síos an riail.'

'Bhí an sagart taobh thiar de, is dócha?' arsa Aindí.

'Cé eile a dhéanfadh é?'

Bhris Eibhlín amach ag gol, ach dhein iarracht é a stop láithreach. Thóg sí ciarsúr amach as a mála agus thosaigh á cuimilt dá súile. 'Ná tógaigí aon cheann domsa,' ar sise.

'Ceart go leor, a chroí,' arsa Maitiú. 'Tuigimid duit.'

Níor labhair Aindí, agus bhí ciúnas iomlán ann ar feadh tamaill. Ba í Eibhlín a labhair ansin. 'Tá súil agam go mbeidh leanbh breá sláintiúil agaibh, a Aindí, agus go mbeidh sé nó sí mar chúnamh agus ábhar bróid is áthais agaibh i gcónaí.'

Ghabh Aindí buíochas léi, agus bhí sí á cheistiú ansin faoi conas a ghlac muintir Aoife agus a mhuintir féin leis an scéal.

'Ardáthas ar gach éinne thall sa bhfeirm,' ar seisean, 'ach amháin Jeaic. Tá fadhb aige sin leis an sloinne a bheidh ar an leanbh. Goilleann sé air nach Faolárach é.'

'Ar chuiris in iúl é do do mhuintir féin thuas ar an gcnoc?' d'fhiafraigh Eibhlín.

'Níor chuir,' arsa Aindí. 'Fanfaidh mé go dtí an Satharn nuair a bheidh mé ag dul suas chucu, agus déarfaidh mé leo ansin é.'

Thug Aoife is a máthair an turas siopadóireachta ar Chill Mocheallóg ar an Satharn, agus d'imigh Aindí suas go Tobar an Iarainn. Ag ól tae tar éis an dinnéir a bhí an bheirt thuas nuair a bhuail sé isteach chucu. Tharraing sé cathaoir isteach chun an bhoird agus dhoirt cupán tae dó féin as an gcorcán a bhí ar an mbord. 'Ar ithis dinnéar?' d'fhiafraigh a mháthair.

'Níor ith,'

'Fan agus gheobhaidh mé greim duit,' ar sise. Sheas sí, chuaigh go dtí an cócaireán agus chuir bia ar phláta dó. De réir dealraimh, bhí sé ullamh aici dó cheana féin. Leag sí an pláta ar an mbord os a chomhair, shuigh sí síos arís agus lean uirthi ag baint bolgaim tae óna cupán féin.

'Aon scéal nua thíos ansin?' arsa a athair.

'Tá.' D'fhan sé tamall gan cur leis an méid sin.

'Bhfuilir á choimeád ina rún?' arsa Íde.

'Tá Aoife torrach,' ar seisean.

'Tá áthas orm é a chlos!' arsa Íde. 'Tá súil agam go mbeidh an t-ádh libh agus leis an leanbán atá le teacht.'

'Comhghairdeas libh beirt!' arsa Pacó.

Níos déanai sa tráthnóna bhí Pacó imithe amach ag gabháil do phoistíneacht éigin sa chlós, agus bhí Íde is Aindí istigh i gcomhrá lena chéile. 'Mór an trua nach anseo timpeall atá sibh curtha fúibh,' arsa Íde. 'Beidh an leanbán sin ag fás aníos agus é nó í gafa chucu féin ag an ngramaisc sin thíos. Ní bheidh ionainne ach fionnánaigh an chnoic, dream aerach aingiallta go mb'fhearr iad a sheachaint.'

'Ní bheidh sé mar sin, a Mham. Geallaim duit é. Tabharfaidh mé aníos anseo chugaibh é nó í a mhinicí agus is féidir liom.'

'Chífimid. Nárbh áisiúil mar a chuachadar tú féin isteach chucu?'

'Tóg bog é, a Mham. Sin mar a bhíonn ag an saol. Tréigeann an gearrcach an nead.'

Shleamhnaigh na míonna thart, agus saolaíodh an leanbh. Iníon, ar bhaisteadar Bríd uirthi. Theastaigh ó Aoife go nglaofaidís Siobhán Óg uirthi as a máthair féin, ach chuir Aindí ina coinne. Shocraíodar ansin go dtabharfaidís ainm di nach raibh ar éinne den dá chlann.

23

Deireadh Fómhair 1987

D'imigh ceithre bliana thart, agus bhraith Aindí go raibh sé suncáilte in imshaol mhuintir a mhná chéile, dá ainneoin. Níorbh é go mbíodh sé suas agus anuas leo, ach go raibh a bheatha cóirithe agus leagtha amach timpeall orthu. Bhí sé ina chónaí ina dtigh siúd ar a dtalamh siúd, agus bhíodh air a theacht agus a imeacht a riar i gcead do chaoithiúlacht Aoife is a muintire. Níorbh amhlaidh go ndeinidís aon éileamh air, ach bhíodh gníomhaíocht a theaghlaigh féin ag brath go mór ar Aoife, ar cá mbíodh sí agus na socruithe a bhíodh déanta aici chun aire a thabhairt do Bhríd is do chúraimi an tí. Bhíodh ar Aindí a shaol a stiúradh thart timpeall ar na cúinsí sin. Mar a tharla sé, bhí air glacadh le saol a bhí i bhfad éagsúil leis an gceann a raibh dúil aige ann.

Bhíodh Aoife gafa lena muintir féin an-mhinic, ag tabhairt cuairteanna orthu agus iad sin ag teacht chun an tí chuicise. An chaint a dheineadh sí le Aindí, fiú amháin, ba iad a muintir féin i gcónaí a bhíodh faoi chaibidil aici, agus gach aon scéal a bhíodh le hinsint aici, is fúthu sin a bhíodh sé. Ach d'fhan Aindí i dteagmháil lena mhuintir féin. Chuireadh a mháthair glaoch ar an bhfón chuige cúpla uair sa tseachtain, agus nuair a théadh sé suas chucu ar an Satharn thugadh sé Bríd leis.

Sraoill mná ab ea Aoife, ar shlí, ag slapaireacht timpeall an tí, agus chuir sé alltacht ar Aindí a laghad suime a bhí aici i mBríd óg. B'annamh a thugadh sí chun tigh a muintire í, mar ba dhéanach san oíche ba mhó a théadh sí ann agus d'fhágadh sí Aindí ag tabhairt aire don leanbh. Tharlaíodh an rud sin go háirithe nuair a théadh sí amach oícheanta lena deirfiúracha agus le mná pósta eile. Bhíodh sé rídheacair ar an mbeirt acu comhrá a choimeád lena chéile, mar ní bhíodh suim acu sna rudaí céanna.

Oíche amháin, bhí sé ag tarraingt ar am codlata agus bhí Aindí ina shuí sa chistin ag léamh. Bhí Aoife amuigh, agus mar ba ghnách, níor inis sí dó cá raibh sí ag dul nó cén uair a bheadh sí ag teacht abhaile. Chuala sé carr ag stopadh taobh amuigh, an doras ann á phlabadh, agus ansin doras an tí á oscailt is Aoife ag teacht isteach. D'ardaigh sé a shúile ón leabhar agus d'fhéach uirthi. Bhí aoibh ar a haghaidh agus spréach ina súile. 'Tá sé déanach,' arsa Aindí.

'An rabhais buartha fúm, a chroí?' ar sise, agus chuaigh sí trasna chuige agus thug póg dó.

'Ní fhéadfá a rá go rabhas buartha,' ar seisean, 'ach fiosrach, b'fhéidir, faoi cá rabhais agus cad a bhí ar siúl agat.'

'Bhíos slán sábháilte,' ar sise, 'tigh an tsagairt. Beidh aifreann speisialta againn coicíos ón Domhnach, agus tá ceol nua le bheith againn dó.'

'Raibh an cór ann?'

'Bhí.' Dhein sí cupán tae di féin agus shuigh sí ag an mbord a ól.

'Beidh Bríd ag dul ar scoil i mí Mheán Fomhair,' arsa Aindí. 'Bhíos ag ceapadh go raibh sé in am dúinn dearthráir nó deirfiúr a bhronnadh uirthi.'

'Chomh fada agus a bhaineann sé liomsa,' arsa Aoife, an aoibh glanta dá haghaidh, 'tá ár gclann iomlánaithe cheana féin againn. Nach bhfuilimid ar ár sáimhín só? Cad é an fuadar atá fút?'

Níor thogair Aindí dul i ngleic leis an gceist sin. 'Cé a thug abhaile tú?' d'fhiafraigh sé.

'An tAthair Seán.'

'M-m-m!'

'Cad é an *m-m-m* sin agat?'

'Faic, ach gur dóigh liom go bhfuil sé mídhiscréideach agat a bheith i gcomhluadar an tsagairt sin rómhinic.'

'Mídhiscréideach, an ea?'

'Sea. Nílim ag rá go bhfuil aon dochar ann, ach táim ag smaoineamh ar an míniú a fhéadfadh roinnt de na beadánaithe anseo timpeall a chur air.'

'Téidís sin in ainm an diabhail!'

Ba é Aindí ba mhó a bhíodh i bhfeighil Bhríde. Uaireanta nuair a bhíodh air dul in áit eigin nár mhaith leis Bríd óg a bhreith leis, ní bhíodh Aoife ar fáil chun aire a thabhairt di. Ba mhinic, sna cásanna sin, go bhfágadh sé an leanbh ag Eibhlín ina tigh siúd. D'fhás cion ag Bríd ar Eibhlín is ar Mhaitiú, agus bhí dea-mhuinín aici astu. Bhí sí ag dúil le dul ar scoil agus a bheith i rang na mná.

Anois agus arís bhíodh Aoife ag éileamh go gcaithfeadh an bheirt acu deireadh seachtaine i mBaile Átha Cliath nó i Londain Shasana agus go bhfágfaidís an leanbh ina ndiaidh sa bhaile. Ghéilleadh Aindí di uaireanta. Chuireadh sé Bríd suas go Tobar an Iarainn go dtí an tseanbheirt thuas. Ba bhreá léi a bheith thuas ann agus a bheith ag poistíneacht timpeall lena seanmháthair, ag beathú na gcearc agus ag fuadráil sa ghairdín is sa chistin.

Ag tús an fhómhair chuaigh Bríd ar scoil. Scaoiltí na naíonáin óga saor uair an chloig roimh na daoine eile. D'fhanadh Bríd i seomra Eibhlín nó i seomra a hathar, ag binse ag bun an tseomra ag gabháil do líníocht nó scriobláil de shórt éigin chun an t-am a mheilt go dtí go mbeadh Aindí féin ag dul abhaile. Chuir sé ionadh ar Aindí a mhéid den ábhar a bhíodh á mhúineadh aige do na páistí sinsearacha a phiocadh sí suas ó bheith ag éisteacht. Bhí air í a chosc ó bheith ag tabhairt freagraí os ard ar cheisteanna a chuireadh sé ar na páistí móra.

I lár mhí Mheán Fómhair, ghlaoigh an Canónach ar Aindí ar an bhfón. D'éirigh sé as a bheith ag tabhairt cuairteanna ar an scoil, agus d'iarradh sé ar Aindí no Eibhlín, nó ar an mbeirt acu i dteannta a chéile, teacht chun an tí chuige dá mbeadh aon ní le plé aige leo. Go minic níorbh fhiú tráithnín an rud a bhíodh idir chamáin acu, agus cheapadar nach raibh uaidh dáiríre ach dreas comhrá a bheith aige leo mar chomhluadar. D'fhaighidís amach anois agus arís go mbeadh sé chomh héasca céanna aige dá labhródh sé leo ar an bhfón. An uair seo, theastaigh uaidh labhairt le Aindí amháin.

Théadh na comhráite sin leis an sagart paróiste ar aghaidh trí na céimeanna céanna i gcónai. Chuireadh an canónach tuairisc a mhná agus a pháiste, a mhuintir thuas in aice le hÁth an tSléibhe, Eibhlín agus Maitiú, an saol sa scoil, an raibh aon chaidreamh aige leis an sagart óg, an tAthair Seán—agus thapaíodh sé an deis chun an sagairtín gleoite sin a mholadh. Ansin chromadh sé ar an bhfeadaíl shiosach sin a dhéanamh trina fhiacla, agus leanadh air go dtí go dtagadh Neilí isteach leis an gcaife. Nuair a bhíodh sí imithe agus iad beirt ag baint bolgam as na cupáin, thugadh sé faoin gceist a bhíodh le spíonadh acu.

'Tá ordú faighte ag an Athair Seán ón Easpag,' ar seisean an lá seo.

Bhíog Aindí. Cheap sé go mb'fhéidir go raibh sé chun é a aistriú go paróiste éigin eile.

'Ní mór dó rang diagachta a chur ar bun d'fhir agus mná óga ón gceantar chun go mbeadh tuiscint mhaith acu ar dhiagacht na hEaglaise Caitlicí agus ar fhírinni an chreidimh. Bheadh sé sin ceart go leor istigh sa chathair nó in áit éigin den sort sin, ach ní bheadh mórán daoine anseo timpeall a mbeadh suim acu ina leithéid.'

'Ní fheadar, a Chanónaigh,' arsa Aindí. 'Déarfainn go bhfuil seandaoine agus daoine meánaosta go mba mhaith leo freastal air.'

'Tá, b'fhéidir, ach ní bheadh a bhformhór inniúil ar an scrúdú ag deireadh an chúrsa a dhéanamh. Tá sé tamall ó bhíodar ar scoil, agus a lán acu, níor chuadar rófhada ar bhóthar an léinn. Tá aithne agam ar an Easpag. Is cara liom é, agus táim cinnte go bhféachfaidh sé ar thorthaí an scrúdaithe chun fiúntas an mhúinteora a mheas.'

Níor labhair Aindí. Bhí tuairim aige ar cad é a bhí le teacht. Chrom an Canónach ar an bhfeadaíl tholltach sin a dheineadh sé nuair a bhíodh sé i bponc. Bhí seantaithí ag Aindí air, agus níor dhein sé aon iarracht ar dhul i gcabhair air.

Tar éis tamaill ní raibh rogha ag an sagart ach labhairt. 'An mbeadh aon seans ann go bhfreastalófá féin ar an gcúrsa sin?' d'fhiafraigh an canónach.

'Beag an seans, a Chanónaigh. Níl aon eolas agam ar na hábhair sin.'

'Ba mhór agam féin é dá ndéanfá. An t-aon seans amháin a bheadh ag an Athair Seán an tEaspag a shásamh agus a inniúlacht féin a leiriú sna réimsí sin léinn ná do leithéidíse a bheith aige sa rang agus ag tabhairt faoin scrúdú ag deireadh an chúrsa.'

'Ní fheadar cén tairbhe a bheadh ionamsa. Is aineolaí mé sna rudaí sin.'

'Mar chomaoin orm féin, a Aindréis?'

'Nuair a chuireann tú mar sin é, cad is féidir liom a rá ach go ndéanfad?'

Bhí na léachtaí le bheith i seomra ranga Aindí sa scoil. Tharla go mbíodh na léachtaí ar siúl ar an gCéadaoin, an oíche chéanna a théadh Aoife abhaile go tigh a tuismitheoirí chun cártaí a imirt. Bhíodh an carr aici agus thugadh sí Bríd óg léi. Dá bhrí sin, thugadh an sagart Aindí chun na scoile don léacht. Nuair a bhíodh an léacht thart thugadh an sagart Aindí abhaile, agus ansin théadh sé féin ar aghaidh go tigh na bhFaolárach.

I dtosach nuair a bhíodh Aindí ag dul abhaile sa charr i dteannta an tsagairtín ghleoite, ní dheinidís aon tagairt don rang a bhí thart ná don teagasc a tugadh lena linn. Bhídis ag caint faoi na daoine eile a bhí ag freastal ar an gcúrsa agus ag tuairimiú faoi cad a thug ann iad. Níor thuigeadar cén fáth go mbeadh fonn orthu staidéar a dhéanamh ar an ábhar a bhí faoi chaibidil acu. 'Níl a fhios agam cad a spreag iad chun freastal air,' arsa an sagart. 'Níor dheineas ach fógra a chur in airde ag doras an tséipéil, agus chuireadar sin iarratas isteach.'

'Tóg mé féin mar shampla,' arsa Aindí. 'Ní chuimhneoinn riamh ar pháirt a ghlacadh ina leithéid de chúrsa ach amháin gur áitigh an Canónach orm dul ann.'

'Agus cad é do mheas air anois?'

'Is maith liom áit a bheith le dul agam oíche amháin sa tseachtain, go háirithe tar éis dom an iománaíocht a thabhairt suas.'

'Ní do do shaol soisialta atáim ag tagairt. An bhfuil suim agat san ábhar a bhíonn á chíoradh againn?'

'Tá sé suimiuil ar chúis nach raibh coinne agam leis. An chuid is mó de na fíricí reiligiúnacha a bhíonn á bplé againn, bhí glactha agam leo riamh gan aon mhachnamh a dhéanamh orthu. Is é an tairbhe is mó atá le baint agam as an gcúrsa go dtí seo ná gur chuir sé ag machnamh mé.'

'Ar fhirici an chreidimh?'

'Sea, agus an bhaint atá aige sin le mo shaol.'

'Cén bhaint?'

'Tá ceist mhór amháin ag déanamh tinnis dom. Ceist amháin go fóill. Níl a fhios agam cad a éireoidh chun a bheith ag cur orm amach anseo.'

'Agus cad í an cheist mhór sin atá ag déanamh tinnis duit?'

'An creideamh atá agam agus, is dócha, atá ag a lán daoine eile chomh maith. Nuair a chreideann duine i rud, bíonn sé cinnte go bhfuil an rud sin fíor, chomh fada agus a bhaineann sé leis an duine a deir go gcreideann sé é, ar aon nós. Ní bheadh aon chiall le "Creidim i nDia" a rá agus ag an am céanna amhras a bheith ag duine gur ann do Dhia in aon chor. Ní dóigh liom go nglacann duine le teagasc reiligiúin mar go gcreideann

185

sé go bhfuil an pointe seo nó an pointe siúd den teagasc sin fíor.'

'Ní thuigim i gceart cad atá i gceist agat,' arsa an sagart. 'Má ghlacann duine le teagasc reiligiúin, nach ionann sin agus a rá gur dóigh leis go bhfuil sé fíor?'

'Ní hionann. Níl ann ach go bhfuil sé ina bhall den phobal a bhaineann leis an reiligiún áirithe sin, agus tá glactha aige leis an bpacáiste iomlán. Níor dhein sé aon mhachnamh riamh ar na fírinní aonánacha. Níl iontusan ach cuid den phacáiste iomlán, agus ní gá do dhaoine a bhfírinneacht a dhearbhú dóibh féin.'

'Agus nach in mar is fearr é? Bheadh sé ina rí-rá, ina mheascán mearaí ceart, dá mbeadh gach aon duine agus a léamh féin aige ar an scéal.'

'Ní dóigh liom go dtabharfainn meascán mearaí air,' arsa Aindí. 'Ba bhreá an rud é dá mbeadh daoine cinnte dearfa faoina gcreideann siad faoi Dhia agus reiligiún. Bheadh macántacht agus dearfacht sa saol, agus chuirfí deireadh le pisreogaíocht agus dallamullóg.'

'Pisreogaíocht agus dallamullóg? Tá sé deacair orm a chreidiúint go bhfuil na rudaí sin le cloisint ó do bhéalsa,' arsa an sagart agus iarracht bheag de chrá ina ghlór. 'Ar chuala tú riamh go bhfuil rud ann ar a dtugtar creideamh?'

'Chuala, ach abair liom cad é díreach an rud ar a dtugair féin creideamh.'

'D'fhíor-Chríostaí, ciallaíonn creideamh go gcreideann sé rudaí de bharr gur tháinig a scéala chugainn ó Dhia nó ó theachtaire éigin go raibh sé d'údarás aige labhairt ar son Dé. Ní bhaineann sé le réasún nó le loighic nó le cruthú fisiceach i gcónaí, ach le muinín a bheith againn as briathar Dé.'

'Is ionann sin agus a rá go gcaithfimid creidiuint in aon áiféis a chraobhscaoileann aon chladhaire a mhaíonn go labhraíonn sé le húdaras ó Dhia.'

'Ní mar sin atá sé, agus tá a fhios agat go maith nach ea.'

'*OK*. Fágaimis ann é mar scéal,' arsa Aindí. 'Tá sé cinnte

nach dtíocfaimis ar aon aigne faoi, agus níorbh fhiú a bheith ag iarraidh ár dtaobh féin den argóint a áiteamh ar an duine eile.'

'Ní fheadar faoi fhágaint i leataobh. Mar phríomhoide ar an scoil, agus leanaí neamhurchóideacha faoi do chúram, níor chóir go mbeadh aon bhaol ar a gcreideamh uait féin ná ó aon duine eile go bhfuil an fhreagracht sin orthu.'

'Ní baol dóibh.'

'Is maith sin.'

D'fhanadar ina dtost go dtí gur shroicheadar tigh Aindí. Labhair an sagairtín nuair a bhí Aindí ag dul amach as an gcarr: 'Bhfuil a fhios agat, a Aindí, is dóigh liom go mb'fhearr duit gan freastal ar an gcúrsa seo a thuilleadh. Tá d'anam á chur i mbaol aige.'

'Ní ghlacfaidh mé leis sin,' arsa Aindí. 'Is cuma cad a tharlóidh anois, bead ag léamh agus ag machnamh ar rudaí ós rud é go bhfuil an tsuim múscailte agam iontu. Is fearr go mbeinn á dhéanamh faoi choimirce na hEaglaise sna ranganna seo. Beidh an seans agatsa seasamh na hEaglaise a chur os mo chomhair chun aon smaoineamh contrártha a bheadh agam a bhréagnú.'

Nuair a chuaigh sé isteach abhaile, chuir Aindí glaoch ar Eibhlín ar an bhfón agus d'inis di faoin gcomhrá a bhí aige leis an sagairtín, ag cur béim ar an rud a dúirt sé faoin mbaol a bheadh ann do chreideamh na bpáistí. Dúirt sí le Aindí gur thug sé leideanna cheana féin do Mhaitiú go raibh amhras air fúithi féin agus a dílseacht don chreideamh. 'Duine éigin a chuir cogar ina chluais, is dócha,' ar sise. 'Fear scéalach bothánach é, agus dramhaíl cainte aige le gach éinne, ag iarraidh a bheith mór leo.' Mhol sí fanúint go bhfeicfidís cad a thiocfadh as, áfach. B'fhéidir go ndéanfadh an sagairtín dearmad air.

24

Márta 1988

'Bhí glaoch ar an bhfón agam ón Easpag,' arsa an Canónach le Aindí agus Eibhlín. Bhíodar ag ól caife ina theannta ina sheomra suite, iad tugtha ann ag glaoch a dhein sé féin orthu an lá roimhe sin. Scaoil sé le port mícheolmhar feadaíle trína fhiacla ar feadh tamaill, faoi mar a bheadh sé ag machnamh go dian ar conas a dearfadh sé an rud a bhí le rá aige. 'Dhein an tAthair Seán gearán faoin mbeirt agaibh,' ar seisean, ach níorbh é ábhar an ghearáin a bhí ag déanamh tinnis dó, de réir dealraimh. 'Ionadh orm nár tháinig sé chugamsa leis má bhí gearán aige. Mheasas go raibh gaol maith eadrainn agus gur aithin sé go rabhas i gceannas ar an bparóiste, mar shagart paróiste. De ghnáth, bhíodh sé cáiréiseach faoin teagmháil a bhíodh againn le chéile: eisean mar shagart óg, sagart cúnta, agus mise mar cheannasaí ar an bparóiste.' Bhí sé soiléir ón dreach a bhí air agus an crá a bhí ina ghuth gur chuir sé isteach go mór air gur chuaigh an sagart óg cruinn díreach go dtí an t-easpag. Bhí sé mar a bheadh duine dá chlann tar éis feall a dhéanamh air.

'B'fhéidir,' arsa Eibhlín, 'nach raibh sé ró-oilte ar na comhghnása cearta d'ocáid den sórt sin.'

Chraith an canónach a cheann agus chas arís ar an bhfeadaíl.

'Cad é an chúis gearáin a bhí aige?' d'fhiafraigh Aindí.

'Go raibh amhras oraibhse faoi fhírinní an chreidimh, agus go raibh an baol ann go múinfeadh síbh eiriceachtaí nó siosmaí

188

do na leanaí. Bhí eagla air go gcuirfí as dóibh ar feadh a saol agus go loitfí a gcreideamh orthu.'

'Agus ar chreid an tEaspag an raiméis sin?' arsa Eibhlín.

'Ní dóigh liom gur chreid,' arsa an canónach, 'go háirithe nuair a bhí mo léamh féin ar an scéal cloiste aige. D'fhiafraigh sé díom ar mhaith liom sagart eile a fháil ina áit. Dúras leis nár mhaith.'

Bhí trua ag Aindí don bhfear eile, a cheann cromtha síos aige agus é ag féachaint síos ar a bhróga. Ba chosúil le hathair clainne é a raibh duine díobh tar éis náire agus drochmheas a tharraingt anuas orthu go léir.

D'ardaigh sé a cheann agus d'fhéach ar Aindí. 'Cad a dúrais leis, a Aindréis, a chuir an fuadar sin faoi?' ar seisean.

'Bhíomar ag caint faoin ábhar a bhí á phlé ag an rang diagachta aige,' arsa Aindí, 'agus dúras nach mbíonn an gnáth-dhuine buartha faoi fhírinní aonánacha an chreidimh, go nglacann sé leis an bpacáiste iomlán gan cheist.'

Dhein an canónach babhta feadaíle sular labhair sé arís. 'An fear bocht,' ar seisean. 'Is cosúil nach bhfuil cinnteacht aige féin faoina chreideamh. Bhfuil an chinnteacht sin ag aon duine againn? Bhfuil aon duine, ón bPápa anuas, nach mbíonn amhras air anois agus arís?' Sheas sé suas ansin mar chomhartha dóibh go raibh deireadh leis an gcaint. Sheasadar beirt chomh maith. 'Ná bíodh aon bhuairt oraibh,' ar seisean. 'Labhróidh mé leis.'

Lean cúrsaí ar aghaidh faoi mar nár tharla an eachtra sin in aon chor. Théadh Aindí go dtí na ranganna diagachta i dteannta leis an sagart mar a dheineadh cheana, agus níor labhair ceachtar acu faoin scéal. Thugadh an sagart Aindí abhaile i ndiaidh an ranga, ach ní labhraídís oiread is focal le chéile faoi ábhar na léachtaí. Théadh an sagart ar aghaidh go tigh na bhFaolárach dá chluiche cártaí ansin.

Bhí imní ar Eibhlín. Mheas sí go raibh lé chun díoltais go láidir i meon an tsagairt agus go raibh baol ann go ndéanfadh sé rud éigin chun díoltas a bhaint amach. Bhí sí faoi sceimhle aige, mar bhí sí deimhnitheach go raibh an acmhainn ann chun scrios a dhéanamh orthu, agus an toil aige chuige chomh maith. 'Tá a fhios agam go mbíonn sé lách le gach aon duine,' ar sise, 'ach cothaíonn sé cealg nimhneach ina chroí.'

'Ní fheadar,' arsa Aindí. 'B'fhéidir nach bhfuil sé chomh holc sin.'

'Ó, a Aindí, ní thuigeann tú an mí-ádh atá ormsa go n-aithním tréithe daoine láithreach nuair a bhuailim leo don chéad uair, agus bíonn an ceart agam i gcónaí fúthu. Níl a fhios agam conas nó cén fáth a dtarlaíonn sé, ach tarlaíonn. Agus braithim drithlíní uafáis ag rith suas trí chnámh mo dhroma nuair a chastar an duine sin orm.'

'D'fhéadfadh dearmad a bheith ort.'

'Níl.'

Lá fliuch agus an bhliain ag druidim chun deiridh, an Nollaig buailte leo, ba é Maitiú a thug Aindí agus Bríd óg go dtí an scoil, agus bhí sé ann arís um thráthnóna chun iad a bhreith abhaile. Níor chuaigh Maitiú isteach i seomra Aindí chun dreas cainte a dhéanamh leis mar ba ghnách dó. D'fhan sé sa charr ag feitheamh leo. Bhí ionadh ar Aindí agus ar Eibhlín faoi sin. Nuair a chuadar amach go dtí an carr, ar éigean a labhair Maitiú leo, taobh amuigh de 'Haigh!' giorraisc amháin os íseal.

Bhíodar ciúin ag dul abhaile dóibh, Eibhlín chun tosaigh taobh le Maitiú, agus an bheirt eile laistiar. Bhí Eibhlín casta siar mar bhí Bríd ag cadráil léi ar feadh an aistir: rudaí faoin obair scoile a bhí ar siúl acu i rith an lae. Bhí Maitiú dírithe ar an mbóthar agus gan focal as. Nuair a shroich siad tigh Aindí, dúirt Eibhlín, 'Níl do charr tagtha thar n-ais go fóill, a Aindí. Is dócha go bhfuil Aoife fós as baile. Bheadh sé chomh maith agaibh teacht in éineacht linne agus greim bia a chaitheamh inár dteannta,'

'Ní bheimid ag cur as daoibh?' arsa Aindí. 'Ní thógfaidh sé i bhfad uainn rud éigin a fháil réidh dúinn féin.'

'Ní bheadh sibh ag cur as dúinn in aon chor,' arsa Eibhlín. 'Déarfainn go bhfuil dóthain ullamh ag Maitiú dúinn go léir.' Chuir sí lámh siar agus rug greim ar ghlúin Aindí agus d'fháisc.

'Ó, ceart go leor, mar sin,' arsa Aindí. 'Bheimis an-bhuíoch díbh. Cad fútsa, a Bhríd? Ar mhaith leat do dhinnéar a bheith agat tigh Eibhlín agus Mhaitiú?'

Leath aoibh ar aghaidh an linbh. 'Ba mhaith!' ar sise.

'Cad déarfása, a Mhaitiú?' arsa Eibhlín.

'Sea! Cad é?'

'An bhféadfaimis greim bia a thabhairt d'Aindí agus Bríd?'

'Ó, sea. Cinnte. Fáilte rompu.'

Stobhach a bhí ag Maitiú dóibh, agus bhí dóthain aige dóibh go léir mar d'ullmhaigh sé dinnéar do dhá lá. Chuir sé an sorn cócaireachta ag obair chun an stobhach a théamh, agus níorbh fhada go rabhadar ag suí chun boird agus ag ithe.

'Seo leat, a Bhríd,' arsa Aindí i ndiaidh an bhéile. 'Nífimid na gréithe.'

'Ní dhéanfaidh sibh,' arsa Maitiú, agus b'in an chéad rud a dúirt sé le tamall. 'Bailígí libh amach go dtí an seomra suite agus déanfaidh mise é.'

'Seo libh,' arsa Eibhlín. 'Is maith an rud é go bhfuilirse anseo,' arsa Eibhlín le Aindí. 'Tá rud éigin ag cur isteach ar an bhfear sin, agus bheadh seans níos fearr agam é a phriocadh uaidh agus tusa i láthair.'

Nuair a tháinig Maitiú isteach chucu thosaíodar á cheistiú, agus scaoil sé fáth a bhuartha chucu diaidh ar ndiaidh. Thug an sagart óg cuairt air ar maidin agus mhol sé go hard é as an obair a bhí á dhéanamh aige mar chisteoir ar an gcumann. Ach ansin thosaigh sé ag rá go raibh na dualgaisí a ghabhann leis ag éirí níos troime agus níos déine in aghaidh na bliana agus an cumann ag dul ar aghaidh mar a bhí. 'Dúirt sé go raibh faoiseamh ón mbrú sin tuillte go maith agam, agus go bhféachfadh sé chuige go bhfaighinn an t-aitheantas cuí ag an gcóisir a bheadh acu chun m'éirí as a cheiliúradh. Dúirt sé go bhfanfainn mar bhall mórmheasúil den chumann, agus go mbeadh m'ainm in airde mar laoch a bhí dílis dó agus a d'oibrigh gan staonadh dó ón uair a bunaíodh é go dtí an lá atá inniu ann.'

Níor labhair Eibhlín. D'fhan sí ina tost. Dhein Aindí iarracht rud éigin a rá a bhainfeadh an ghoimh den bhuille a bhí buailte ar an bhfear eile. 'An ndúirt sé cathain ar mhaith leo an chóisir mhór a bheith acu duit?' ar seisean.

'Luath go leor. Sula mbeidh an cruinniú mór cinn bhliana ann, nuair a bheadh mo chomharba á thoghadh.'

'Nach… nach mór an onóir duit é?' arsa Aindí. 'Beidh an brú agus an t-ualach trom sin oibre agus freagrachta caite díot.'

'Ní raibh sé trom, agus níor chuir an fhreagracht isteach orm beag ná mór. Thaitin sé liom.'

'Beidh tú gníomhach sa chumann i gcónaí,' arsa Aindí. 'Beidh siad ag lorg do chomhairle mar sheanóir a bhfuil meas acu ort agus bá acu leat, agus beidh tú ar an gcoiste, agus ar fhochoistí a chuirfear ar bun chun gnéithe áirithe de riaradh an chumainn a phlé agus moltaí a chur os comhair an choiste.'

'Gan amhras,' arsa Maitiú, agus sheas sé. 'Murar mhiste libh é anois, a chairde, rachaidh mé amach ag siúl dom féin. Teastaíonn uaim machnamh a dhéanamh ar chúrsaí. Táim tagtha chun crosaire agus caithfidh mé an bóthar ar aghaidh ón bpointe seo a roghnú.'

'Tá go maith,' arsa Eibhlin. 'Cuirfeadsa an bheirt seo abhaile sa charr.'

Ar an mbóthar go tigh Aindí dóibh sa charr, ní raibh mórán le rá acu. 'Ní raibh coinne agam leis sin,' arsa Aindí.

'Bhí agamsa. Ní raibh a fhios agam conas a dhéanfaí é, ach bhíos siúráilte go mbuailfí buille de shórt éigin orainn.'

'An Sagairtín Gleoite, an ea?'

'Sin nó an chinniúint.'

'An chinniúint, b'fhéidir. Ach go n-imreofaí díoltas ort trí Mhaitiú a threascairt? Níl sé inchreidte.'

Nuair a luadh ainm Mhaitiú, bhris Bríd óg isteach ar an gcomhrá acu. 'Cén fáth go bhfuil Maitiú faoi bhrón?'

D'fhéach Eibhlín agus Aindí ar a chéile.

De réir mar a bhí an saol ag dul ar aghaidh, b'annamh a bhíodh teagmháil dháiríre ag Aoife agus Aindí le chéile. Bhíodh sise amuigh in áit éigin agus ní bhíodh a fhios ag Aindí cén áit, ach amháin gur thuig sé gur tigh a tuismitheoirí a bhíodh sí. Bhí a fhios sin aige mar thógadh sí Bríd léi anois agus arís. Don chuid ba mhó, áfach, ba ina theannta féin a bhíodh an leanbh. Ba chosúil an bhaint a bhí ag Aindí agus Aoife le chéile leis an gcaidreamh ag beirt strainséir ina gcónaí in aon lóistín. Théidís araon ar a mbealaí féin, agus ní bhíodh a fhios ag ceachtar acu cá mbíodh an duine eile, ná níor chás leo ceist a chur ar a chéile mar gheall air. Chuaigh Aoife thar n-ais ag obair sa siopa éadaigh i gCill Mocheallóg. Ba í Bríd óg an t-aon nasc a choimeád a bpósadh ar marthain. Bhí Aindí ag teacht ar an tuairim go mb'fhéidir go raibh an ceart ag Aoife, go mb'fhearr dul in aontíos gan a bheith pósta i dtosach báire. Níorbh amhlaidh go mba bhreithiúnas ar institiúid an phósta féin a bhí ann, ach instinn bhanúil ar thanaíocht an ghrá a bhí acu dá chéile.

Tionóladh an chóisir do Mhaitiú agus tugadh oráidí breátha adhmholtacha á oirirciú agus á mhóradh as a shaothar ar son an chumainn agus a dhílseacht dó, agus do na prionsabail a chaomhnaíonn an t-eagras mór Cumann Lúthchleas Gael. Bronnadh sparán air ina raibh seic ar £5,000. Ba dheacair d'Aindí glacadh leis go raibh an sagart óg ag baint díoltais as Eibhlín toisc gur cloíodh é nuair a bhí sé ag iarraidh aindiagacht a chur ina leith. Ní raibh Maitiú sásta leis an ngradam a bronnadh air, áfach, agus bhí Eibhlín buartha faoi.

Ní théadh Maitiú amach chuig cruinnithe, cé go raibh ceart aige dul ann mar bhall buan den choiste. Ní théadh sé chuig cluichí ná go dtí beár an chumainn oícheanta. Bhí sé ag brath níos mó ar an teilifís mar chaitheamh aimsire, agus bhí sé de

193

nós aige a bheith ina shuí ag faire go marbhánta neamhshuim-
iúil ar an scáileán fad gach aon fhaid. Dheineadh Aindí iarracht
é a thabhairt amach chuig cluichí idirchontae, go Páirc an
Chrócaigh fiú, agus aon áit eile go mba dhóigh leis go mbeadh
suim aige iontu. D'éirigh Aindí féin as an mballraíocht a bhí
aige sa chumann iománaíochta mar gheall ar an athrú a bhí
tagtha air.

Cheap Eibhlín agus Aindí go raibh an galar dubhach ar
Mhaitiú. Bhí cruth ainnis tar eis teacht air. Ní itheadh sé puinn
agus bhí sé éirithe tanaí: é sin le feiscint go mórmhór ar a
aghaidh. Ba gheall le plaosc as an uaigh é, na cnámha le
feiscint taobh istigh dá chraiceann, agus an chuma air go raibh
a fhiacla rómhór da bhéal. Bhíodh Eibhlín ag iarraidh a áiteamh
air go mba chóir dó dul go dtí an dochtúir, ach deireadh sé nach
raibh faic air agus dhiúltaíodh sé di. Chaitheadh Aindí roinnt
mhaith ama ina chomhluadar mar bhí imní air faoi, agus dá bhri
sin bhíodh sé féin agus Bríd tigh na gCléireach go minic.

I ndeireadh dála, ní raibh aon dul as ag Maitiú ach dul
go dtí an dochtúir. Thug seisean piollairí dó agus mhol dó
caitheamh aimsire de shórt éigin a bheith aige. Cheannaigh
Eibhlín slat iascaigh agus gach aon sórt fearais chun iascair-
eachta dó. Chuaigh sé chun na habhann cúpla uair, ach d'éirigh
sé as arís sul i bhfad. D'éirigh sé crosta le Eibhlín agus Aindí
mar go mbídís ag cur brú air é seo nó é siúd a dhéanamh agus
níor theastaigh uaidh féin ach a bheith leis féin ag clamhsán
faoi chora crua an tsaoil. Tharraing sé nósa aisteacha chuige
féin. Ba bhreá leis siúl amach sa bhfearthainn gan éadaí
fearthainne a chaitheamh, mar shampla. Bhíodh sé amuigh
tamall fada, agus Eibhlín istigh buartha faoi, gan a fhios aici ó
thalamh an domhain cá mbíodh sé. Thagadh sé isteach ar ball,
fliuch go craiceann, agus bhíodh Eibhlín ag troid leis ag
iarraidh a chuid éadaigh a aistriú is balcaisí tirime a chur air.

Aon uair go dteastaíodh ó Éibhlín dul chun an bhaile mhóir
ag siopadóireacht, nó dul in áit éigin ar chúis ar bith, ghlaodh sí

194

ar Aindí. D'fhás caradas agus grá idir Eibhlín agus Bríd. Go minic, nuair a bhíodh ar Aindí a bheith as baile, d'fhágadh sé an páiste ag Eibhlín chun aire a thabhairt di, agus ba mhó de mháthair í ag an leanbh ná a máthair féin. Théidís suas go Tobar an Iarainn ag an deireadh seachtaine i gcónaí, agus d'fhanadh Bríd thuas acu ar feadh scathaimh nuair a bhíodh laethanta saoire acu ón scoil.

25

Aibreán 1989

Bhí ag meadú ar an deighilt idir Aindí agus Aoife. Bhíodh Aoife as baile go minic agus ar feadh tréimhsí fada. Nuair a chuireadh Aindí ceist uirthi faoi cá mbíodh sí, bhíodh scéal éigin aici mar gheall ar bheith ag bualadh le mná eile chun lón a chaitheamh leo, nó caife a ól i dteannta a chéile maidineacha i dtithe na mban eile—ach ní thagaidís riamh chun a tí féin. Bhíodh sí gafa le hoibreacha carthanachta do bhochtáin Chill Mocheallóg nó dóibh siúd a bhí ag fulaingt faoin ngalar SEIF san Aifric. Ball ab ea í de chlub leabhar i mBrú na nDéise, agus bhíodh sí ag freastal ar rang péintéireachta i mBrú Rí.

Tharlaíodh na rudaí sin ar fad i rith an lae, ach bhíodh sí amuigh oícheanta chomh maith. An oíche nach mbíodh aon áit le dul aici bhíodh sí corraitheach sa tigh, ag dul ó sheomra go seomra ag slachtú agus ag socrú, ag faire ar an teilifís ar feadh cúpla nóiméad agus ag casadh ó chlár go clár leis an gcian-rialaitheoir, ag déanamh cupáin tae no caife agus á n-ól.

Bhíodh cleachtadh ag cór an tséipéil dhá oíche sa tseachtain, mar theastaigh ón sagart go ndéanfaidís comhcheol agus bhí sé deacair ag roinnt mhaith de na cantóirí teacht isteach air. Na hoícheanta sin a mbíodh sí amuigh, bhíodh sí corraitheach agus guagach nuair a thagadh sí isteach, giodam uirthi agus ardghiúmar. Bhíodh na súile geala ag léimt ina ceann, í dóighiuil in éadaí maithe faiseanta, agus mos aoibhinn ón gcumhrán a bíodh á chaitheamh aici.

'Ca rabhais?' a dúirt Aindí oíche amháin.

196

'Bhíos amuigh.'

Níor lean Aindí leis an gceistiú. Níor theastaigh uaidh a bheith ag argóint léi, ach ní raibh sise sásta scaoileadh leis.

'Cén fáth an ceistiúchán?' ar sise.

'Díreach mar go mba mhaith liom a fhios a bheith agam cá raibh mo bhean chéile nuair a bhí sí as baile chomh déanach seo san oíche. Sin uile.'

'Is duine lánfhásta mé. Ní cóir go mbeadh orm gach aon chor a chuirim díom a mhíniu d'éinne, fiú amháin do m'fhear céile.'

'Is dóigh liomsa go mba chóir, agus go mbeadh an cheanúlacht agus an cineáltas agus an dea-mheas i réim sa tigh seo mar ba dhual riamh do bhaill teaghlaigh.'

'Pé rud eile atá sa tigh seo,' ar sise, 'níl aon dealramh aige le *Little House on the Prairie*.'

'Is ortsa atá an milleán más mar sin atá.'

'Téigh in ainm an diabhail!' ar sise, agus chas ar a sáil is d'imigh suas an staighre.

Tamall ina dhiaidh sin, bhí scéal ag Eibhlín dó ar scoil lá amháin. Tháinig beirt bhan chuici féin ag iarraidh uirthi páirt a ghlacadh i scéim chun freastal ar an Sagairtín Gleoite. De réir dealraimh, ní cheadódh an tEaspag do shagairt óga mná tí a bheith acu. Bheartaigh dream ban sa chomharsanacht go raghaidís chun an tí chuige gach lá agus dinnéar a ullmhú dó, agus cuideachta a choimeád leis is é á ithe. Dhéanfaidís uanaíocht ar a chéile, triúr acu in aghaidh an lae. Dhéanfaidís ina dtriúr é chun go mbeidís mar chomhluadar dá chéile agus chun nach mbeadh sé le rá ag éinne go mbeadh an sagart naofa i bhfarradh mná aonair ar aon chúis. Dhiúltaigh Eibhlín dóibh, ach mheas sí go raibh Aoife páirteach ann.

'Bí cinnte go bhfuil!' arsa Aindí.

Ní raibh na mná garacha sin sásta le bheith ag ullmhú dinnéir don sagart amháin. Chabhraigh siad leis chun a chuid siopadóireachta a dhéanamh chomh maith, rud a bhí ciallmhar maidir lena chuid bia go háirithe, mar ba iad a bheadh á chócaráil. Dá bhrí sin, thugadh an sagairtín beirt nó triúr acu leis ina charr ar an Satharn go dtí an siopa in áit éigin seachas Cill Mocheallóg, go dtí an Caisleán Nua nó Ráth Luirc, agus anois agus arís go cathair Luimnigh. Ba chuma le Aindí cad a dheineadh Aoife ar an Satharn. Cheap sé go mbíodh sí ag siopadóireacht lena máthair, ach má bhí sí á dhéanamh leis an sagart ba róchuma leis. Bhíodh sé féin agus Bríd óg thuas i dTobar an Iarainn lena thuismitheoirí féin.

Tharla Satharn amháin nuair a bhí Aindí agus Bríd thuas i dTobar an Iarainn gur iarr a mháthair air í a thabhairt isteach go Mainistir na Féile. Chuadar isteach roimh mheán lae agus rugadar Bríd óg leo. Ag am lóin bhí na cúraimí beaga agus an tsiopadóireacht déanta acu, agus shocraíodar ar dhul isteach go dtí an t-óstán chun béile a bheith acu. Aindí a mhol sin dóibh, agus bhí an bheirt eile lánsásta. Chuir Íde glaoch ar an bhfón chuig Pacó ag rá leis nach mbeidís chuige go ceann tamaill agus go bhféadfadh sé a bheith ag fáil greama le n-ithe dó féin. 'Ní bhfaighir bás den ocras sula mbeimid sa bhaile agat.'

San óstán bhíodar ag gabháil trí phasáiste a bhí taobh leis an bproinnteach, agus fuinneoga sa bhfalla sa chaoi go bhféadfaí féachaint isteach ann. Stop Aindí agus rug greim ar láimh Bhríde. 'Féach istigh,' ar seisean.

'Cad tá ann?' d'fhiafraigh Íde.

'Sa chúinne ar chlé.' Bhí sé ag labhairt os íseal i dtreo nach gcloisfeadh Bríd é.

'An í sin Aoife?' arsa Íde leis, os íseal in aithris ar Aindí.

'Is í.'

'Agus an sagart é sin ag an mbord ina teannta?'

'Sea. Sin an sagart óg sa pharóiste againne. Bhí sé ag ár bpósadh. An cuimhin leat é?'

'Ní cuimhin. Cad atá á dhéanamh acu anseo?'

'Ní fheadar. Ach cuirfidh mé an cheist sin uirthi ar ball. Fágaimis an áit anois. Ní theastaíonn uaim go bhfeicfidís sinn.'

'Cén fáth nach bhfuilimid ag dul isteach?' arsa Bríd.

'Tá an bia níos deise sa chaife thuas,' arsa Aindí. Chuadar tamall suas an tsráid ón gCearnóg agus bhí béile acu i gcaife beag.

Déanach an oíche sin, bhíodar ina suí ag féachaint ar chlár éigin ar an teilifís. Bhí Bríd sa leaba, agus ní raibh ann ach an triúr acu. Ní raibh mórán suime acu sa rud a bhí ar siúl, agus chuir Pacó an cheist 'Aon scéal nua sa bhaile mór inniu?'

'Scéal ar bith,' arsa Íde. 'Mura scéal é go bhfacamar ár mbanchliamhain féin ann.'

'Aoife?'

'Cé eile? Níl ach an t-aon duine amháin againn.'

'Cad a thug i leith go dtí an taobh seo tíre í?'

'Ní fheadar,' arsa Íde, 'murab amhlaidh nár theastaigh uaithi go bhfeicfeadh daoine áirithe thall í.'

'Cad tá i gceist agat?' arsa Aindí.

'Níl a fhios i gceart agam cad tá i gceist agam. Tá sé ag rith trí mo cheann ó tháinig mé abhaile. Ní ghabhann sé le ciall ná le réasún, ná le seans fiú amháin, go mbeadh an bhean sin san áit sin ag an am sin ar an lá seo gan cúis éigin a bheith leis.'

'Há!' arsa Pacó, ag gáirí. 'Tá ár mbleachtaire ag obair ar an gceist. Gheobhfar fuascailt uirthi sul i bhfad.'

'Tá tuairim éigin agat,' arsa Aindí. 'Cén chúis a bhí aici le bheith ann? Scaoil chugainn é.'

'Inis an méid seo dom,' arsa Íde. 'Ar thugais le fios riamh di go dtógaimis lón sa tigh ósta i Mainistir na Féile ar an Satharn uaireanta?'

'Ó, a Mhuire, ní fheadar,' arsa Aindí. 'Tá seans maith ann gur dheineas—agus murar dheineas féin é, bí cinnte gur inis Bríd di é. Ach fiú má tá an t-eolas sin aici, cén fáth go dtíocfadh sí féin anoir chun na háite seo?'

'Níor tháinig sí féin amháin anoir. Bhí seans an-láidir ann go bhfeicfeása í. Gabhann na rudaí sin ar fad le ciall. Is é an rud nach bhfuil aon léargas agam air ná cad a phrioc í chun é a dhéanamh.'

'Níl bean tí ag an sagart sin, agus tugann mná sa pharóiste cabhair dó go deonach chun béilí a ullmhú agus dul ina theannta ar an Satharn chun siopadóireacht a dhéanamh. Ní raibh ann ach sin.'

Bhí ciúnas ann ar feadh tamaill, agus nuair a labhair Íde arís, ba le Pacó a bhí sí ag caint: 'Is oth liom a rá, a Phacó, a bhuachaill, gur thógamar leathamadán. Agus cheapamar go mba é an duine ab éirimiúla orthu ar fad é.'

'Ní fheadar anois,' arsa Pacó. 'Ní fheadar anois. Bhí sé de nós riamh ag ár dtaobhna gan a bheith ag iarraidh rudaí a bhí doleigheasta a leigheas. Gabhann sé le síth agus le sócúlacht gan aird a thabhairt ar dheacrachtaí nach féidir a shárú.'

'Léan géar air sin!' arsa Íde go fíochmhar. 'Dream gan spiorad, gan mhisneach, gan fearúlacht. Bí i do mháistir i do thigh féin, a Aindí, agus más cúis scartha é sin, bíodh aige!'

'Tá na laethanta sin thart le fada an lá, a Mham,' arsa Aindí. 'Ní bhíonn máistreacht i gceist a thuilleadh. Páirtíocht a bhíonn anois ann. Glacaim leis go bhfuil amhras ort fúithi, ach níl le déanamh agam ach comhrá a bheith agam le mo chomhpháirtí.'

'A Aindí, a chroí, is oth liom an méid seo a bheith le rá agam leat. Ní bhfuaireas ach spléachadh beag tapa amháin orthu, ach chonac a súile sin agus í ag breathnú ar a compánach.'

Bhíodar ciúin ina dhiaidh sin, ina dtost. Mhair an ciúnas sin ar feadh i bhfad, go dtí gur sheas Pacó agus dúirt, 'Ní fheadar cad a dhéanfaidh sibhse, ach táimse ag dul a chodladh. Caithfidh mé na ba a bheith crúite agam roimh aifreann.'

'Tá sé chomh maith agamsa a bheith leat,' arsa Íde. Sheas sí agus d'imigh amach go dtí an chistin.

Mhúch Aindí an teilifíseán, ach d'fhan ann ina shuí. Sheas sé tar éis tamaill agus mhúch an solas. D'fhill ar an gcathaoir agus chaith tamall fada ag stánadh ar an dorchadas, ach a shamhlaíocht ag raideadh agus ag rás le pictiúir dhéistineacha dá bhean chéile agus an sagairtín ag muirniú a cheile. Nuair a shleamhnaigh sé go dtí a leaba féin sa seomra i dtóin an tí, bhí se a leathuair tar éis a dó.

Níor fhill Aindí ar a thigh féin go dtí maidin Dé Luain. Bhí Aoife fós ina codladh, agus níor dhúisíodar í. Dhein Aindí ceapairí dó féin agus do Bhríd, bhailíodar mála scoile Bhríde agus chuadar ar scoil. Níor dhein Aindí aon tagairt don deireadh seachtaine ná dá bhfacadar sa tigh ósta i Mainistir na Féile ar an Satharn. Níor labhair Aoife faoi ach an oiread, agus bhí cúrsaí mar a bhíodh go nuige sin.

Oíche Dé Céadaoin, thug an sagart Aindí abhaile i ndiaidh an léachta, mar ba ghnách, agus d'imigh ar aghaidh uaidh sin go tigh na bhFaolárach don chluiche cártaí. Ní raibh Bríd sa bhaile: bhí sí chun an oíche a chaitheamh tigh Eibhlín is Mhaitiú agus dul ar scoil i dteannta le Eibhlín ar maidin. Dheineadh sí é sin anois agus arís nuair a bhíodh Aindí agus Aoife beirt as baile.

D'fhan Aindí ina shuí go dtí gur tháinig Aoife isteach ar a dó a chlog. Bhí sí gliondrach spleodrach, gléasta go deas faoi mar a bheadh sí ag dul amach go dtí seó nó cóisir nó rud éigin, agus ní raibh aon amhras ná go raibh sí meallacach. Bhí a dreach as alt ar fad, áfach, le duine a bheadh ag imirt cártaí tigh a tuismitheoirí lena clann féin agus gan ach sagart óg an pharóiste mar aoi acu. 'Táir fós i do shuí,' ar sise le Aindí. 'Níor ghá duit fanúint ann go dtiocfainn, a chroí.'

'Tá sé déanach,' arsa Aindí. 'Cá rabhais?'

'Tá a fhios agat go maith cá rabhas: an áit chéanna a bhím gach Céadaoin. I mo sheanbhaile ag imirt cártaí.'

'D'fhágais féin an áit tamaillín i ndiaidh a haon déag. B'in a dúirt Mic liom nuair a chuireas glaoch orthu níos mó ná uair an chloig ó shin.'

'Dearmad ar Mhic, a déarfainn, mar thángas díreach abhaile.'

'Cá rabhais?'

'Ní rabhas in aon áit ach sa charr ag teacht abhaile. Cen fáth an ceistiúchán, a Shairsint? Bhfuil coir éigin á líomhain orm?'

'Lena bheith macánta leat, tá. Cuirim an cheist ort uair amháin eile: cá rabhais?'

Ní foláir nó bhain an chaint sin geit as Aoife, mar níor fhreagair sí láithreach é. Chuaigh sí amach go dtí cófra na gcótaí sa halla agus thug isteach crochadán léi go dtí an chistin. Bhain sí di a cóta, chuir ar an gcrochadán é, agus chuir an scaif trasna ar a guaillí. Chuaigh sí amach aris agus chroch an cóta i gcófra na gcótaí. Tháinig sí isteach, thóg éadach soitheach agus bhí ag glanadh cupán is plátaí a bhí glan cheana féin.

'Cá rabhais?' arsa Aindí arís.

'*OK*, chuas isteach go tigh an tsagairt agus chaitheas cúpla nóiméad ann. Theastaigh uaidh dul trí iomann nua a bheidh á dhéanamh ag an gcór ar ball. B'in uile a dheineas, agus thángas cruinn direach abhaile ina dhiaidh sin.'

'De réir dealraimh, mhair an cúpla nóiméad sin dhá uair an chloig.'

'B'fhéidir beagan níos mó ná cúpla nóiméad. Bhí ceol an iomainn casta, agus thóg sé tamall orainn é a réiteach.'

'B'in uile a bhí ar siúl agaibh, an ea? Ní chreidim é. Chonaiceamar an bheirt agaibh, tusa agus an Sagairtín Gleoite, i Mainistir na Féile ar an Satharn.'

'Tá a fhios go maith agam go bhfaca sibh. Chonac an tsean-bhitseach sin de mháthair agat ag gliúcaíl isteach an fhuinneog orainn san ostán.'

'Bheadh a fhios ag aon amadán cad é a bhí ar siúl agaibh. Mura raibh sibh ag gabháil dó anocht féin, bhí uair éigin eile. Tá sé dochreidte, nach mór, go ndéanfadh sagart naofa a leithéid. Ní chuirfeadh sé ionadh ar bith orm tusa a bheith páirteach ann, ach sagart!'

'*OK, OK!* Tá an ceart agat, *OK?* A sheanamadáin! Is fear é siúd chomh maith leis an gcuid eile agaibh. Ní raibh an caidreamh sin eadrainn chomh graosta agus is dóigh leat é. Agus cad fút féin, a bhastúin? Tá a fhios ag an saol mór go bhfuil rud éigin ar siúl agat féin agus an tseanbhean sin atá ag múineadh sa scoil in éineacht leat. Níor theastaigh uaim féin ná ón Athair Seán go dtitfimis i ngrá le chéile. Ní raibh aon choinne againn leis, ach tharla sé. Ar shlí, ní raibh dul as againn.'

Sheas Aindí. Bhí sé ciúin, smacht aige air féin. Chúb Aoife siar uaidh, faoi mar a bheadh faitíos uirthi go dtabharfadh sé fogha fúithi.

'Bhí amhras orm i mo chroí le tamall maith,' ar seisean. 'Ach ní admhóinn dom féin é. Bhíos ag dúil go bhfaighinn amach nárbh amhlaidh a bhí. Anois caithfidh mé machnamh a dhéanamh ar cad é an chríoch is cóir a bheith air.'

26

Aibreán 1989

Ar feadh seachtaine níor dhein Aindí aon ní faoin matalang nua sin a d'imigh ar a shaol. Níor labhair sé le haon duine faoi, fiú amháin Eibhlín. Ar shlí, bhí sé sásta gur tháinig sé chun solais, mar bhí amhras ina chroí agus bhí sé suaite ón uair a labhair a mháthair leis ag an deireadh seachtaine. Ba mhór mar a ghoill sé air, agus ba mheasa fós é mar gur bhraith sé go raibh an Sagairtín Gleoite agus Aoife ag déanamh amadáin de. Bhí pictiúr ina cheann aige den bheirt acu i mbarróg a chéile ag scairteadh gháire faoi féin, faoina shimplíocht agus a shaontacht.

Níorbh fholáir nó gur inis Aoife don sagart go raibh thiar orthu, agus an t-eolas ag Aindí. Níor labhair Aindí arís faoi, agus chaithfeadh go raibh imní orthu ag iarraidh an ciúnas bagrach sin a thuiscint. Ní raibh a fhios acu cad a dhéanfadh sé, nó an ndéanfadh sé rud ar bith.

Ar an gCéadaoin chuir Aindí Bríd óg go tigh Eibhlín arís le fanúint ann ar feadh na hoíche. Ba bhreá le Eibhlín í a bheith ann mar chomhluadar gealgháireach aici féin. Bhí Maitiú éirithe an-chiúin, tostach ann féin, agus chaitheadh sé an oíche ar fad ina shuí sa seomra suite ag faire ar an teilifíseán. Cheap Eibhlín nach mbíodh aon aird aige ar na cláracha, ach bhíodh an fhuaim agus na híomhánna ar an scáileán mar phointe lárnach sa seomra agus shoncálaidís de leataobh na deamhain a bhí á chiapadh.

Nuair a bhí Aoife chun an tigh a fhágaint agus dul go tigh

na gcártaí, chuir sí ceist ar Aindí: 'An mbeir ag dul go dtí an léacht anocht?'

'Cén fáth nach mbeinn?' arsa Aindí.

'Cheapas, mar gheall ar—' Stop sí gan a thuilleadh a rá, faoi mar a bheadh faitíos uirthi go scaoilfeadh sé racht feargach mailíseach as a bhéal agus go n-adhanfadh sí fonn díoltais ann nach mbeadh chun tairbhe di féin ná don sagart.

Ar a ceathrú chun a hocht séideadh bonnán cairr taobh amuigh den tigh. 'Tá an tAthair Seán ann,' arsa Aoife.

'Tá a fhios sin agam,' arsa Aindí. 'Beidh mé chuige anois díreach.'

Labhair Aoife go mín mánla: 'Caithfidh an bheirt againn a bheith ag caint le chéile.'

'Labhair leat má tá aon ní le rá agat. Níl cead uaimse ag teastáil uait.' Stad sé ag an doras agus d'fhan tamaillín ag feitheamh léi chun rud éigin a rá, ach níor labhair sí. D'imigh sé amach, agus chuala sí doras an chairr ag oscailt is ag plabadh ina dhiaidh sin, agus an t-inneall ag géarú is an fhuaim ag dul i léig de réir mar a bhí an carr ag imeacht uaithi ar feadh an bhóthair go dtí an scoil. Bhí sí ag iarraidh an bheirt a shamhlú taobh le taobh istigh ann, ach níor fhéad sí na focail a déarfaidís le chéile a chur ina mbéil.

Sa chistin a bhí Aindí nuair a tháinig sí abhaile thart ar mheán oíche. Bhí sé ag léamh dó féin. B'fhearr leis a chuid léitheoireachta a dhéanamh sa chistin níos mó ná sa seomra suite ar cheann de na cathaoireacha compordacha uilleach ansiúd. Bhí an leabhar ar oscailt aige ar an mbord, é ina shuí ar chathaoir cistine, a uillinneacha ar an mbord agus a cheann tacaithe ag a dhá lámh. Deireadh sé go raibh an bord agus an chathaoir ansin díreach ag an airde cheart chun a bheith ag léamh, agus go raibh an timpeallacht oiriúnach chun a aigne a choimeád glan is aibí leis an ábhar a scagadh de réir mar a bheadh sé á shú isteach aige. Chuala sé an carr ag teacht agus an príomhdhoras á oscailt.

Ní raibh oidhre ar an mbean a rop tríd an halla agus a léim isteach an doras chuige ach an seanfhear úd i g*Cúirt an Mheán Oíche* a 'phreab anuas go fuadrach fíochmhar'. Bhuail sí buille doirn ar an mbord os a chomhair, agus scread: 'Bhuailis é, a bhastairt!'

Níor chorraigh sé. D'ardaigh sé a mhala, agus dhírigh a shúile uirthi. 'Bhuail!' ar seisean. 'Agus bhí an t-ádh dearg leis nar bhuaileas é ach an t-aon uair amháin. Raibh sé ag casaoid leat?'

'Níor dhein sé tagairt dó ná duit ná d'aon rud eile. Chuir Daid an cheist air, "Cad a tharla do d'aghaidh, a Sheáin?" Agus d'fhéachamar air agus chonaiceamar an t-at is an deirge ar a leaca díreach faoi bhun a shúile. Dúirt sé gur bhuail sé i gcoinne dorais sa dorchadas i lár na hoíche aréir, trí thimpiste.'

'Tá sé ina rún againn, mar sin,' arsa Aindí, 'faoi mar atá gach aon ní eile.'

'Níl, ná ina rún! Bhí a fhios agamsa láithreach cad a tharla, agus bhí amhras ar an gcuid eile chomh maith. Bhí a fhios acu nach mbeadh sé ataithe mar atá sé ó bhualadh i gcoinne dorais. Ní dúradar aon ní, ach tá a fhios agam go raibh amhras orthu.'

'Ní bhfaighidh sé bás, is oth liom a rá,' arsa Aindí.

'Ní duine tú, ach ainmhí!' ar sise. 'Ní haon ionadh gur mhaith liom imeacht uait.'

'Oíche mhaith agat, a ghrá ghil mo chroí,' ar seisean. 'Táimse ag dul a chodladh. Téighse in ainm an diabhail!'

Seachtain ina dhiaidh sin, tháinig Aindí agus Bríd abhaile ón scoil. Ní raibh éinne sa tigh rompu, ach níor rud iontach é sin mar bhíodh Aoife ag obair i gCill Mocheallóg go dtí a sé a chlog. An rud a bhí neamhghnách, áfach, ná go raibh litir ar an mbord sa chistin. Agus *A Ó Maonaigh* scríofa ar an gclúdach.

'Litir ó Mhaimí,' arsa Bríd. 'Sin í a scríbhneoireacht ansin. B'fhéidir go mbeidh sí déanach ag teacht abhaile.'

D'oscail Aindí an litir agus léigh í.

A Mhic Uí Mhaonaigh, a chara,

Nuair a gheobhaidh tú an litir seo, beidh mé i bhfad on áit seo. Níl aon bhuairt ná cathú orm ina thaobh sin, ach amháin má chuireann sé isteach ar Bhríd. Ní dóigh liom go ndéanfaidh puinn, mar tá sí goidte uaim agat féin agus na hillbillies *thuas i dTobar an Iarainn, agus an chailleach sin atá sa scoil i do theannta.*

Táim ag imeacht in éineacht le Seán. Táimid i ngrá le chéile, agus tá sé ar intinn againn an chuid eile dár saol a chaitheamh i bhfochair a chéile. Ní déarfaidh mé leat cá mbeimid ag cur fúinn ná cad é an ceann scríbe atá ar aigne againn a shroichint i ndeireadh báire. Déarfainn go mba chuma leat, ar aon nós, agus is cuma duit. Táim cinnte nach mbeifeá ag teacht inár ndiaidh ag iarraidh mé a bhreith leat thar n-ais abhaile.

Abair le Bríd go bhfuil brón orm a bheith á fágaint i mo dhiaidh. Fágfaidh mé fút an t-eolas a thabhairt dóibh sa bhaile, agus don Chanónach Ó Baoill. Nílimid chun teagmháil a dhéanamh le héinne eile. Chuireas féin in iúl don dream sa siopa é.

Ní déarfaidh mé slán leat ná beannacht ort, ná aon rud in aon chor ach léan géar agus mí-ádh ort, a ghamail ghránna!

Aoife Ní Fhaoláir

'Cad tá sa litir aici?' d'fhiafraigh Bríd.

'Tá sí ag dul ar laethanta saoire go ceann tamaill,' arsa Aindí.

'Ó! Cén áit?'

'Dhein sí dearmad é a rá.'

'Ó? Cathain a bheidh sí ag filleadh?'

'Dhein sí dearmad é sin a rá chomh maith.'

Ghlac Bríd leis sin. Níor mhór an bhuairt a bhí uirthi go raibh Aoife imithe. Bhíodh sí as baile minic go leor, agus níor rud nua é.

Lig Eibhlín scréach ard ghéar aisti nuair a d'inis Aindí an scéal di ar maidin. Ba dheacair d'Aindí nádúr na scréiche sin a mheas. Ní raibh a fhios aige an raibh alltacht ann, nó ionadh, nó díchreidmheacht, nó fiú lúcháir. Ní dúirt sí aon ní, ach d'fhan ag féachaint air agus a dhá súil ar dianleathadh. Ba léir nach raibh a fhios aici cad ba chóir di a rá. 'Cathain?' ar sise ar ball, ceist a bhí neamhurchóideach go maith, ag lorg eolais nárbh fhiú tráithnín é i gcomhthéacs na hócáide.

'Nuair a chuamar abhaile tráthnóna inné, bhí litir ann uaithi ag rá linn go raibh sí féin agus an Sagairtín Gleoite glanta leo agus nach mbeidís ag filleadh, ceachtar acu.'

'An sagart!' arsa Eibhlín. 'Bí siúráilte go bhfuil sé sin sáite ann. Níor tharla tubaist ná drochsheans san áit seo ó tháinig sé inár measc nach raibh baint éigin aige leis.'

'Caithfidh mé an scéal a chur in iúl dá clann. D'iarr sí orm é sa litir.'

'Ní dhéanfainn dá mbeinn i d'áitse. Uirthi féin a bhí an dualgas sin. Agus déarfainn go bhfuil fios an scéil cheana féin ag duine nó beirt dá deirfiúracha.'

'Ní dóigh liom é.'

'Bí cinnte de, a Aindí, a chroí. Bhí dlúthchóngas eatarthu sin. Ní raibh Aoife ach ag iarraidh aiféaltas a chur ort.'

'Ní fheadar. Bhuel, caithfidh mé é a insint don Chanónach, ar aon nós. D'iarr sí orm é sin a dhéanamh chomh maith.'

'Chreidfinn sin, ceart go leor. Ar éigin a bheadh sé de mhisneach ag an slibire sin de shagairtín bradach go ndéanfadh sé féin é.'

I ndiaidh na scoile, chuir Aindí glaoch teileafóin ar an gcanónach. Níor inis sé an scéal dó ar an bhfón, ach d'iarr air an bhféadfadh sé bualadh isteach chuige, go raibh rud éigin a thit amach go mba mhian leis labhairt ina thaobh. Thug an canónach cuireadh dó bualadh isteach chuige agus é ag dul abhaile ón scoil. Bhí an seanfhear tuisceanach faoi rudaí den sórt sin, agus ní raibh aon mhuinín aige as rúndacht an teileafóin. Cheap sé go mbíodh spiairí ag ainchreidmhigh ag déanamh monatóireachta ar an bhfón aige d'fhonn aon seachmall a mbeadh sé páirteach ann nó eolach air a sceitheadh chun na meán cumarsáide.

Go dtí an seomra suite a threoraigh Neilí é, agus bhí an canónach ina shuí ar a chathaoir ríoga, an chathaoir uilleach shárchompordach sin a bhí aige le hais na tine. 'Á, Aindrias!' ar seisean, ag fáiltiú roimhe. 'Suigh ansin. Tae, a Neilí, le do thoil. Ar mhaith leat aon rud a bheith agat leis an tae, a Aindréis?'

'Níor mhaith, a Chanónaigh. Go raibh maith agat.'

B'in é an nós a bhí ag an gcanónach: comhrá a dhéanamh i dtosach báire a bheadh éadrom neafaiseach chun an teannas nó an ghoimh a fhéadfadh a bheith ann a scaipeadh. Ní raibh a fhios aige, de réir dealraimh, cad a bhí le rá ag Aindí ach amháin go gcaithfeadh sé go mba rud éigin tromchúiseach é nó ní bheadh sé ag iarraidh teacht chun an tí chuige chun é a rá.

'Conas tá agaibh ar scoil?' ar seisean.

'Go breá,' arsa Aindí. Ní raibh sé chun an t-ábhar trom-bhríoch a thug ann é a bhrú isteach sa chomhrá go dtí go mbeadh comhartha tugtha go raibh an fear eile ullamh dó.

'Agus do chúntóir dílis Eibhlín, conas tá aici sin?'

'Tá sí ar fheabhas, a Chanónaigh.'

'Sea, a Aindréis, an ceart agat. Ar fheabhas. Tá sé de bhua agat an focal is oiriúnaí a roghnú don bhean sin. *An bháb is milse méin, 's is breátha cruth is scéimh, thar mhnáibh na cruinne an bhé is áille.*'

Ansin díreach a tháinig Neilí ón gcistin agus trádaire á iompar aici. Tae ann don bheirt acu, agus píosaí de chíste milis. Lean an canónach air ag caint faoi Eibhlín nuair a bhíodar ag ól an tae. 'Tá an saol dian go leor ag Eibhlín na laethanta seo,' ar seisean. 'Cloisim nach bhfuil Maitiú bocht ar fónamh. Caithfidh mé cuairt a dhéanamh orthu la éigin.'

'Ba mhór acu é, a déarfainn,' arsa Aindí.

'Bhí áthas orm a fháil amach,' arsa an canónach, 'go mbíonn tú féin i dteagmháil léi an-mhinic. Tá tacaíocht ag teastáil go géar uaithi ag an tráth duairc seo aici.'

'Is iontach mar a bhíonn na scéalta go léir agat, a Chanónaigh.'

'Sea. Sileann ráflaí agus scéalta cúlghearrtha isteach chugam. Ní mór mioscais agus drochaigne a scagadh amach astu, áfach, chun teacht ar an bhfírinne.'

Thug an ráiteas sin abhar machnaimh d'Aindí. Bhí léamh seachránach á dhéanamh ag daoine éigin ar an gcaradas a bhí idir é agus Eibhlín, agus le Bríd chomh maith, agus iad á rá leis an gcanónach. Bhí an canónach ag tabhairt le fios dó go raibh an scagadh sin déanta aige ar na scéalta agus go raibh sé tagtha ar an bhfírinne. Ní raibh a fhios ag Aindí cad é an fhírinne sin, ach de réir dealraimh, bhí an canónach sásta leis.

Nuair a bhí an tae ólta, chuir an canónach an cupán síos ar an bhfochupán, chuimil a dhearnana dá chéile agus dúirt, 'Bhuel, a Aindréis, cén bhuairt sin ort? Aithním ar do dhreach go bhfuil rud éigin ag cur isteach ort.'

D'inis Aindí a scéal dó gan cur leis ná baint uaidh. Bhíog an canónach, tharraing anáil thapa ghlórach isteach agus chroch a cheann, ag stánadh amach uaidh ar phointe ar an urlár amach ó bharraicíní a bhróg. Thóg Aindí litir Aoife as a phóca agus thug don chanónach í. Léigh seisean í agus shín thar n-ais chuig Aindí í. Bhí ciúnas sa seomra ansin a mhair deich nóimead ar a laghad. Ní raibh a thuilleadh le rá ag Aindí. Bhí a dhualgas féin comhlíonta aige. Faoin gcanónach a bhí sé anois pé rud a bhí le rá aige a rá.

Ba bheag nár thit Aindí den chathaoir nuair a labhair an sagart ag deireadh. Ní raibh an fhearg ná an fíoch a raibh coinne leis ina chaint. D'ardaigh an canónach a cheann agus dúirt: 'Tuigim dóibh.'

'Cad é sin, a Chanónaigh?' arsa Aindí.

'Tá a fhios agam go bhfuil fearg ort agus go mbraitheann tú

go bhfuilir uiríslithe ag an ngníomh seo atá déanta acu. Ach ní dóigh liom go raibh sé furasta dóibh é a dhéanamh, ná go bhfuil sásamh iomlán á bhaint acu as. Tá fórsaí áirithe a chuireann brú ar an duine daonna, agus ní féidir le cuid againn iad a smachtú. Ba chóir dúinn trua a bheith againn dóibh siúd a ghéilleann do na claonta sin agus mar a tharraingíonn siad cruatan agus damnú anuas orthu féin.'

Chaith siad tamall eile gan caint, an canónach ag féachaint arís ar an spota sin ar an urlár os a chomhair. Thug Aindí faoi deara ar ball go raibh dhá bhraon deoire ag glioscarnach i súile an tsagairt, dhá chriostal gheala a raibh ponc gealais ag soilsiú i ngach ceann acu. 'Mheas mé go ndéanfadh sé cairdinéal uair éigin,' ar seisean, agus dhein gáire beag doilíosach. 'Agus ná bi dian ar Aoife,' ar seisean. 'Níl d'olc déanta aici ach gur bean dhaonna í agus gur ghéill sí do chathú a bhí ródhian di.' Sheas sé suas ansin, agus sheas Aindí is bhí ag bogadh i dtreo an dorais. 'Caithfidh tú an rud seo a chur taobh thiar díot, a Aindréis. Ní mhairfidh an ghoimh ach seal.' Stad sé ansin, d'oscail an doras d'Aindí, agus d'fhéach isteach ina shúile. 'Bígíse, tú féin agus Eibhlín,' ar seisean, 'ag fóirithint ar a chéile. Tiocfaidh sibh beirt trí na trioblóidí atá do bhur gcéasadh i láthair na huaire, agus tiocfaidh sibh amach ar an taobh eile níos fearr dá bharr.'

27

Bealtaine 1989

Bhí an ceart ag Eibhlín, dar ndóigh: bhí an t-eolas ag muintir Aoife chomh luath agus a bhí ag Aindí. Tháinig Mic chun na scoile chuige le teachtaireacht óna athair, ag rá leis go mbuailfeadh sé isteach sa tigh chuige tráthnóna agus go raibh súil aige go mbeadh sé ann roimhe. Níor thaitin le Aindí an tuin mháistriúil a bhí ar an teachtaireacht sin, agus bhain sé sásamh as a rá nach mbeadh sé féin ann go dtí thart ar a sé a chlog. Ní raibh bréag ar bith sa mhéid sin, mar thug Eibhlín cuireadh dó féin agus Bríd dul chun a tí sin i ndiaidh na scoile chun dinnéar a chaitheamh léi féin agus Maitiú. 'Ardú meanman a bheadh ann do Mhaitiú bocht,' ar sise. 'Tá bá agus ardmheas aige ar an mbeirt agaibh.'

Má bhí ardú meanman faighte aige, níor léir é ar an tslí ar chaith sé an tráthnóna ina dteannta. Ar éigin a labhair sé in aon chor leo ach amháin chun freagra a thabhairt ar aon cheist a cuireadh air. Nuair a bhí an dinnéar ite acu, d'iarr Aindí ar Mhaitiú dul ar siúlóid leis, agus d'fhág siad an bheirt bhan sa chistin. Shiúladar tamall síos an bóthar ón tigh gur tháinig siad go dtí an droichead thar Abhainn Bheag na Coille. Níor labhair Maitiú fad a bhíodar ag siúl. Shuíodar ar shlatbhalla an droichid agus bhí ag faire ar an uisce ag sní thart go suaimhneach taobh thíos díobh.

Tar éis tamaill, thosaigh Maitiú ag caint. Rilleadh cainte a scaoil sé uaidh. Iontas ar Aindí, mar nach raibh aon choinne aige leis. 'Tá an t-amhrán ar eolas agat is dócha, "Ole Man River"?'

'Tá,' arsa Aindí.

'An fhírinne ag an amhrán sin.'

'Conas?'

'He jus' keeps rollin' along.'

'Cosúil leis an Abhainn Bheag seo thíos fúinn?'

'Sea. Is cuma sa donas léi cad a tharlaíonn thuas anseo, nó in aon áit eile ar a port clé nó ar a port deas, ón áit ar tháinig sí ag boilgearnach aníos ón talamh go dtí go dtéann sí isteach in abhainn na Máighe thuas in aice le Áth Dara. Maidin is tráthnóna, oíche is lá, leanann sí ar aghaidh ag sní go síochánta di féin trí pháirceanna is coillte, doirí is goirt, faoi dhroichid, trí shráidbhailte. Ansin, agus í comh-mheasctha le huiscí na Máighe, isteach léi sa tSionainn agus amach thar Cheann Léime go mbíonn sí slogtha ag an aigéan forthréan mórchumhachtach Atlantach, uair gur cuma ann nó as di. Nach méanar di?'

'An t-aon locht atá ar an bpictiúr sin agat,' arsa Aindí go scigiúil, 'ná nach bhfuil aon eolas aici ná léirthuiscint ar an saol breá ciúin sin aici.'

'Nach in é an rud is fearr ar fad mar gheall air? Éaguimhne iomlán bhinn scístiúil shuáilceach.'

Chuir an chaint sin imní agus sceon ar Aindí. Ní dúirt sé pioc le Maitiú, agus nuair a chuadar thar n-ais go dtí an tigh níor inis sé aon ní d'Eibhlín mar gheall air.

Bhí sé cóngarach do mheán oíche nuair a shroich Jeaic tigh Aindí. Sheas sé i lár na cistine, é guagach ar a chosa, ag luascadh anonn is anall, a shúile leathdhúnta, agus cor seafóid-each ar a bhéal, rud éigin idir drochmheas agus miongháire saonta.

'Táir ólta, a Jeaic,' arsa Aindí.

'Tá,' arsa Jeaic agus lean air ag caint go tuathalach, ag mungailt na bhfocal. 'Teas-... Teas-... Ba mhaith liom a rá... a rá leat...'

'Lean ort. Is cuma cad é an rud é, ní chuirfidh sé isteach ná amach ormsa.'

'Ní fear in aon chor tú. Níl ionat ach *shaggin'* coillteán! Bean bhreá agat. Bean… bean álainn, spleodar inti. Ní raibh de ghus ionat smacht a fháil uirthi agus í a choimeád agat féin. Scaoilis leis an bprimpeallán sagairt sin í.'

'Tuigim cad atá á rá agat, a Jeaic. Tá a fhios ag an saol go bhfuil ardchaighdeán bainte amach agat féin ag cur smachta ar mhná, agus ar pháistí, agus ar laonna nuabheirthe, agus ar dhaoine bochta neamhurchóideacha. An-chreidiúint ag dul duit, a Jeaic. Bulaí fir. Bulaí fir, a Jeaic, ardfhear!'

Chraith Jeaic a cheann agus d'fhéach ar Aindí, a shúile lánoscailte um an dtaca sin aige, agus guaim de chineál éigin aige ar a chiall agus a chaint. 'Éist do *fuckin'* bhéal!' ar seisean. 'Agus tabhair aire don rud atá le rá agam leat. Bí glanta as an tigh seo i gceann coicíse, agus beir leat pé maingisíní a bhaineann leat féin. Beidh Mic ag bogadh isteach anseo láithreach.'

'Chomh luath agus a bheidh áit eile agam dom féin agus Bríd, baileoidh mé liom,' arsa Aindí. 'Beidh gliondar croí orm aon bholadh nó blas de dhaoscar na bhFaolárach a scoitheadh de mo bhéal agus de mo shrón.'

'Coicíos! Sin uile atá agat,' arsa Jeaic. Chas sé ar a sháil agus d'imigh ag tuisliú amach as an gcistean.

Ní raibh Aindí buartha faoin gcor nua seo ina shaol. Bhí coinne aige le rud éigin dá leithéid ag Jeaic ón uair a shínigh sé an conradh réamhphósta leis agus le Aoife.

Nuair a bhí an scoil thart an lá ina dhiaidh sin, chuir sé glaoch fóin ar an gCanónach. 'Bhíos díreach chun glaoch a chur ortsa,' arsa an canónach. 'Bhíos ag fanúint go dtí go mbeadh an scoil thart. An bhféadfá teacht i leith chugam chomh luath agus is féidir? Inniu, más féidir leat. Ná fág go dtí amárach é.'

Bhí ionadh ar Aindí an deabhadh sin a bheith ar an

gcanónach. Scaoil sé Bríd abhaile i dteannta Eibhlín, agus ghabh anonn go dtí an sagart láithreach.

'Is oth liom, a Aindréis, nach féidir liom tae a thairiscint duit inniu. Tá Neilí bhocht imithe. Tá sí fillte ar a baile dúchais i gCorca Dhuibhne. Bhí an créatúr bocht croíbhriste ag imeacht uaim. Dhá bhliain is tríocha a chaith sí ag tindeáil orm. Duine macánta mórchroíoch cineálta. Is mór an tubaist a bhuail sinn ar maidin le teacht an phoist. Ar aon nós, sin scéal eile. Gabh mo leithscéal mar gheall ar bheith ag casaoid faoi mo thrioblóidí féin. Ní foláir nó tá rud éigin ag cur isteach ortsa, leis. Cad é féin?'

'Bhíos chun a iarraidh ort, a Chanónaigh, an tigh sin ina raibh cónaí ar an sagart, an tAthair Seán Ó Corráin, a thabhairt dom ar cíos, anois ó tá sé díomhaoin.'

Sheas an canónach gan faic a rá agus shiúil trasna chuig deasc ghalánta ar a raibh cáipeisí caite go míshlachtmhar. Chrom sé ar bheith ag meirínteacht trí na cáipéisí gur tháinig sé ar cheann a bhí uaidh. Thug sé d'Aindí í. 'Léigh an litir sin duit féin,' ar seisean. 'Tháinig sí chugam ar maidin. Rúnaí an Easpaig, Micheál Ó Dúinn—sagart óg cliste, agus b'fhéidir ábhairín glic—a tháinig aduaidh on gcathair agus a chuir go foirmeálta i mo láimh í.'

Léigh Aindí an litir:

A Chanónaigh Uí Bhaoill, a chara,

Moladh go deo lenár dTiarna Íosa Críost. Is mian liom, mar aoire ar m'ealta caorach i bhfairche seo Luimnigh, mo mheas féin, agus meas na sagart is na bhfíréan ar fad, ortsa as a bhfuil déanta agat le caoga bliain anuas ag saothrú i ngort an Tiarna a chur in iúl duit, agus ba mhaith linn an saothar sin a cheiliúradh mar is cuí agus mar is cóir.

Ardóimid ualach trom pharóiste Chnoc na Coille de do ghuaillí, agus cuirimid ag iníor tú ar fhéara séimhe

caoine ar chnoic Mhullach an Radhairc in iar-
dheisceart ár bhfairche. Bronnaimid ort an post mar
shéiplíneach i dtigh altranais Naomh Máirtín de Porres
i gCnoc Uí Choileáin. Táimid cinnte go ndéanfaidh tú
obair mhaith ansiúd, go mbeidh tú mar thaca ag an
bhfoireann altranais, agus mar shólás is cara dílis ag
na seanóirí atá faoi dhídean ann.

Beidh an Monsignor Gearóid Ó hAilpín mar
chomharba ort i bparóiste Chnoc na Coille, ag tosú ar
an 3ú lá de mhí Iúil. Beidh iostas agus cónaí le fáil agat
féin saor in aisce i gCnoc Uí Choileáin. Beidh d'árasán
féin agat ann. Beidh an t-árasán feistithe go hiomlán
duit, agus fágfaidh tú an teach paróiste i gCnoc na
Coille díreach mar atá sé maille le troscán agus fearas.

Tá an fhairche faoi chomaoin agat mar ar sheas tú an
fód ansin i gCnoc na Coille in aghaidh na dtríoblóidí a
tháinig chun solais le linn do shealbhaíochta mar
shagart paróiste ann. Tá súil againn go mbeidh saol
sítheach sómasach agat i gCnoc Uí Choileáin.

Mise i bhfianaise an Tiarna Íosa Críost,

Seathrún Mac Bhloscaidh

+Easpag Luimnigh

D'ísligh Aindí an litir agus d'fhéach ar an gcanónach.

Bhí crot ainnis air siúd. Bhí sé soiléir go raibh brón agus díomá air. 'Tá a fhios agat anois cén fáth nach féidir liom aon ní a dhéanamh maidir leis an tigh sin. Is faoin Monsignor Gearóid Ó hAilpín a bheidh sé anois déileáil leis na rudaí sin. De cheart, nílimse ag feidhmiú sa pharóiste seo ó mheán oíche aréir. Nílim anseo in aon chor, a Aindréis. Táim in áit éigin eile.'

'Níl a fhios agam cad is cóir dom a rá,' arsa Aindí. 'Tá súil agam go mbeidh saol taitneamhach síochánta agat thall i gCnoc

Uí Choileáin. Ach ar mo thaobh féin den scéal, táim creachta. Ní raibh aon choinne agam leis seo. Murar mhiste leat é, a Chanónaigh, ba mhaith liom cuairt a thabhairt ort anois agus arís. Níl Cnoc Uí Choileáin rófhada ó áit mo mhuintire, agus bím ann de ghnáth ar an Satharn.'

'Biodh a fhios agat, a Aindréis, go mbeidh fíorchaoin fáilte romhat i gcónaí, agus beir leat Eibhlín, mar beidh fáilte is fiche roimpi sin chomh maith.'

'Beidh Eibhlín millte chomh maith liom féin,' arsa Aindí, 'nuair a chloisfidh sí an scéal seo.'

'Sea, Eibhlín!' ar seisean, agus las loinnir ina shúile.

'A gnúis mar ghréin i dtús gach lae
A mhúchas léan le gáire!'

'Bíonn sí i gcónaí do do mholadh, a Chanónaigh,' arsa Aindí, 'mar shagart agus mar dhuine.'

'B'fhearr dom a bheith ag bogadh liom, a Aindréis. Tá mo mhála pacáilte agam, agus an carr lán de pheitreal agus i bhfearas. Tá coinne liom i gCnoc Uí Choileáin.'

Thug Aindí a mhála amach dó agus d'fhág slán leis. D'imigh an carr síos an cnoc go mall, chomh mall le sochraid, agus cheap Aindí go dtógfadh sé tamall fada air an tríocha míle go dtí an taobh eile den chontae a chur de. B'fhéidir nach raibh deabhadh mór air.

Shuigh sé isteach ina charr féin agus thug aghaidh ar thigh Eibhlín, a cheann ag brúchtadh le smaointe, le ceisteanna, le tuartha íogaire, agus le himní. Ní raibh a fhios aige cad a bhí i ndán dóibh sa scoil le teacht an Monsignor Gearóid Ó hAilpín go Cnoc na Coille.

Lig Aindí seachtain thart sular dhein sé teagmháil leis an Monsignor Ó hAilpín. Chuir sé glaoch ar an uimhir a bhíodh ag an gcanónach, ag súil go bhfanfadh an uimhir chéanna ag tigh an tsagart paróiste i gcónaí, ach ní bhfuair sé aon fhreagra. Bhí air dul go tigh an tsagairt.

Cheistigh Eibhlín é an mhaidin ina dhiaidh sin. 'Ar thug sé an tigh duit?'

'Níor thug.'

'An ndúirt sé cén fáth nach dtabharfadh?'

'Dúirt, is dócha. Ní féidir a rá go ndúirt sé aon ní amach lom díreach, ach níor thug sé an tigh dom. Níor eitigh sé ar fad mé, ach chuir sé ar athló aon chinneadh a dhéanamh faoi.'

'Níl ach coicíos tugtha ag Jeaic duit, agus tá seachtain amháin gafa thart cheana féin.'

'Tá a fhios sin agam,' arsa Aindí, 'agus dúrt sin leis an Monsignor.'

Bhí Eibhlín fiafraitheach faoin sagart nua, cén sórt é agus conas mar a bheadh acu féin, múinteoirí, ag plé leis. Ní raibh suim mhór aici i bhfadhb Aindí maidir le tigh eile a bheith in áirithe aige sula ruaigfeadh Jeaic é féin agus Bríd as an tigh a bhí acu. 'Ná bíodh ceist ort, a Aindí. Beidh fáilte roimh an mbeirt agaibh sa tigh againne. Tá fuíollach slí ann, mar is eol duit, agus féadfaidh sibh a bheith linn fada bhur ndóthain go dtí go mbeidh an áit cheart aimsithe agaibh chun buanaíocht a chinntiú daoibh féin, pé áit a bheidh sí.'

Dhein Aindí tréaniarracht cuntas cruinn a thabhairt ar an sagart nua di. 'Tá sé deacair é a mheas,' ar seisean. 'Meánaosta. Fear cuíosach ard, caol, agus nós aige gan féachaint ar dhuine nuair a bhíonn sé ag labhairt leis.'

'Cúthaileacht, b'fhéidir?'

'Ní fheadar. Ba é an rud a rith isteach i mo cheann ná go raibh sé ag iarraidh muintearas le daoine a sheachaint. Is dócha go mbeadh sé níos fusa daoine a dhiúltú nuair nach mbíonn caradas eatarthu.'

'Ar inis sé duit cén fáth nach dtabharfadh sé an tigh duit?'

'Raiméis éigin mar gheall ar gan eolas ceart a bheith aige ar úinéireacht an tí ag an Eaglais, nó ar mhaith an rud é go mbeadh an Eaglais ag feidhmiú mar thiarna talún, ag tuilleamh airgid as tigh a ceannaíodh do shagart cúnta don pharóiste an chéad lá.'

Dhein Eibhlín machnamh ar an scéal ar feadh tamaillín. 'Is dóigh liom go dtuigim cén sórt é,' ar sise. 'Fanfaidh sé siar ó gach éinne chun a bheith neamhspleách. Bheadh eagla orm roimh dhaoine a bhrúnn a gcuid mothúchán faoi chois sa tslí sin. Dá mbeadh aon daonnacht ann, thabharfadh sé duit é gan chíos, mar a beartaíodh nuair a mhealladar i leith anseo tú an chéad lá.'

'Cén fáth go mbeadh eagla ort roimhe?'

'Mar níl ach céim an-ghearr ón aigne sin atá aige go dtí an Chúistiúnacht agus daoine a loscadh ag an stáca.'

'Tharla na rudaí sin i bhfad siar. Saol nua againn anois.'

'Is fíor, ach tá an intinn agus an dearcadh céanna i gcónaí fós le fáil i measc daoine. Níl athraithe ach an chlisteacht agus an chaolchúis lena gcuirtear chun gnímh.'

'Ní fheadar, a Eibhlín. Tá a fhios agam gur bean lán de stuaim tú, ach uaireanta ceapaim go dtéann tú isteach ró-dhomhain i gcúrsaí.'

'Is cuma anois. Tá cónaí sa tigh inár dteannta ar fáil ag an mbeirt agaibh má bhíonn sibh sásta.'

'Cén fáth nach mbeimis sásta? Tá a fhios agam go mba bhreá ar fad le Bríd é.'

'Tá sé sin socair, mar sin. Agus maidir le Monsignor na Discréide, beimid ag plé leis siúd de réir mar a bheidh sé i ngleic linn.'

28

Meán Fómhair 1989

Bíonn sé d'ádh nó de mhí-ádh ar dhuine uaireanta go dtagann athrú sonrach ar an gcineál saoil a bhíonn á chaitheamh aige nó aici. Go minic, is é an chúis a bhíonn leis sin ná go dtagann daoine eile isteach i raon a mbeatha, agus cuireann na socadáin sin teannas is ainnis in áit a raibh cluthaireacht is só roimhe sin. B'in mar a tharla d'Aindí agus Eibhlín nuair a tháinig an Monsignor Gearóid Ó hAilpín go Cnoc na Coille mar shagart paróiste.

I dtosach báire, níor dhein sé ná ní dúirt sé aon ní go bhféadfaí doicheall nó drochaigne d'aon sórt a chur ina leith. Bhraitheadar beirt mar a bheadh séideán fuar geimhriúil á thionlacan isteach chun an tseomra aon uair a thugadh sé cuairt orthu sa scoil. Bheannaíodh sé don mhúinteoir go foirmeálta agus ghuíodh sé sláinte mhaith is maise orthu, ach ba dhóigh leo beirt gur óna bhéal amach a bhí an dea-ghuí sin ag teacht, nach raibh an dea-thoil óna chroí ag gabháil leis.

Chasadh sé chun na bpáistí láithreach, agus thosaíodh á gceistiú is ag múineadh teagaisc Chríostaí dóibh. Ní raibh aon taithí aige ar bheith ag caint le daoine óga, agus ní raibh a fhios aige conas labhairt leo go simplí chun go dtuigfidís i gceart cad a bhí ar siúl aige. Bhí an cur chuige foirmeálta céanna aige agus a bhí aige ag caint leis na múinteoirí. Ní dheineadh sé aon iarracht dea-scéal na Críostaíochta a insint dóibh, ach é ag leagadh sios dóibh na dualgaisí a bhaineann leis. Ag fágaint slán acu, dheineadh sé tagairt éigin don teagasc agus faic eile. 'Go raibh maith agaibh, a leanaí. Tá sibh ar fheabhas, agus tá a fhios agam gur geal le croí an tSlánaitheora iad sin a bhíonn dílis dá theagasc agus dá reacht.' D'iompaíodh sé ansin agus thugadh aghaidh ar Aindí, agus deireadh rud éigin mar 'Níorbh aon díobháil deimhin a dhéanamh de go dtuigfidís an oibleagáid atá orthu agus ar a muintir dul chun faoistine uair sa mhí ar a laghad mar ghnáthchleachtadh.'

D'fhanadh Aindí ina thost, ach bhíodh ceist air an chuige féin a bhíodh an sagart, toisc nach dtéadh sé chun faoistine riamh.

Tharla eachtra shuntasach i seomra Eibhlín lá amháin, áfach. Bhí na páistí á scaoileadh amach am lóin, agus bhí Aindí ina sheasamh taobh le doras na scoile ag coimeád súil orthu ag gabháil amach dóibh. Sciurd an Monsignor amach as seomra ranga Eibhlín, aghaidh dhearg air agus gramhas ar a phus. Níor fhéach sé deas ná clé, agus níor bheannaigh sé d'Aindí, amhail is nárbh ann dó in aon chor. Tháinig Eibhlín amach ina dhiaidh sin lena páistí féin. Ní raibh dealramh aoibhnis uirthi sin ach chomh beag leis an sagart, ach teannas agus fearg ina dreach. D'fhéach sí ar Aindí.

'Abair leat,' arsa Aindí.

'An pleidhce sin de Mhonsignor!' ar sise le goimh.

'Cad a dhein sé?'

'Tá a fhios agat go mbeidh an chéad Chomaoineach ag rang a dó i gceann sé sheachtain?' ar sise. 'Bhí sé ag caint leo mar gheall ar an gComaoineach, ag raiméis go gcaithfidh siad an fhírinne lom faoin transubstaintiú a thuiscint go beacht. Bhí sé ag iarraidh a chur ina luí orthu go bhfuil corp Íosa Críost, idir fhuil is fheoil, i láthair san abhlann naofa.'

'Ar bhain sé usáid as an bhfocal *transubstaintiú*?'

'Dhein, sórt i leataobh. Bhí sé ag rá leo gurb é sin an focal atá ag diagairí ar an rud.'

'An ndúirt sé an focal *diagairí* leo?'

'Dúirt.'

'Conas a thóg na leanaí é?'

'Thit na créatúirí bochta ina gcodladh, agus ní bhfuair sé gíoc uathu ina dhiaidh sin. D'fhéach sé ormsa ansin, faoi mar go raibh an milleán ormsa go raibh siad ina dtost. Nuair a bhí sé ag dul amach, d'fhéach sé ormsa arís agus an driuch leath-mhagúil sin air. "Agus ba dhóigh leat le féachaint orthu," ar seisean, "go raibh siad éirimiúil"—rud a chinntigh dom go raibh sé ag iarraidh an milleán a chur ormsa toisc gan an t-eolas a bheith acu. "Na créatuirí bochta," arsa mise leis. "Táid éirim-iúil, ceart go leor, agus léireofaí sin ach an duine a bheadh ag plé leo a bheith tuisceanach ar an bhfearann feasa ina bhfeidhmíonn siad agus ar an tsainréim teanga atá acu." Tá cathú orm, a Aindí, gur baolach gur chuireas lasóg faoin mbarrach. Níor thaitin sé leis in aon chor. Tháinig cuthach air. Níorbh fhéidir leis teacht ar na focail a bhí uaidh chun mé a cháineadh. "A leithéid!" ar seisean. "A leithéid!" Chas sé ar a sháil agus d'imigh amach an doras agus é ar deargbhuile.'

Chaith an Monsignor tamall ina dhiaidh sin gan teacht chun na scoile in aon chor. Ní raibh aon teagmháil ag Aindí ná ag Eibhlín leis go dtí go bhfuaireadar litir uaidh ag rá leo go raibh cruinniú de choiste bainistíochta na scoile le bheith ann agus go raibh súil aige go mbeadh an bheirt acu i láthair.

Bhí imní ar an mbeirt acu nuair a fuaireadar an litir. Bhí faitíos orthu go raibh drochfhuadar éigin faoin Monsignor. Ceapadh coiste nua, agus fuair Aindí litir ón Easpag ag rá gur ceapadh é mar bhall den choiste, a cheart mar phríomhoide na scoile. Ní raibh a fhios aige cérbh iad na baill eile a bhí air, ach amháin ionadaí na dtuismitheoirí mar bhí toghchán ann chun í sin a roghnú. Ní raibh ach iarrthóir amháin don áit, agus ba í sin Siún Nic Ghreagair, bean a tháinig chuig Aindí chun fáilte a chur roimhe nuair a tháinig sé chun na scoile an chéad lá. Cheap an t-easpag beirt dá rogha féin, agus roghnaigh sé beirt a raibh oifig acu sa chumann iománaíochta sular tugadh bata is bóthar dóibh i réim an tSagairtín Ghleoite: Tomás Mac Aodha agus Micheál Ó Saoraí.

Fuair Aindí agus Eibhlín amach nar ghá dóibh aon imní a bheith orthu. Bhí dea-mhéin agus dea-thoil ag na tuataí chun na scoile agus chun na múinteoirí. Ní bhíodh mórán le rá ag an Monsignor. Fuair Aindí amach ó mhúinteoirí in áiteanna eile gur mhar a chéile ina scoileanna siúd é. Bhí an chuma ar an scéal go raibh fonn ar na heaglaisigh éirí as a bheith ina gcathaoirligh agus an fhreagracht sin a chur ar thuata éigin.

Bhí an saol ag dul ar aghaidh go suaimhneach ina dhiaidh sin, iad sítheach sóch, Aindí agus Bríd compordach díongbháilte ar lóistín tigh Eibhlín agus Mhaitiú. Is minic, nuair a bhíonn an saol ar a dtoil ag daoine sa dóigh sin, go mbuaileann tubaist éigin iad, agus b'in mar a thit amach don cheathrar sa tigh sin.

Bhí Eibhlín agus Bríd imithe ar cuairt chuig comharsana a raibh cailín óg acu ar aon aois le Bríd. Fágadh Aindí agus Maitiú sa bhaile. Bhí an bheirt acu sa chistin, Aindí ag scríobh ag ceann amháin den bhord agus Maitiú ina shuí ag ól tae ag an gceann eile. Thosaigh Maitiú ag caint. Chuir sin ionadh ar Aindí, mar ba bheag a bhíodh le rá ag an bhfear eile le tamall fada seachas freagra a thabhairt ar cheist a chuireadh duine acu air.

'Ní thuigfeá, a Aindí, chomh dian agus chomh géar mar a ghoilleann an dubhachas seo ar dhuine. Tá sé chomh dona, chomh fíochmhar sin nár mhaith leat aon teagmháil a bheith agat le daoine. Nuair a chastar duine liom ar an mbóthar, duine atá ar m'aithne, duine a mbeadh meas agam air, fiú amháin, bíonn fonn orm dul isteach i bhfolach thar chlaí ar eagla go mbeadh orm bualadh leis agus beannú dó. Tá sé mar a bheifeá thíos i gcumar domhain iargúlta éigin agus nár mhaith leat teacht as, ar eagla go mbeadh ort a bheith i gcumarsáid le duine, i gcaidreamh leis.'

'Bhuel,' arsa Aindí, 'táir ag caint faoi, ag tabhairt aghaidh air, agus is dea-chomhartha é sin.'

'B'fhéidir gurb ea, agus b'fhéidir nach ea,' arsa Maitiú.

223

'Thar éinne eile, ní raibh deacracht agam leatsa. Ní fheadar cén fáth. Tú féin agus Eibhlín.'

'Foighne,' arsa Aindí. 'Foighne, agus tiocfaidh tú slán.'

'Tiocfaidh mé slán, ceart go leor. Táim tiomanta go dtiocfaidh mé. Á, sea. Tiocfaidh mé slán: táim cinnte de sin.'

Dhá oíche ina dhiaidh sin, bhí Aindí ag baint de, ag dul a chodladh dó. Bhí sé ina shuí ar chathaoir ina sheomra leapa ag scaoileadh iallacha a bhróg nuair a buaileadh cnag éadrom ar dhoras a sheomra. Eibhlín a bhí ann. 'Gabh mo leithscéal,' ar sise i gcogar. 'An bhfaca tú Maitiú?'

'Anois nuair a chuireann tú an cheist,' arsa Aindí i gcogar, ag teacht lena cogarnach siúd. 'Ní cuimhin liom é a fheiscint le tamall. Nach bhfuil sé sa tigh?'

'D'imigh sé amach ar siúlóid thart ar a naoi a chlog, agus ní fhaca ó shin é.'

'Ó, a Mhuire!' arsa Aindí os ard.

'Sis!' arsa Eibhlín. 'Ná dúisigh Bríd.'

Chuaigh an bheirt acu síos chun na cistine. Ní raibh tuairim acu cá mbeadh sé. Cheap siad go raghadh sé go háit eigin nach mbeadh daoine ann—ach cén áit?

'Tógfaidh mé an carr agus raghaidh mé tamall den bhóthar soir agus siar, féachaint an bhfuil aon seans go mbeadh sé in áit éigin,' arsa Aindí.

'Ní bheifeá ach ag cur ama amú,' arsa Eibhlín. 'Má tá fonn air a bheith leis féin, tá sé imithe i bhfolach in áit éigin.'

'Bainfidh mé triail as, ar aon nós,' arsa Aindí, agus chuaigh sé amach.

Thiomáin sé an carr síos an bóthar chomh fada leis an droichead thar an abhainn. Chuir sé an carr isteach ar imeall féarach an bhóthair, tamaillín ón droichead. Rug leis an tóirse mór a bhíodh sa charr aige i gcónaí, dhreap thar an mballa in aice an droichid agus shiúil go mall ar feadh phort na habhann. Bhí amhras air ón uair a chuala sé go raibh Maitiú ar iarraidh. Bhog sé ar aghaidh céim ar chéim, solas an tóirse dírithe ar an uisce aige. Bhí sé thart ar cheithre chéad méadar ón droichead nuair a chonaic sé an bulc ar snámh ar bharr an uisce, áit a raibh poll domhain ann go mbíodh na daoine óga ag snámh ann uaireanta. Bhain sé de a chóta agus a bhróga, agus léim isteach. Corp ab ea an bulc a chonaic sé, agus tharraing sé go dtí an bruach é. Tharraing sé amach é agus chuir ina luí ar a dhroim é. Dhírigh sé an tóirse ar a aghaidh, agus d'aithin Maitiú.

Ceithre lá ina dhiaidh sin a cuireadh é. Cuireadh moill ar an tsochraid toisc scrúdú iarbháis a bheith le déanamh air. Bhí slua mór ag an tórramh i dtigh na sochraidí i gCill Mocheallóg, agus arís sa séipéal i gCnoc na Coille nuair a tugadh an corp ann. Bhí a lán ag an aifreann an mhaidin ina dhiaidh sin. Daoine a chuaigh ar scoil san áit ba mhó a bhí ann, chomh maith le gaolta Mhaitiú agus Eibhlín. Tháinig Íde agus Pacó anuas d'aistriú an choirp ó thigh na sochraide go dtí an séipéal i gCnoc na Coille. Rugadar Bríd abhaile leo go Tobar an Iarainn ina dhiaidh.

Ba é an Canónach Ó Baoill a léigh aifreann na marbh agus a d'aithris na paidreacha sa séipéal, agus arís sa reilig an lá dár gcionn. D'iarr Eibhlín ar Aindí an socrú sin a dhéanamh di leis an Monsignor. Ní raibh an fear sin róshásta, ach mhínigh Aindí dó go raibh an Canónach mar shagart agus mar bhainisteoir ar an scoil an fad a bhí sise ag múineadh ann, agus theastaigh uaithi gurb eisean a bheadh i mbun na searmanas.

Tugadh béile tigh Eibhlín dóibh sin a raibh bóthar fada abhaile le cur díobh i ndiaidh na sochraide. Tháinig mná na comharsanachta chun cabhraithe le Eibhlín, agus thug gach éinne acu sólaist éigin a dhein siad féin chun na daoine a bheathú. An rud ba mhó a chuir ionadh ar Aindí ná nár shil Eibhlín oiread is deoir bheag amháin, ach í ag dul timpeall cosúil le duine gan tuiscint cheart ar cad a bhí ar siúl.

Bhíodar uilig glanta leo ag tús na hoíche, agus ní raibh sa tigh ach Eibhlín agus Aindí. Bhíodar ina suí sa chistin ag ól tae ag an mbord. Ní raibh raidió ná teilifíseán ar siúl acu, agus bhíodar araon ina dtost. Níorbh ionann an ciúnas a bhí ann agus an gnáthchiúnas. Bhí folús ann. Chronaigh Aindí Bríd uaidh, agus Maitiú, dar ndóigh. Níor mhor an caidreamh a dheineadh Maitiú leo le déanaí, ach bhíodh a láithreacht ann ag líonadh an fholúis, agus Bríd is an callán a bhíodh á thógaint de shíor aici. Ní raibh ann an oíche sin acu ach an tost. Bhí an tost sin ag brú ar a gcluasa níos troime agus níos déine ná fothram d'aon sórt. Dhein Aindí iarracht ar rud éigin a cheapadh a bheadh oiriúnach le rá, ach theip air.

I ndeireadh dála, ba í Eibhlín a labhair. 'Saol nua buailte linn anois,' ar sise.

'Sea, tá,' arsa Aindí.

'Táim rómheascaithe i m'aigne agus róthuirseach anocht chun a bheith ag machnamh air,' arsa Eibhlín. 'Táim ag súil le Bríd a theacht thar n-ais chun clingireacht a gutha a chloisint ar fud an tí, agus an ghruaim sceite uainn ag a gealas agus a spleodar.'

D'oscail Aindí a bhéal chun aontú léi, ach níor labhair sé in aon chor. Chaitheadar tamall eile gan faic a rá.

'Is mór agam tusa a bheith anseo liom,' arsa Eibhlín ar ball. 'Ní fheadar cad a dhéanfainn dá mbeinn i m'aonar sa tigh seo anocht.'

'Raghaidh mé suas i ndiaidh na scoile amárach chun Bríd a bhreith thar n-ais,' arsa Aindí, ag iarraidh casadh ar riachtanaisí an ghnáthshaoil, aon rud in aon chor chun an dólas a chur i leataobh ar feadh tamaill.

'Murar mhiste leat é…' arsa Eibhlín, agus stad sí.

'Cad é?' arsa Aindí.

'An dtabharfá in éineacht leat mé ag dul suas duit?'

'Thabharfainn agus fáilte,' arsa Aindí. 'Bheadh fáilte is fiche acu thuas romhat.'

B'in mar a tharla gur dhein Eibhlín caoineadh ceart ar a fear céile ag deireadh. Nuair a shroich siad an tigh i dTobar an Iarainn agus nuair a stad an carr sa chlós taobh thiar den tigh, thuirling Eibhlín. Chomh luath agus a sheas sí amach as an gcarr, rith Bríd chuici agus rug barróg uirthi. Ansin bhí Íde tagtha amach, agus chuaigh Eibhlín chuici. Rugadar barróg ar a chéile, agus má rug, ropadh an haiste ar thaisce na ndeor ag Eibhlín agus ghoil sí go fuíoch, rachtanna tréana goil. D'fhan an bheirt bhan i mbarróg a chéile mar sin. Rug Aindí greim láimhe ar Bhríd agus thug isteach sa tigh leis í.

29

Meitheamh 1991

D'imigh beagnach dhá bhliain thart ó bhás Mhaitiú. Bhí Eibhlín ag teacht chuici féin. An t-aithreachas a bhíodh uirthi mar nach raibh sí dílis dá fear céile i gcónaí ina haigne, bhí sé brúite síos go híochtar a comhfheasa agus ní chuimhníodh sí air ach amháin nuair a bhíodh sí in ísle brí. Bhíodh milleán á chur uirthi féin aici mar nár dhein sí dóthain chun an dubhachas a bhíodh á chéasadh a dhíbirt, nó ar a laghad, iarracht níos déine a dhéanamh ar é a mhaolú.

Ba mhór aici Bríd a bheith sa tigh mar go mbaineadh a cuid pléascántachta agus spleodair an ghruaim di. Thug sé sásamh di Aindí a bheith ann chomh maith. Bhí tathag agus tacúlacht sa bhfear sin a thug uchtach di nuair a bhí géarghá aici leis. Cé go raibh siad in aontíos ar shlí amháin, ní raibh ar shlí eile. Ag cur síos ar an tréimhse sin dá saol, sa bhéarlagar caolchúiseach a mbainidís féin feidhm as, déarfaidís nár chuireadar aithne cheart ar a chéile cé go raibh spéis acu ina chéile. Ní féidir dul taobh istigh dá gcloigne, ach níorbh fholáir nó bhí smaointe a bhí bainteach leis an ngné sin dá ndaonnachas ag drithliú iontu anois agus arís.

Théadh Aindí agus Bríd suas go Tobar an Iarainn gach deireadh seachtaine, nach mór, agus bhíodh Eibhlín in éineacht leo go han-mhinic. Bhí an tigh nua tógtha um an dtaca sin thuas, agus d'fhág an tseanbheirt faoi Aindí is Eibhlín an troscán a roghnú dó. Dúirt Eibhlín nár theastaigh uaithi é a dhéanamh mar nár bhain sé léi in aon chor. 'Seo leat,' dúirt Íde léi. 'Ní fhéadfaimis é a fhágaint faoin stuacán sin de mhac againne, agus má thiteann rudaí amach mar ba mhaith liomsa, níl sé ach cóir agus oiriúnach go mbeadh lámh agatsa ann.'

D'fhéach Eibhlín go géar grinnbhreathnaitheach ar an mbean eile, agus bhog a béal faoi mar a bheadh sí chun rud eigin a rá. Ach chas sí i leataobh ag féachaint amach an fhuinneog ar bhinn an tí nua, nach raibh ach caoga éigin slat uathu, agus d'fhan ina tost.

Nuair a bhíodar ag dul thar n-ais go Cnoc na Coille oíche Dé Domhnaigh, chuir Eibhlín an cheist ar Aindí. 'Mheasas go mba dhaoine an-naofa do mhuintirse.'

'Sea, táid,' arsa Aindí. Dhein sé machnamh air ar feadh tamaill, agus chuir sé aguisín leis an méid sin. 'Ní hionann an naofacht atá ag an mbeirt acu, áfach,' ar seisean.

'Tá do mháthair níos liobrálaí, mar sin?'

'An ceart agat. Cad a chuir sin i do cheann?'

'Bhí an-chomhrá agam léi nuair a bhíomar thuas. Níl a fhios agam cad é an dearcadh atá ag d'athair ar an scéal, ach labhraíonn do mhathair mar gheall ar Dhia faoi mar a bheadh sí ag caint ar "an fear sin Dia".'

'Ní thuigim.'

'Creideann sí go láidir go bhfuil tuiscint mhaith aige ar nadúr an duine mar gurb é a chruthaigh sinn sa chaoi ina bhfuilimid, agus go mbíonn sé tuisceanach agus cineálta sa tslí a gcaitheann sé linn.'

'Sea, déanann. Bheadh m'athair docht ceartchreidmheach, ach ní labhródh sé puinn faoi na rudaí sin.'

Fuaireadar litir sa phost maidin amháin. Bhí ainmneacha na beirte acu ar an gclúdach: *Aindí Ó Maonaigh agus Eibhlín Uí Chléirigh*. Litir ón gCanónach a bhí ann, agus cuireadh tugtha aige dóibh lón a thógaint ina theannta an chéad uair eile a bheidís thuas le tuismitheoirí Aindí i dTobar an Iarainn. Ní raibh aon tuairim acu cad a bhí ar bun aige agus an litir a sheoladh go dtí an bheirt acu in éineacht. Ní bheadh aon seans acu é sin a fháil amach gan glacadh leis an gcuireadh agus turas a thabhairt air.

An deireadh seachtaine dár gcionn, chuaigh siad suas go Tobar an Iarainn agus dheineadar socrú dul go Cnoc Uí Choileáin, go dtí an tigh altranais, ar an Satharn. Ba í an bhean tís, seanbhean rialta, a chuir fáilte rompu agus a threoraigh isteach go dtí an parlús iad. Bhí bord ansiúd i lár an tseomra agus é feistithe do thriúr, duine ag barr an bhoird agus duine ar gach taobh. 'Suígí chun boird,' arsa an bhean tís leo. 'Beidh sé féin chugaibh gan mhoill. Mheas sé go mb'fhearr an áit seo chun béile, agus go raghadh sibh go dtí a sheomra suite príobháideach chun cainte ina dhiaidh sin.'

Chuir an chaint sin ag machnamh iad. Socruithe déanta roimh ré chun áit ar leith a bheith acu chun caint a dhéanamh leo? Bhí foirmeáltacht ann nach raibh coinne acu leis. Ní foláir nó bhí rud éigin tromchúiseach le cur in iúl aige dóibh.

Tháinig an canónach isteach láithreach agus chuir sé failte mhór chroíúil rompu. Chuir cailín freastail a ceann isteach an doras agus d'fhiafraigh den chanónach an raibh sé ullamh. 'Tá,' ar seisean. 'Tar anseo nóiméad, a Shíle, go mbuailfidh tú le mo chairde dílse ionúine ó Chnoc na Coille. Seo an cailín a thugann aire dom, agus táim loite le cineáltas agus garaíocht aici.'

Bhí giorranáil nó múchadh nó rud éigin mar sin ag cur isteach ar an gcaint ag an gcanónach. Stadadh sé tamaillín i ndiaidh gach cúpla focal, ach lean sé air ag caint mar a bheadh rud éigin ag cur brú air an méid a bhí le rá aige a rá. Labhair sé faoin áit ina raibh sé agus ar an obair iontach a bhí ar siúl ann ag an mbeirt bhan rialta agus ag na banaltraí agus na hoibrithe eile ag tabhairt aire do na seanóirí a bhí ina gcónaí ann. Labhair sé leo faoin tír agus mar a raibh cúrsaí eacnamaíochta. Dhein sé tagairt don bhrú a bhí ar an Eaglais mar gheall ar an nganntanas sagart. Níor aontaigh sé in aon chor leis an nós a bhí tugtha isteach go mbeadh tuataigh ag déanamh obair na sagart. Chuir sé ceisteanna orthu faoina saol féin agus faoi Chnoc na Coille, ach ba léir dóibh ar na ceisteanna sin go raibh mioneolas aige féin ar gach aon rud a bhí ar siúl ann.

'Ní léim na páipéir nuachta,' ar seisean. 'Bíonn siad ar fad ag iarraidh a léamh féin a chur ar an nuacht, chun go mbeadh dearcadh a léitheoirí ar chúrsaí mar ba mhaith leo féin... Éistim leis an raidió, áfach, agus cuireann sé ar an eolas mé faoi cad a bhíonn ag titim amach sa tír... Ar an mórchóir, ní bhíonn siad ag iarraidh tuairim d'aon sórt a chur ina luí ar na héisteoirí.'

Leanadar orthu ar an dóigh sin ag cadráil faoi rudaí gan tábhacht, agus an bheirt chuairteoir ar bís chun pé rud mór a bhí le rá leo ag an sagart a chloisint. Ní raibh dul as acu, áfach, ach fanúint go dtí go mbeadh an uain oiriúnach chuige sin dar leis an bhfear féin. Bhí faoiseamh agus áthas orthu nuair a bhí an béile críochnaithe. Chrom an canónach a cheann agus dúirt an t-altú tar éis bia os ard. Sheas sé ansin agus bhog i dtreo an dorais. 'Seo linn,' ar seisean. 'Bogaimis amach go dtí mo sheomrasa.'

Shleamhnaigh siad isteach i seomra suite an tsagairt. Bhí an áit lán le leabhair, iad cruachta i gceann a chéile timpeall an tseomra, in aice ballaí agus i lár an urláir. Bhí orthu sní isteach agus amach tríothu chun cathaoireacha a shroichint ag ceann an tseomra. Bhí cathaoir uilleach in aice na fuinneoige, agus shuigh an canónach ansiúd. Shuigh an bheirt eile i gcathaoireacha sa chaoi go rabhadar ag tabhairt aghaidh ar an sagart.

'Gabh mo leithscéal faoin áit a bheith chomh míshlacht-mhar,' arsa an canónach. 'Níl na leabhair anseo agam ach le cúpla lá... Bhíodar thíos i gCnoc na Coille go dtí sin... Tugadh ordú dom gach rud a fhágaint i mo dhiaidh ann nuair a bhí mé ag teacht anseo... Bhí sé dea-mhéineach ag an Monsignor Ó hAilpín iad a chur chugam i ndeireadh dála, agus tháinig sé féin chomh maith leo chun mé a fheiscint, nó b'in é a dúirt sé.'

'Bhís dhá bhliain gan do chuid leabhar?' arsa Aindí. 'Ar bhraithis uait iad?'

'Bhraith, ach níor mhór é... Is é an tslí a bhfuil sé ag an aois seo atá agamsa anois, a Aindréis, nach féidir liom dian-mhachnamh a dhéanamh ar ábhar domhain nó casta, agus thiocfadh mearbhall orm ó bheith ag diriú air fada go leor chun greim ceart a fháil air... Na leabhair sin arbh fhéidir liom iad a thuiscint go héasca, ní fiú a bheith á léamh.'

'Ach dá mbeadh seilfeanna agat timpeall na mballaí anseo,' arsa Eibhlín, 'agus na leabhair sin suite orthu, nach mbeidís mar chomhluadar agat?'

'Is trua liom a rá nach dóigh liom go leanfaidh an sórt sin caidrimh le mo leabhair níos sia ná bliain nó dhó eile ar a mhéid, agus sin é an fáth gur chuir mé fios oraibhse... Teastaíonn uaim rudaí a chur in ord sula dtógfaidh mé orm an turas deireanach thar bhun na spéire amach.'

Nior labhair an bheirt, mar bhí imní orthu faoin deacracht cainte a bhí aige, agus bhí tuairim acu go mb'fhéidir go raibh an ceart aige mar gheall ar an turas sin amach thar bhun na spéire.

'Teastaíonn uaim go dtógfaidh tú na leabhair sin, a Aindréis, agus go ndéanfaidh siad comhluadar taitneamhach duit, agus d'Eibhlín chomh maith leat... Tá a fhios agam go dtabharfaidh tú aire mhaith dóibh.'

Bhíog an bheirt acu nuair a dúirt sé an méid sin. An raibh sé ag glacadh leis go mbeadh an bheirt acu in aontíos le chéile go brách? Níor chuir sé lena ndúirt sé, áfach, agus thosaigh ar an bhfeadaíl sin a bhíodh aige chun beárnaí sa chomhrá a líonadh. D'fhéach Aindí agus Eibhlín ar a chéile agus ceisteanna ina súile. Bhí Aindí cinnte gurb í an cheist chéanna a bhí ar aigne ag an mbeirt acu, agus b'ionadh leis go raibh an chomhthuiscint chomh dlúth sin eatarthu.

Bhris an canónach isteach ar a chuid smaointe. 'Bhí an Monsignor Ó hAilpín anseo an lá faoi dheireadh, mar a dúirt mé libh,' ar seisean. 'Agus bhí sé ag caint faoin mbeirt agaibh.'

'Cad a bhí le rá aige fúinne?' d'fhiafraigh Eibhlín.

'Bhí an fear bocht buartha fúibh... Dúirt sé go raibh ráflaí ag dul thart i measc na ndaoine go raibh saol lanúine pósta agaibh gan sibh a bheith pósta de réir dlí na tíre ná na hEaglaise.'

'Agus an gcreideann sé na ráflaí sin a bheith fíor?' d'fhiafraigh Éibhlín.

'Ní dúirt sé gur chreid nó nár chreid... Ach dúirt mé féin leis nach dtabharfainn aon chreidiúint do na ráflaí sin... "Is cuma iad a bheith fíor nó bréagach," a dúirt sé liom, "is cúis mhór scanaill do mhuintir mo pharóiste é, agus tá sé de dhualgas ormsa gníomhú chun deireadh a chur leis."'

'An ndúirt sé cad é an rud a bhí i gceist aige a dhéanamh?' arsa Aindí.

'Bhagair sé go gcuirfeadh sé faoi bhráid choiste bainistíochta na scoile é, agus go molfadh sé go mbrisfí sibh as na postanna atá agaibh mura ndéanfadh sibh socruithe éigin eile cónaithe.'

'Níor labhair sé linne faoi,' arsa Eibhlín. 'Cén fáth gur leatsa a labhair sé?'

'Dúirt sé gur ormsa a bhí an milleán gur mhair an seachmall chomh fada sin, mar go raibh a fhios agamsa go raibh sé ar siúl agus nár dheineas faic chun é a stopadh.'

'Raghaidh mé chun cainte leis nuair a raghaidh mé abhaile,' arsa Aindí.

'Ní fheadar arb é sin an tslí ab fhearr chun déileáil leis,' arsa an canónach. 'Duras leis go labhróinn libh faoi... Tá a fhios agam go mb'fhéidir go bhfuil fearg oraibh, agus a chúis agaibh leis, ach is dóigh liom go mb'fhearr daoibh gan dul i gcomhrac leis an bhfear sin.'

'An dóigh leat, a Chanónaigh,' d'fhiafraigh Eibhlín, 'go ndéanfadh sé an rud sin, sinne a ruaigeadh as an scoil?'

'Fear cráifeach é,' arsa an canónach, 'dílseoir don Eaglais agus don chreideamh... Nuair a chuireann sé rud éigin roimhe, rud a shíleann sé a bheith ceart, leanfaidh sé air gan stad gan staonadh go dtí go mbainfidh sé amach é.'

'Ó, a Mhuire,' arsa Eibhlín. 'Ní fheadar cad is ceart dúinn a dhéanamh.'

Níor labhair aon duine den triúr acu ansin ar feadh tamaillín, ach scaoil an canónach le port beag mall ar an bhfeadaíl ghéar sin a bhíodh aige. 'Tá scoil bheag dhá oide ag lorg múinteoirí do mhí Mheán Fomhair,' ar seisean. 'Scoil timpeall deich míle ó Thobar an Iarainn, in áit a ngairtear Clochán Dearg uirthi, thuas i dtreo Ghleann Chorbraí... Tá lánúin anois ann, agus tá a fhos agam go mba mhaith leis an sagart paróiste lánúin a cheapadh i gcomharbacht orthu... Más mian libh cur isteach orthu, bheadh seans agaibh na postanna sin a fháil.'

'Ach ni lánúin sinn,' arsa Aindí. 'Agus an fad atá mo bhean chéilese beo thall i Meiriceá, ni fhéadfaimis lánúin a thabhairt orainn féin.'

'Ar chuala tú aon rud, a Aindréis, faoi neamhniú?'

'Chuala rud éigin, ach cén bhaint atá aige sin leis an scéal?'

Bhí Eibhlín ciúin go dtí sin ach labhair sí i ndeireadh báire. Tuigeadh di, ní foláir, go raibh an méid a bhí le rá aige ráite ag an gcanónach. 'Is dóigh liom go mba chóir don bheirt againn a bheith ag bogadh linn,' ar sise le Aindí. 'Ní foláir nó tá an canónach tuirseach ó bheith ag plé leis an mbeirt againne agus ag iarraidh ár bhfadhbanna a réiteach dúinn.'

Sheas sí suas, agus sheas Aindí. D'éirigh an canónach ina sheasamh chomh maith, ach é ag análú go trom agus lámh leis leagtha ar chúl cathaoireach. Chraith Aindí lámh leis agus ghabh buíochas leis.

'Táimid fíorbhuíoch díot, a Chanónaigh,' arsa Eibhlín leis, agus chuaigh sí anonn chuige agus phóg sí é. Leath aoibh áthais ar a aghaidh siúd, agus lean a shúile ag glinniúint uirthi is í ag dul amach. Nuair a chas Aindí timpeall chuici chun rud éigin a rá léi, chonaic sé na deora ina súile agus choimeád sé a bhéal dúnta. Pé rud a bhi le rá aige, mheas sé nach raibh an uain oiriúnach dó.

Ar an turas thar n-ais go Tobar an Iarainn dóibh, níor labhair ceachtar acu. Ciúnas iomlán sa charr, iad beirt gafa lena gcuid smaointe, go dtí gur thángadar go Mainistir na Féile.

'Tá sé luath go leor go fóill,' arsa Eibhlín. 'Téimis isteach san óstán agus deinimis dreas cainte faoi chúrsaí.' Sa bheár fuaireadar corcán tae agus bhíodar ina suí ag bord i gcúinne, gan san áit ach fear amháin eile agus é ina shuí ar stól ard taobh leis an gcuntar. Bhí an áit chomh príobháideach céanna acu agus a bheadh an carr féin. Mar sin féin, bhí leisce orthu an comhrá a chur sa siúl.

'Ta mo cheann ina chíor thuathail,' arsa Eibhlín. 'Ta sé de bhua ag an gCanónach sin rudaí a rá, agus go minic ni thuigim go beacht cad a bhíonn i gceist aige go dtí tamall maith ina dhiaidh sin—laethanta ina dhiaidh, uaireanta. Ní hiad na rudaí a déarfadh sé atá i gceist agam, ach na himpleachtaí a ghabhann leo, na fo-chialla a bhíonn leo.'

'Sea,' arsa Aindí, 'agus dá gcuirfeá ceist air, thosódh sé ar an bhfeadaíl sin a bhíonn aige. Chaithfeá do chonstruáil féin a chur air.'

'Fad a bhíomar ag teacht anall ón tigh altranais,' arsa Eibhlín, 'táim ag dul siar i m'aigne ar gach rud a dúirt sé linn, ag iarraidh pé fo-théacs a ghabhann leis a aimsiú.'

'Níl aon amhras ná go raibh fo-théacs de shórt éigin lena lán dá ndúirt sé,' arsa Aindí, 'ach nílimse léir go leor i mo cheann chun a bheith ag iomrascáil leis.'

'An cuimhin leat nuair a bhi se ag caint faoin Monsignor a bheith ag teacht chun é a fheiscint?'

'Is cuimhin.'

'"Ag teacht chun mé a fheiscint" a dúirt sé, agus ansin chuir sé aguisín beag leis: "nó b'in é a dúirt sé". An bhfeadairís cad a bhí laistiar den aguisín sin?'

'Is dócha nár chreid sé an fear eile gurb é sin an chúis a bhí aige le teacht.'

'Is fíor sin, ach bheadh níos mó ná sin ann. Tá drochmheas ar an bhfear eile aige, nó ní déarfadh sé fiú an méid sin faoi.'

'Rabhadh á thabhairt aige dúinne, is dócha, a bheith cúramach ag déileáil leis.'

'An ceart agat. Níor ghá dó an rabhadh sin a thabhairt dúinn. Bhí an méid sin tuigthe againne fadó.'

'Bhí,' d'aontaigh Aindí léi. 'Rud eile: cén fáth ar luaigh sé neamhniú pósta liomsa?'

'Bhís-se tar éis a rá leis go mbeifeá i gcónaí faoi chuing an phósta fad a bheadh do bhean chéile ar marthain sna Stáit Aontaithe. Bhí seisean ag insint duit go raibh bealach éalaithe agat dá mb'áil leat é a ghlacadh.'

'Cén fáth go ndéanfainn a leithéid?' arsa Aindí.

D'imigh aga beag thart sular gheit sé agus thug aghaidh ar Eibhlín. Bhi sise ag breathnú air, a súile ar leathadh. D'fhan an bheirt acu mar sin ag stánadh ar a chéile, balbh. 'Gheobhaidh mé corcán eile tae,' arsa Aindí. D'ísligh a shúile, sheas suas, agus chuaigh go dtí an cuntar.

Thug sé an corcán nua thar n-ais chun an bhoird agus shuigh síos gan aon rud a rá. Thóg Eibhlín an corcán, agus líon sí cupán Aindí is ansin a ceann féin. Shín seisean an crúiscín bainne chuici, agus nuair a bhí braon curtha ina cuid tae aici, thug sí ar ais dó é. Chuir seisean braon ina chupán féin. Chuireadar na spúnóga ag suaitheadh an tae sna cupáin. Bhíodar ag gabháil dó sin tamall, agus ansin d'óladar beirt bolgam, agus chuireadar na cupáin ar na fochupáin arís. Deineadh an rud sin ar fad faoi mar a bheidís ag gabháil do shearmanas mistéireach éigin a bhain le tae a ól i bhfochair a chéile.

Ní raibh ann, dáiríre, ach go raibh cúthaileacht agus ceann faoi orthu ag an laom solais a phléasc i gceann Aindí tamall roimhe sin, rud a chuir cor nua ar fad sa chaidreamh idir an bheirt acu. Seans nárbh aon scéal nua ag Eibhlín é, mar ba dhoimhne agus ba chríonna an duine í ná Aindí. Ach bhuail sé isteach ina cheann siúd mar a dhéanfadh splanc tintrí lá geal samhraidh. Chaithfeadh duine éigin acu labhairt.

Ba í Eibhlín a dhein. 'Cén fáth go lorgófá neamhniú pósta, a dúraís,' ar sise.

'Dúras,' ar seisean, 'ach ni gá an cheist amaideach sin a fhreagairt. Tá a fhios agam anois cén fáth, agus is dócha go raibh an t-eolas riamh agam i gcúl mo chinn, ach ní thugaim cuairt ar an gcúl céanna sin go rómhinic.'

Bhíodar ciúin, an bheirt acu ag iarraidh an t-eolas nua a bhí buailte leo a chóiriú ina n-aigne.

'Ní fheadar arbh fhearr dúinn a bheith ag bogadh ar aghaidh,' arsa Eibhlín. 'Tá machnamh tromaí le déanamh againn, agus b'fhéidir go mb'fhearr dúinn é a dhéanamh inár n-aonar, linn féin amháin.'

'Ní fheadar. Chomh fada agus a bhaineann sé liomsa, is dóigh liom go mba mhaith liom tusa a bheith liom agus an bheirt againn le chéile ag cíoradh na ceiste.'

'An t-aon eagla amháin a bheadh ormsa faoi sin,' arsa Eibhlín, 'ná go mbeadh baol ann nach mbeadh sé de mhisneach againn an rud atá inár gcroí a rá le chéile.'

'Níl aon easpa misnigh ormsa,' arsa Aindí. 'Tá sé buailte isteach i m'aigne, faoi mar a gheobhainn paltóg ó splanc tintrí, go bhfuilim le blianta fada go domhain i ngrá leatsa.'

Dhein Eibhlín miongháire. 'Ar an mbóthar go Tobar an Iarainn!' ar sise.

D'fhéach Aindí uirthi.

'Cosúil le Naomh Pól, tá a fhios agat,' ar sise. 'Mo leith-scéal. Ní haon chúis magaidh é. Déarfainn go bhfuil an t-eolas agam féin ó am éigin i bhfad siar.'

'De réir dealraimh, bhí a fhios sin ag gach aon diabhal duine ach mé féin,' arsa Aindí, 'Ag an gCanónach, agus tuairim láidir faoi ag na beadánaithe i gCnoc na Coille. Tá mo mháthair ar an eolas chomh maith. Tá an méid sin soiléir anois. Bíonn sí i gcónaí ag iarraidh an bheirt againn a chur le chéile, agus ní bhíonn ach moladh agus dea-fhocal le rá aici fútsa. An cuimhin leat mar a d'áitigh sí ort cabhair a thabhairt dom chun an troscán don tigh nua a roghnú?'

Chas siad ar bheith ag caint ar cad a dhéanfaidís san am a bhí le teacht. An bhfágfaidis Cnoc na Coille? An gcuirfidís iarratas isteach ar na postanna sa scoil sin a mhol an canónach dóibh? An dtabharfadh Aindí faoi ordú a fháil ar neamhniú ar a phósadh? An ndíolfadh Eibhlín a tigh i gCnoc na Coille agus teacht go dtí an tigh nua i dTobar an Iarainn dá bhfaighidís na postanna sin sa Chlochán Dearg?

Thógadar béile sa tigh ósta, agus bhí clapsholas na hoíche ag bailiú timpeall ar Mhainistir na Féile nuair a chuaigh siad amach go dti an carr chun dul abhaile.

'Cá raibh sibh go dtí seo?' d'fhiafraigh Íde nuair a shroicheadar an baile. 'Mheasamar go raibh sibh dulta amú nó rud éigin.'

'Bhíomar tamall maith leis an gCanónach,' arsa Eibhlín, 'agus chaitheamar tamall i Mainistir na Féile chomh maith. D'itheamar san óstán.'

'Conas tá ag an gCanónach?' arsa Pacó.

'Ag stracadh leis, ach déarfainn gan a bheith maíteach,' arsa Aindí.

'Cén scéal a bhi aige daoibh?' arsa Íde.

'Inseoimid ar ball,' arsa Eibhlín, agus thug sí sracfheachaint ar Bhríd a bhí suite ag an mbord ag féachaint ar leabhar.

Ar ball chuaigh Bríd a chodladh agus chuaigh Íde chun an tseomra léi chun a paidreacha a rá léi. Nuair a tháinig sí thar n-ais go dtí an seomra suite, bhrúigh sí an cnaipe ar an teilifíseán agus mhúch é. Shuigh sí ag an mbord, mar a raibh Bríd roimhe sin, agus d'fhéach ar Aindí. 'Bhuel,' ar sise leis, 'scaoil chugainn é. Cén scéal mór a bhí ag an gcanónach sin daoibh?'

D'insíodar beirt an scéal ar fad dóibh, Aindí cuid de, ach Eibhlín ag cur aguisíní leis chun rudaí áirithe a léiriú agus a dhearbhú.

Nuair a bhí críochnaithe acu, thosaigh na ceisteanna ag Íde. 'Bhfuilir chun iarratas a chur isteach ar neamhniú do phósta mar a mhol sé duit?'

'Tá, is dócha.'

'Ná bac le *is dócha*! Táir nó nílir?'

'Táim.'

'Teastaíonn uait pósadh athuair, mar sin?'

'Is dócha.'

'Th'anam ón diabhal, a Aindí, caith uait an *is dócha* sin, adeirim leat!'

'*OK*, mar sin. Teastaíonn uaim pósadh athuair. Níor chuireas an cheist ar an mbean go fóill, áfach. Níl aon chúis eile leis an neamhchinnteacht sin agam.'

Chuir Eibhlín a ladar isteach sa chomhrá: 'Tá a fhios agamsa go mbeadh an bhean úd sásta é a phósadh dá gcuirfeadh sé an cheist uirthi.'

'Buíochas le Dia, tá an méid sin socair,' arsa Íde. 'Gheobhaidh tú amach, a chailín, gur dream ait iad muintir Mhaonaigh i dTobar an Iarainn. Táid gafa go hiomlán leis an seanchreideamh docht ainspianta a chuireadh d'fhiacha orainn fadó a bheith ag dul timpeall cosúil le manaigh agus mná rialta ag gabháil do chleachtaí cráifeacha agus ár nádúr mar dhaoine dhaonna a bhrú faoi chois.'

'Déarfainn nár ghéillis féin dó sin,' arsa Eibhlín, agus dhein an bheirt ban gáire croíúil.

'Bí siúrálta nár ghéill,' arsa Pacó.

'An gcuirfidh sibh isteach ar na postanna sin thuas sa Chlochán Dearg?' arsa Íde.

'Cuirfidh,' arsa Aindí.

'Sea, cuirfidh,' d'aontaigh Eibhlín.

'Agus cuirfidh sibh fúibh sa tigh nua sin amuigh, ta súil agam?' arsa Pacó.

'Bhíos ag súil leis go mbeadh sé ar fáil againn,' arsa Aindí.

'Tá a fhios go maith agat go mbeidh,' arsa Íde. 'Nár chuireamar ann é le súil go dtiocfá abhaile chugainn uair éigin?'

'Ní fheadar an bhfaighidh sibh an scoil sin sa Chlochán Dearg?' arsa Pacó.

'An gcloiseann tú sin?' arsa Íde. 'Sin an cineál áiféise atá i gceist agam. Ní bhíonn aon rud simplí acu sin. Chíonn siad constaicí agus bacainní i ngach aon treo baill, agus i ndeireadh báire ní dheinid faic.'

'Is dóigh liom go bhfaighimid na postanna sin,' arsa Eibhlín, ag freagairt na ceiste a chuir Pacó. 'Dúirt an Canónach go raibh seans maith ann go bhfaighimis. Is dóigh liom gurb é an t-aon fhadhb a bheadh le sárú againn ná é a bheith amuigh orainn go rabhamar ag maireachtaint in aontíos gan a bheith pósta. Ní dúirt sé a leithéid linn, ach nuair a chuimhníonn tú air i dteannta le gach aon rud eile a bhí á rá aige, b'in é a bhí i gceist aige.'

'Caithfidh sibh a bheith macánta leis an sagart sa Chlochán Dearg agus bhur scéal a insint dó gan faic a chur leis ná a bhaint uaidh,' arsa Pacó.

'Déanfaimid sin,' arsa Aindí.

'Seo leat, a Aindí, a bhuachaill,' arsa Íde. 'Tá ábhar ceiliúrtha againn. Téigh amach go dtí an scioból agus faigh an buidéal sin atá i bhfolach aige seo i bpoll sa bhalla, agus ólfaimid bhur sláinte.'

Phléasc gach duine acu amach ag gáirí, Pacó chomh maith le cách.